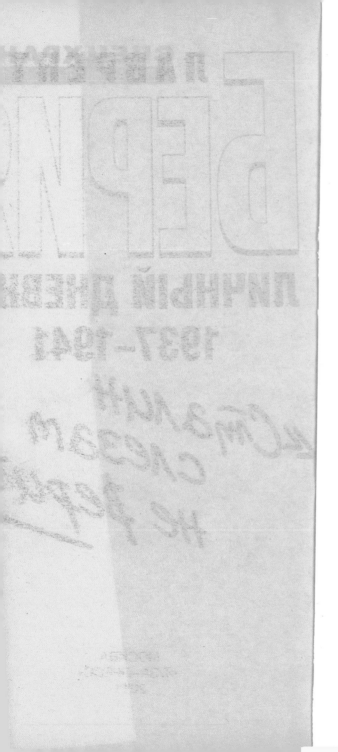

ЛАВРЕНТИЙ БЕРИЯ

ЛИЧНЫЙ ДНЕВНИК

1937–1941

«Сталин слезам не верит»

МОСКВА
«ЯУЗА-ПРЕСС»
2011

УДК 82-94
ББК 63.3(2)
Б 48

Оформление художника *С. Курбатова*

Берия Л. П.

Б 48   «Сталин слезам не верит». Личный дневник
1937—1941 / Лаврентий Берия. — М. : Яуза-пресс,
2011. — 320 с. — (Спецхран. Сенсационные мемуары).

ISBN 978-5-9955-0240-1

ГЛАВНАЯ ИСТОРИЧЕСКАЯ СЕНСАЦИЯ XXI века! Пуб-
ликация **личного дневника Л.П. Берии,** который должны были
уничтожить по приказу Хрущева, но, в полном соответствии со
знаменитым булгаковским афоризмом: «Рукописи не горят»,
этот бесценный документ был спасен, более полувека хранился
в секретных архивах — и лишь теперь, когда спадает мутная
пена «перестроечных» разоблачений, очернительства и антисоветской истерии, передан для публикации Сергею Кремлёву,
автору бестселлера «Берия. Лучший менеджер XX века».

Этот дневник — уникальная возможность заглянуть в личный мир ближайшего соратника Сталина и услышать его собст-
венный голос. Это — предельно откровенные показания главного свидетеля эпохи, проливающие свет на самые запретные
страницы советской истории: Большой террор, катастрофиче-
ское начало Великой Отечественной войны, Атомный проект,
гибель И.В. Сталина... В первом томе публикуются записи
1938−1941 гг. — от назначения Берии на пост наркома внутренних дел СССР до разгрома немецко-фашистских захватчиков
под Москвой.

УДК 82-94
ББК 63.3(2)

ISBN 978-5-9955-0240-1

Предисловие публикатора

История этой книги началась необычно — как в кино. Три года назад, в 2007 году, в издательстве «Яуза» вышла в свет моя книга «Берия. Лучший менеджер XX века». И, конечно, я был рад, что она была встречена с интересом, хотя и не всегда доброжелательным.

И вот осенью 2008 года в моей квартире раздался звонок, и глуховатый голос после того, как его обладатель выяснил, что разговаривает с Сергеем Кремлёвым, осведомился — интересуют ли меня новые материалы о Лаврентии Павловиче?

Я конечно, ответил, что интересуют, но — смотря какие. Мой неизвестный собеседник сообщил, что знает, что живу я не в Москве, а затем спросил — не собираюсь ли в столицу в ближайшее время?

Я ответил, что собираюсь, и мы договорились о встрече в обусловленный день в Александровском саду. Мне было сообщено, что мой собеседник будет одет в коричневый кожаный плащ «не первой, — как было сказано — молодости», что голова его «украшена ещё более старой, но вполне сохранившейся абсолютно седой шевелюрой», и что он будет ждать меня у искусственного грота.

«Впрочем, — прибавил он, — если меня не узнаете вы, то я узнаю вас, потому что видел вас несколько раз в телевизионных передачах».

Вскоре я выбрался в Москву и оказался в обычном водовороте московских дел. А когда пришло время, добрался до Александровского сада и почти сразу же увидел у грота седого и очень старого человека. Одет он был в осеннее кожаное пальто добротной кожи, но потёртое, что было объяснимо: покрой пальто был моден то ли в пятидесятые, то ли — вообще в тридцатые годы.

Белая голова была непокрыта, серые глаза смотрели изучающе, совсем не по-стариковски. Внешность — славянская, рот волевой, на подбородке — ямка. Роста мой новый знакомый (точнее — таинственный незнакомец) был выше среднего, держался очень прямо, почти спортивно. В левой руке он держал кожаный портфель тоже старинного вида. Я не очень разбираюсь, но, похоже, портфель был настоящей крокодиловой кожи.

Рука у незнакомца оказалась сухой и прохладной. И дело было, как я догадывался, не только в том, что тот памятный для меня московский день выдался хотя и солнечным, но не из тёплых. Незнакомец подтвердил мою догадку, сообщив, что ему пошёл девяностый год. Что ж, в таком возрасте кровь греет плохо.

— Я знаю, что вас зовут Сергей Тарасович, а меня вы можете звать, — тут мой собеседник скупо улыбнулся, — например, Павлом Лаврентьевичем.

Я ответил, что рад знакомству и умолк, понимая, что всё существенное мне скажет сам «Павел Лаврентьевич».

Так и вышло. Без долгих разговоров «Павел Лаврентьевич» (в том, что это не настоящие его имя и отчество, я не сомневался) сказал, что в портфеле у него лежат дневники Берии.

— Оригинал? — спросил я, заранее не веря в то, что это правда.

— Нет, фотокопии, — ответил мой собеседник.

Я размышлял, соображая, с кем имею дело, и не зря ли я ехал сюда через пол-Москвы. Манеры и внешность «Павла Лаврентьевича» к нему располагали, но то, что он сказал, было настолько для меня неожиданным, да и неправдоподобным, что волей-неволей приходилось подозревать в нём, увы, мошенника.

«Павел» же «Лаврентьевич» весело посмотрел на меня и осведомился:

— Хотите убедиться?

Что мне оставалось? Я, конечно, сказал, что хочу, и спросил, на какое время и на каких условиях «Павел Лаврентьевич» может мне эти бумаги оставить.

— Оставить я их вам не могу, — услышал я ответ. — Не могу и сообщить в деталях, как они у меня оказались.

Тут у меня появилось естественное желание немедленно откланяться. Однако я сдержался и поинтересовался в свой черёд: как же тогда мы с ним будем сотрудничать, как он объясняет наличие такого сенсационного материала в старом портфеле, кто он, в конце концов, и чем может подтвердить подлинность документа?

«Павел Лаврентьевич» невозмутимо выслушал меня и сказал:

— Уважаемый Сергей Тарасович! Ваши сомнения вполне законны. Я вам всё, что могу объяснить и хочу объяснить, объясню. А уж там решайте сами, верить мне или нет, и сотрудничать со мной или нет. Причём сотрудничество наше, предупрежу Вас сразу, будет кратким. Сейчас я покажу вам сами дневники, точнее, часть их. Дело в том, что оригинал представлял из себя очень толстую стопку отдельных листов. Полная фотокопия, естественно, ещё толще. Поэтому я привёз вам не всё, но, думаю, этого хватит. Надеюсь, вы достаточно знакомы с почерком Лаврентия Павловича, чтобы убедиться, что почерк автора дневников похож на бериевский. Конечно, вы не графолог, но это вам хоть какая-то дополнительная гарантия. Вы просмотрите эти листы, а затем я передам вам электронную копию дневников.

— Отсканированную? — тут же спросил я.

— Нет, просто набранный текст.

— А кто его набирал?

— Это для вас не должно быть важно. Я не могу сказать вам много, но сообщу, что мы, — это «мы» я сразу же отметил и взял на заметку, — не имеем возможности передать вам насовсем ни фотокопию, ни ксерокопию, ни скан фотокопии. Вы увидите, что там есть пометки, архивные легенды и прочие приметы, которые могут стать существенными для чрезмерно любопытных субъектов. А нам это ни к чему.

— То есть вы, как я понимаю, имеете или имели доступ к очень закрытым архивам? — предположил я.

— Имели, — сухо ответил «Павел Лаврентьевич».

И вот тут я почему-то подумал, что он, возможно, не врёт. Вполне могли быть люди, которые относились к Берии лояльно, имели доступ к изъятым у него бумагам и предприняли шаги по их копированию на случай уничтожения хрущёвцами или другими подлецами.

— А оригиналы сейчас где-то имеются? — спросил я.

— Этого я вам тоже сказать не могу. Кстати, я не могу вам и гарантировать, что вы получите полные дневники. Там имеются большие лакуны в целые месяцы. Возможно, он просто забрасывал на это время дневник, возможно, часть листов была уничтожена. А кое-что мы просто не успели переснять.

Мой собеседник был стар, и я задал естественный вопрос:

— А вы лично были знакомы с Лаврентием Павловичем?

— Ну, говорить о знакомстве я не могу, но я знал его немного лично, а кое с кем из тех, кто знал его хорошо, я был знаком.

Сказав это, «Павел Лаврентьевич» внимательно посмотрел на меня и прибавил:

— Берия был не просто ярким и талантливым человеком, но был разносторонне талантливым человеком. И при этом — хорошим человеком.

«Павел Лаврентьевич» помолчал, потом спросил:

— Вы помните, кто это сказал и о ком? — и продекламировал: — «Он к товарищам милел людскою лаской, он к врагам вставал железа твёрже»?

— Помню... Маяковский о Ленине.

— Так вот, я бы не сказал, что Лаврентий Павлович был ласков к людям. Но он был к ним внимателен и искренне был заинтересован в том, чтобы людям, которые честно делают своё дело, было хорошо.

«Павел Лаврентьевич» вздохнул.

Затем открыл портфель и протянул мне первую стопку не новой фотобумаги. Я начал её просматривать и увидел знакомую руку. На первый взгляд, это писал действительно Берия.

— Не пойму, — спросил я, — вы передаёте это, ну, пусть не это, а электронную версию, мне? А почему вы не обнародуете их сами? И почему обратились именно ко мне?

— Потому что после прочтения вашего «Берии» я понял, что наконец-то появилась книга, которая позволяет всё расставить на свои места. Мне нравится ваша позиция, Сергей Тарасович, вы написали о Берии глубоко и смело. Я бы сказал, что вы написали о Берии в стиле Берии, который не терпел виляния вокруг да около. Посмотрел я и фильм о Берии, где вы участвовали. Ваша манера говорить и думать мне тоже понравились. И я решил, что лучшего варианта, чем вы, не найду. Мы хотим, чтобы вы не просто опубликовали эти дневники, но вдумчиво подготовили их к печати и прокомментировали их.

Предложение было заманчивым, и я внутренне уже согласился, но вопросы оставались. В частности, надо было понять — что «Павел Лаврентьевич» запросит за рукопись, как можно удостовериться в её аутентичности, не получая на руки даже копии, надо ли сохранять в тайне обстоятельства получения материалов от «Павла Лаврентьевича»?.. Впрочем, многие вопросы быстро отпали. Оказалось, что «Павел Лаврентьевич» готов передать мне электронную версию дневников бесплатно и без каких-либо письменных расписок и гарантий с моей стороны. «Я вам доверяю», — пояснил он, но заявил, что экспертиза аутентичности по фотокопиям исключена.

— Я понимаю, что вас этот вопрос волнует в первую очередь, — говорил «Павел Лаврентьевич», — но меня он, простите, не волнует. Берите то, что я вам даю, если желаете, и сопоставляйте хронологию, психологию, фактологию и всё, что вам угодно, в рукописи с известными историческими фактами. И сами решайте — аутентична она или нет. Можете издавать эту рукопись с любыми оговорками относительно ваших сомнений в её подлинности. Можете издавать её как собственное литературное произведение или рассматривать её как чью-то литературную мистификацию — как желаете. Никакого раскрытия инкогнито не будет, потому что вы видите меня, дорогой Сергей Тарасович, в первый и последний раз. Условие у меня одно: внимательно изучите это, подготовьте к печати и постарайтесь издать...

«Павел Лаврентьевич» улыбнулся и прибавил:

— Кстати, относительно авторских прав, если вы это будете издавать... Так вот, считайте, что все авторские права мы передаём вам. Впрочем, иначе и быть не может, если публикатором дневников будете вы.

— Но почему так, «Павел Лаврентьевич»? — удивился я. — Вы что, чего-то опасаетесь? Что, в этих дневниках содержится какой-то взрывчатый компромат, какие-то сенсационные разоблачения и всё такое прочее? Почему такая таинственность?

«Павел Лаврентьевич» покачал головой.

— Никакой таинственности, Сергей Тарасович!

А сенсации? Нет там никаких «жареных» сенсаций. Мы потому и остановились в конце концов на вас, что ваша книга весьма точно восстанавливает многие обстоятельства. Вы правы не во всём, но в основном попадаете «в точку». И вы увидите, что дневники Лаврентия Павловича подтверждают вашу правоту со всей убедительностью документа эпохи.

Я начинал выходить из себя.

— Тем более! Неужели для вас не важно, чтобы аутентичность была установлена тоже с убедительностью документа? Ваши фотокопии надо отдать на государственную экспертизу! Вы что — не понимаете, что это такое — подлинные дневники Берии?! Если они, конечно, подлинные.

— Они — подлинные. Но убеждать в этом я никого не намерен.

— То есть? — не понял я. — Это же наша история, «Павел Лаврентьевич»! Вы не имеете права!

И тут «Павел Лаврентьевич» подтянулся, как будто пружина распрямилась. Я не верил своим глазам! Передо мной сидел не девяностолетний старик, а почти юноша с молодыми сверкающими глазами.

— Молодой человек! — почти вскричал он. — Я на всё имею право! Это нынешнее время не имеет никаких прав! Вот вы сказали, что содержимое моего портфеля надо передать на государственную экспертизу... Но государственная экспертиза может существовать лишь при наличии государства. А разве то, что мы сейчас имеем — в Москве, в Киеве, да где угодно, за исключением разве что Минска — это государство? Это Ленин, Сталин и Берия создали могучее государство и возвеличили его! А Хрущ и все остальные заср...цы его проср...ли. Нет сейчас государства, и не отдам я на его «экспертизу» ничего!

«Павел Лаврентьевич» вдруг успокоился, но всё еще зло заметил:

— Да и не подтвердила бы их подлинность никакая

11

сегодняшняя экспертиза, успокойтесь! Если бы там были описания оргий, описание интимных особенностей изнасилованных девочек и прочая дребедень, то уж тут всё бы подтвердили в лучшем виде. Но в дневниках ничего этого нет — Лаврентий Павлович был человеком скорее аскетического склада, в чём-то даже пуританином, хотя любил хорошо одеться и любил хорошие интерьеры. Но что тут удивительного — он же был архитектором, его дача построена по его же проекту. И хорошему проекту!

Я перебирал листы, а «Павел Лаврентьевич» вдруг хлопнул меня по колену и сказал:

— Знаете, Сергей Тарасович! Разве дело в дневниках Лаврентия Павловича? После таких, как он, осталась держава! Раскройте архивы, поднимите протоколы заседаний, стенограммы, резолюции, проведите экспертизу всех фальшивых доказательств его якобы палачества и садизма — вот уж где экспертиза не помешала бы. И если вы будете объективными, то всё станет на свои места раз и навсегда. И вместо монстра перед нами окажется человек. Очень, к слову, достойный уважения.

Пришло время расставаться. В моём кейсе лежал лазерный диск с электронной версией того, что было представлено мне как дневники Берии.

Мы, уже встав со скамьи, стояли, когда мой собеседник попросил:

— Надеюсь, вы не будете пытаться выяснять, кто я и что я? Прошу вас не делать этого.

«Павел Лаврентьевич» хотел, похоже, сказать ещё что-то, но просто махнул рукой, потом протянул её мне, и я ещё раз пожал её, прохладную, но сухую и крепкую.

На том мы и расстались.

Он ушёл, а я задумался. И задуматься действительно было над чем. То, как некие записи возникли из исторического (вот только — исторического ли?)

небытия, позволяло предполагать и тщательно разработанную шутку, на которую не пожалели времени и сил, и литературную мистификацию, и — как ни странно, подлинность, аутентичность дневников Берии.

Первое беглое знакомство с текстом заинтриговало ещё больше. Стиль, детали и многое другое говорили мне, что я читаю дневниковые записи Лаврентия Павловича.

Но...

Но расхожая житейская мудрость рекомендует бояться первого впечатления — оно, мол, обманчиво. Что ж, если ты неопытен, то на первое впечатление лучше не полагаться и с окончательными выводами повременить. Но если ты сведущ в чём-то, то на первое впечатление можно и положиться. Недаром говорят, что информация — мать интуиции. Ведь развитая интуиция, это, как правило, умение мгновенно оценить ситуацию или информацию с учётом всего того массива знаний и опыта, которыми человек обладает. И человек с развитой интуицией оценивает ситуацию верно с одного взгляда. В том, конечно, случае, если в голове у него уже до этого был накоплен действительно массив информации, а не жалкая кучка разрозненных и примитивных знаний. Я знал о Лаврентии Павловиче не так уж и мало. И моё первое впечатление не без оснований склоняло к вере в подлинность текста.

А второе впечатление?

А третье?

Да, я знал не так уж и мало. Однако я знал всё же намного меньше того, что надо бы о Берии знать, чтобы вот так, сразу, выносить тот или иной вердикт. Слишком скудна достоверная информация о Лаврентии Павловиче. Полностью достоверными можно считать лишь сведения, содержащиеся в архивных документах, несущих на себе тот или иной отпечаток деятельности Берии, но широкого доступа к архивам «по

Берии» не имеет по сей день никто. Если же кто-то хотя бы частичный доступ и получал, как, например, прокурор Сухомлинов, который изучал «следственное дело» Берии (явно расстрелянного к тому времени, когда стряпалось «его» «дело»), то вряд ли автор книги «Кто вы, Лаврентий Берия?» был заинтересован в воссоздании подлинного облика Лаврентия Павловича.

Но то, что это — не облик монстра (как назвал его ныне лижущий сковородки в аду генерал Волкогонов), не садиста и не самодура, явствует как из документов, так и из факта отсутствия неких документов. Ведь по сей день никто из клеветников на Берию не представил каких-либо архивных *документов*, которые достоверно обличали бы Берию как «зверя» и показывали бы его в виде «кровавого палача». Думаю, если бы таковые документы в распоряжении «демократов» и либералов имелись, они бы трясли ими на всех углах.

Но вот же — не трясут.

Бывший ленинградский, а ныне *санкт-петербургский* «историк» Лев Лурье обещал мне переслать горы свидетельств якобы «палачества» Берии, якобы отысканных им и съёмочной группой фильма «Подсудимый Берия» в архивах КГБ Грузинской ССР. Однако «обличительных документов» я не дождался. Не были они представлены и на экране.

Нет подобных доказательств и в опубликованных документах той эпохи (фальшивки типа «катынских» документами считаться, естественно, не могут).

Зато имеются опубликованные документы, доказывающие обратное. И они показывают Берию как порой жёсткого, но человечного управленца, забота которого о людях выражалась не в похлопывании их по плечу, а в обеспечении нормальных — насколько это зависит от руководителя — условий для проявления людьми деловых качеств, а также в разумной заботе о быте тех, чьи судьбы тебе вверены.

Однако того, что мы пока имеем, явно недостаточно для составления подробной биохроники Лаврентия Павловича, то есть — летописи жизни и деятельности исторического лица по дням, а порой и по часам. Если бы она была, можно было бы сравнить с ней тот текст, который «Павел Лаврентьевич» предложил мне как дневники Берии. Увы, биохроники Берии мы не имеем, так что даже поверхностная идентификация текста представляла собой проблему.

Я раздумывал...

Грубых, сразу же различимых накладок в дневниковом тексте не было. Но само по себе это не доказывало ничего, хотя всё, что я достоверно знал о Берии, позволяло толковать лежащую передо мной распечатку как подлинный документ эпохи.

Интересным был вопрос, как расценивать то, что оригинал, как следовало из фотокопий, был написан на русском языке. Насколько этот факт доказывал аутентичность текста или, напротив, его поддельность?

Берия был мингрелом и его родным языком был, конечно, грузинский. Однако и русский язык он знал уже с детства. И то, что дневник написан на русском языке, лично для меня оказывалось лишним доказательством его аутентичности — во всяком случае, с психологической стороны. Позволю себе остановиться на этом подробнее...

Не знаю, как хорошо Берия владел грузинской письменностью. То, что он ею владел — вне сомнения, ведь он учился в абхазской школе, на Кавказе. Но также вне сомнения, что он рано перешёл в письме на русский язык. И это объяснимо с любой точки зрения. Берия хорошо понимал значение русского языка для успеха в жизни. А за то, что он был рано ориентирован — самим собой — на достижение такой цели, говорит вся его последующая биография. Лаврентий Павлович всегда имел ярко выраженную огромную трудоспособность и настолько незаурядную натуру, что был бы обречён на успех даже в условиях царской России. У него ведь были явные инженерные и организаторские способности и склонности.

Впрочем, его деятельная натура в условиях нарастающей дестабилизации в Российской империи могла бы привести его и в стан профессиональных революционеров. Берия был бескорыстен, в личных запросах достаточно скромен и эмоционально подвижен. Собственно, в надвинувшихся на Россию грозных бурях он ведь и выбрал судьбу не свидетеля, а участника эпохи, отдавшись борьбе на «красной» стороне баррикад.

В любом случае — и для инженерной карьеры, и для революционной работы — хорошее знание русского языка было необходимо. Причём навык письменности был даже важнее, чем разговорные навыки. Вспомним Сталина. Его первые работы были опубликованы в тифлисской социал-демократической газете «Брдзола» («Борьба») на грузинском языке, но Сталин быстро перешёл на русский, без чего его возможности как общероссийского теоретика и практика революции не могли бы расширяться и укрепляться.

У Берии ситуация была — на своём уровне — схожей, поэтому русский язык как письменный был ему абсолютно необходим уже в молодые годы. Вся же его последующая жизнь только совершенствовала и углубляла навык к выражению мыслей на бумаге на русском языке. При этом и писал Берия весьма грамотно. Многочисленные ошибки и нередкая корявость выражений, которые допущены им в «письмах из бункера» после ареста в июне 1953 года, объясняются, как я понимаю, огромным душевным стрессом, а также тем, что он лишился пенсне.

Если говорить о языке дневника, то его нельзя назвать литературно гладким, но это объяснимо — дневник вёлся крайне занятым человеком, нерегулярно, и это были, что называется, спешные черновые записи «для души». Этим же объясняются, надо полагать, немногочисленные орфографические и более частые синтаксические ошибки.

Но сравнивать дневник с достоверно принадлежащими перу Берии текстами сложно, потому что, насколько мне известно, имеются лишь пять достоверно вышедших из-под пера лично Берии и *опубликованных* документов.

Это, во-первых, автобиография, собственноручно написанная им 22 октября 1923 года. Второй документ стоит отметить особо, это — надиктованное Берией в 1953 году письмо в КБ-11 по поводу имевшей там место быть аварии с исследовательским реактором. Оба документа характеризуют *деловой* литературный стиль Берии, но об уровне грамотности можно судить лишь по первому документу, и этот уровень вполне приемлем для молодого грузина-мингрела. Нет сомнений в том, что с годами уровень письменной грамотности Берии только возрастал, и это вполне объяснимо: Сталин сам был абсолютно грамотным человеком и был весьма нетерпим к неграмотности его сотрудников. Поэтому Берия уже по этой причине не мог не работать над своим уровнем письменной грамотности, а также и над деловым литературным стилем.

Однако в трёх остальных аутентичных документах — я имею в виду три письма Берии, написанных им 28 июня, 1 и 2 июля 1953-го, в адрес ЦК после ареста, уровень грамотности и стиль, что называется, «хромают». Ряд очень неглупых исследователей и прежде всего Ю.И. Мухин отрицают аутентичность этих писем, но по моему мнению, эти три письма написал именно Л.П. Берия, но написал их в состоянии очень сложного по психофизиологической структуре шока, когда в его душе и разуме самым причудливым образом соединились полная растерянность и сохранённые запасы энергичности, нежелание поверить в то, что многолетние товарищи и коллеги могут так неожиданно, незаслуженно и подло его предать, и сохранённая способность к трезвому анализу, простой человеческий страх перед неопределённым будущим и мысли об уже полной его предопределённости в сочетании с неизбежными мыслями о том, как много ещё надо и можно было бы в жизни сделать для той могучей державы, одним из творцов которой он был.

Находясь в таком состоянии, можно забыть о правилах и грамматики, и стилистики, и синтаксиса.

Дневник в состоянии шока не ведут, но стиль переданного мне дневника являл собой нечто среднее между литературной и грамматической нормой и её нарушением. И это тоже объяснимо. Берия был, безусловно, очень эмоционально подвижным человеком, но умеющим при этом сдерживаться тогда, когда этого требует ситуация. Причём ему ежедневно приходилось как раз сдерживаться, «выходя» порой «из себя» скорее в целях, так сказать, воспитательных. Наедине же с собой ни сдерживаться, ни придерживаться грамматических правил нужды не было, зато в подсознании сохранялось ощущение перманентного дефицита времени. Отсюда, как я понимаю, то отсутствие, то присутствие, например, двоеточий перед прямой речью, то закавыченная, то не закавыченная или не полностью закавыченная прямая речь и т.д.

Впрочем, важнее был вопрос по существу — мог ли Берия, опытный чекист, вообще вести дневник? Что ж, почему бы и нет? Тем более с 1938 года. К тому времени Лаврентий Павлович, безусловно, внутренне сильно уставал. Так почему же он не мог создать себе лишнюю маленькую моральную отдушину? Отдушину в той чёртовой ежедневной круговерти, в которой всё высшее руководство СССР, а особенно Сталин и Берия, крутилось год за годом напряжённой работы. Особенно же — с 22 июня 1941 года. Причём психологические нагрузки у Берии были тогда, пожалуй, в чём-то даже более тяжёлыми, чем у Сталина. Сталин отвечал только перед историей и страной. Это был очень тяжкий груз, но всё же груз несколько абстрактный. Берия же отвечал конкретно перед товарищем Сталиным, хотя масштаб деятельности и ответственности у Берии был тоже историческим и державным.

Так или иначе, для Сталина ведение дневника было исключено начисто с любой точки зрения. Хотя и Сталин, между прочим, не был так уж полностью закован в броню. Он даже коллекционированием увлекался — собирал наручные часы. Он даже автографы собирал — хотя и не так, как это делают экзальтированные девицы, теряющие ум от рок-звёзд.

Но дневник?

Нет, дневник Сталина, если бы он когда-либо «отыскался», не может быть аутентичным. «Дневником» Сталина был Поскрёбышев. Недаром ведь и у Берии это проскакивает («Мой дневник — это секретари»).

Так как быть всё же с предположением, что Берия мог вести какой-то дневник? Что ж, оно, повторяю, на мой взгляд, психологически достоверно. Вопрос о возможном дневнике Берии, естественно, возникал не раз. И, например, известный исследователь новейшей истории Арсен Беникович Мартиросян в своей книге «100 мифов о Берии» высмеял саму мысль о том, что Берия мог вести дневник. Мол, чекисты дневники не ведут.

Да нет, бывает, — ведут. И не только чекисты. Не вдаваясь в этот деликатный вопрос подробно, напомню, что личный и весьма откровенный дневник вёл такой хитрый лис и ас разведки, как адмирал Канарис. Он на нём и «погорел».

А вот другой пример... Заслуженно известный советский писатель Георгий Брянцев, автор ряда увлекательных книг (в том числе классической «Конец осиного гнезда»), сам был хорошим чекистом, во время войны выполнял специальные задания за линией фронта и, естественно, знал чекистскую среду хорошо. При этом его роман о чекистах «По тонкому льду» начинается с заголовка «Дневник лейтенанта Трапезникова». Да и главный герой книги — погибший чекист Дмитрий Брагин, вёл в тылу врага записи в записной книжке.

Между прочим, и легендарный, но всё же реальный Николай Кузнецов был задержан бандеровцами, имея при себе письменный отчёт о своей работе — тоже своего рода дневник. Держать его при себе, находясь в тылу врага, было не самым осмотрительным решением, но что делать — чекисты тоже люди.

Как и сталинский чекист № 1 Берия.

Как сегодня достоверно известно, вели дневники некоторые весьма крупные государственные фигуры в СССР, скажем, В.А. Малышев. Он вёл вообще очень подробный дневник, куда сразу же записывал, например, свои разговоры со Сталиным, в том числе — по телефону. Это был своего рода личный *служебный* дневник, но это был всё же *дневник*!

Всё выше сказанное хотя и косвенно, но подтверждало возможность существования дневника Лаврентия Павловича Берии и говорило в пользу «Павла Лаврентьевича».

Да, всё в материалах «Павла Лаврентьевича» выглядело правдоподобно.

Тем не менее я раздумывал.

Подложные «дневники» тех или иных исторических лиц — явление, прижившееся в литературе не вчера. Достаточно напомнить о знаменитых «мемуарах д'Артаньяна» Сандра де Куртиля. Они дали исходный толчок для создания Дюма-отцом блестящей мушкетёрской трилогии, но были, увы, фальшивкой. Впрочем, хотя эти «мемуары» и не вышли из-под пера того, кто формально был обозначен их автором, они вполне принадлежали эпохе. Чтение «мемуаров д'Артаньяна» даже в кавычках — занятие не только увлекательное, но и полезное для понимания сути тех дней и знания реальной истории Франции и Европы.

В нашем веке такой же ловкой литературной мистификацией пушкиноведа Щёголева оказались «дневники Вырубовой» — знаменитой подруги и фрейлины последней российской императрицы.

После Второй мировой войны на Западе появились «дневники Бормана» сомнительной аутентичности, и ещё более сомнительные «дневники Мюллера» — шефа гестапо, якобы укрывшегося в США под крылом заокеанских спецслужб.

Впрочем, явно фальшивые «мемуары Берии» свет тоже увидели. В 1992 году на русском языке стотысячным тиражом была издана книга, которая так и называлась: «Дневники Берии». В издательской аннотации екатеринбургского МП «Конвер» говорилось:

> «В основу сенсационного бестселлера американского писателя (*Алана Вильямса. — Прим. С.К.*) положены личные дневники Берия — известного шефа сталинской секретной полиции, — которые стали сенсационным разоблачением варварских методов советской политики и содержат новые факты из истории послевоенного Советского Союза. Детективный сюжет книги включает в себя историю этих дневников, которые продаются американскому издателю за три миллиона долларов. Две наиболее секретные службы мира КГБ и ЦРУ получают приказ выявить происхождение личных бумаг Берии».

Уж не знаю, существовал ли в природе американский писатель Алан Вильямс, но фигурирующие в его (?) бестселлере «дневники Берии» в реальной жизни — даже по Вильямсу — отсутствовали. В книге Вильямса описывается история *создания* этих дневников двумя ловкими прохиндеями, бывшими сотрудниками радио «Свободная Европа» русским невозвращенцем Борисом Дробновым и англосаксом Томасом Мэлори.

При помощи невозвращенки грузинки Татаны, по мужу-израильтянину — Татьяны Бернштейн, «дневники» переводятся на мингрельский (?) язык и печатаются на машинке с грузинским шрифтом. Затем они предлагаются издателям, но всё заканчивается тем, что агенты ЦРУ убирают Мэлори и Татану, дабы факт подделки «компромата» не стал кому-либо известен, а агенты КГБ выкрадывают Дробнова, который, чтобы не возвращаться в «Совдепию», выбрасывается из самолёта.

Надо сказать, что история о том, как стряпались «дневники Берии», и сама сляпана наспех и лишь на очень непритязательный вкус может показаться бестселлером.

Отец Берии — крестьянин, становится у Алана Вильямса «местным чиновником при либеральном царском режиме», сам Берия — «главным агентом Ягоды в Женеве и Париже в 1928—1929 годах», вербовщиком «кэмбриджцев» Берджеса, Маклина и Филби, а также первым секретарём никогда не существовавшей «Закавказской компартии» (Берия был первым секретарём Закавказского крайкома ВКП(б) и первым секретарём ЦК Компартии Грузии).

О самом деятельном и толковом члене Государственного Комитета Обороны, ставшем в 1944 году заместителем Председателя ГКО И.В. Сталина, в книге Вильямса сказано, что «его деятельность в комитете была плачевной».

Ну, такие «мелочи», как звание Героя Советского Союза в 1943 году вместо реально полученного Лаврентием Павловичем звания Героя Социалистического Труда и 15-миллионый «бериевский» ГУЛАГ времён войны, можно уже и не считать.

Однако нельзя не признать, что создатель «дневников Берии» был неплохо — для начала 90-х годов — осведомлён о многих реальных деликатных или неблаговидных деталях исторической ситуации в СССР Сталина. Но ряд точных сведений и оценок не изменяет общего низкого качества подделки и её однозначной антиисторичности.

Из «дневников Берии» работы Алана Вильямса Лаврентий Павлович предстаёт перед читателем сластолюбцем, циником и интриганом. При этом Берия работы Вильямса—Мэлори—Дробнова оказывается, естественно, неплохим литератором со своим литературным стилем.

В целом же он оказывается глупцом.

Глупцом потому, что если Наполеон не доверял свои замыслы даже подушке, то Берия — по Вильямсу — доверял бумаге, например, вот что:

> «Занимаюсь личным составом. Рафик представил полный отчёт о наших возможностях. Силы специального назначения в составе 300 тысяч человек с опытными командирами, на которых я могу положиться, так как они знают, что если сметут меня, то сметут и их...»

Это якобы написано Берией в Барвихе в ноябре 1952 года и якобы доказывает, что он готовил государственный переворот и убийство Сталина.

Первая якобы дневниковая запись в книге Вильямса начинается так:

> *«Гагра, июнь 1949 г.*
>
> Проснулся с восходом солнца с ощущением бодрости в теле и сильного плотского желания. Черное море, как обычно, чудесно влияло на мой организм. (Даже после вчерашней выпивки голова была совершенно ясной.)...»

Далее якобы Берией описывается часто упоминаемое в антибериевской литературе катание на катере: «Я расхохотался и спросил, как ему нравится моя игрушка (*катер. — С.К.*)? Ведь правда хороша штучка, прямо для западного плейбоя (*ну-ну, слово явно из словаря Берии. — С.К.*) с девочками».

Затем появляется и «девочка» — якобы «подцепленная» в море некая «известная советская чемпионка по плаванию на дальние дистанции» Людмила.

Якобы Берия в «своём» якобы дневнике пишет о ней так:

> «Я притормозил, схватил бинокль и направил на неё. Вот это да! Ну прямо статуэтка, вся золотисто-коричневая в ослепительно-белом купальнике; когда мужчины тянули ее на борт, ягодицы ее торчали, как две спелые сливы...»

«Людмила» осталась, естественно, на ночь и «мы хорошо развлекались, я делал с нею все, что хотел, но она оказалась хорошей ученицей».

Всё это могло бы, возможно, кого-то и убедить. Но вот незадача — изучение ныне полностью изданного (обозначенным тиражом, правда, в 350 экземпляров) Журнала записей лиц, принятых И.В. Сталиным в 1924—1953 годах, показывает, что Л.П. Берия присутствовал на совещаниях у Сталина 1, 4, 10, 11, 18, 20, 25, 29 июня 1949 года.

То есть Берия был на всех июньских совещаниях 1949 года в сталинском кабинете.

Он был там и на всех июльских совещаниях 1949 года: 2, 6, 9, 13, 16, 18, 23, 25, 29, 30 июля...

И на всех августовских — тоже. Они проходили у Сталина 1, 2, 5, 6, 9, 10, 12, 15, 18, 19, 20, 22 августа с участием Берии, вплоть до 24 августа 1949 года. Через день Берия выехал в Казахстан на Семипалатинский ядерный полигон, на предстоящее 29 августа 1949 года первое испытание советской атомной бомбы.

2, 9, 16, 23 и 30 июня, 7, 14 и 21 июля, 10, 13, 16, 25 августа 1949 года Берия принимал участие в заседаниях Бюро Совета министров СССР, причём 16 июня, 7 июля,

10, 13, 16 августа 1949 года он на этих заседаниях председательствовал.

4 июня 1949 года Берия подписал представляемый Сталину перечень проектов Постановлений и распоряжений Совета министров СССР по атомной проблеме.

17 июня 1949 года Берия принимал участие в заседании Политбюро ЦК ВКП(б).

23 июня 1949 года Берия наложил визу на записку первого заместителя министра Вооружённых сил СССР Соколовского и начальника Генерального штаба Штеменко о желательности передачи 105, 106, 107 и 108 военно-дорожных отрядов в МГБ СССР.

График, как видим, разнообразный, насыщенный и полностью московский. Так что забавляться с чемпионкой «Людмилой» в июне 1949 года в Гаграх Лаврентий Павлович не мог никак.

Подробно анализировать «Дневники» Вильямса — пустое дело. Достаточно сказать, что общий низкий — даже по нынешним временам торжествующей некомпетентности — уровень «бестселлера» исключил возможность его перепечаток в дальнейшем — после первой публикации в 1992 году. Надо полагать, тираж в сто тысяч полностью насытил формирующийся «россиянский» рынок подобной макулатуры раз и навсегда.

То, что передал мне «Павел Лаврентьевич», было принципиально иным и на правду походило. Вот почему я согласился принять на себя труд подготовки рукописи к изданию с рядом необходимых справок, комментариев и примечаний.

По мере работы — а за два года мне пришлось поработать немало, сверяя даты и факты, роясь в доступных мне архивных документах и разного рода мемуарах и «мемуарах» — моё чувство текста и эпохи, естественно, возрастало. И сейчас, по завершении работы, я хотел бы поделиться с читателем рядом своих наблюдений и догадок.

Вот, например, интересный, на мой взгляд, момент. В дневнике нет ни одной записи, касающейся работы Бюро № 2 при Председателе Специального комитета, через которое шёл основной поток разведывательной информации по атомным вопросам. В ныне рассекреченных документах советского Атомного проекта эта сторона вопроса освещена неплохо, и можно найти немало просьб тех или иных руководителей об осведомлении ряда их подчинённых с деликатной информацией. Так, академик Хлопин дважды обращался лично к Берии с подобной просьбой, неоднократно просил об этом же Курчатов.

Вопреки распространённому заблуждению с определённого момента круг так или иначе допущенных к ознакомлению с материалами Бюро № 2 был весьма велик. К 4 января 1949 года список ознакомленных насчитывал 35 фамилий, включая академиков Курчатова, Семёнова, Хлопина, Иоффе, Вавилова и других учёных, занятых в Атомной проблеме, в том числе — Харитона, Зельдовича, Франк-Каменецкого и др.

Судя по отсутствию записей, самого Берию этот вопрос волновал мало, он находился на периферии его интересов. И по одной этой детали можно понять, насколько высоким был общий уровень проблем, занимавших Л.П. Берию как государственного деятеля, если факт получения ценной информации по атомным вопросам из-за рубежа был для него, надо полагать, малозначащим — с позиций ведения личного дневника.

Интересно и то, как Берия именует наедине с собой Сталина — то «товарищ Сталин», то просто «Коба». Причём официальный, так сказать, вариант в ряде случаев выглядит как проникнутый горькой иронией или досадой, а в ряде случаев — чуть ли не насмешливо. Психологически это объяснимо. Есть неглупое изречение: «Чем старше мы становимся, тем больше у нас оказывается ровесников». Всё верно. Сталин был ровно на двадцать лет старше Берии. В 1919 году двадцатилетний Берия даже в мыслях не мог и близко ставить себя рядом со Сталиным и как-то себя с ним сравнивать.

А как в 1949 году, когда Берии исполнилось пятьдесят, а Сталину семьдесят лет?

Характерна в этом отношении деталь с подписями Сталина и Берии.

Сталин долгое время подписывался полностью «Сталин», а визу ставил в левом верхнем углу. С годами нормой становится сокращённая подпись «И Ст.», при этом свою подпись Сталин накладывает прямо по тексту. Берия до конца использовал полную подпись «Л Берия», но самый последний опубликованный его автограф — подпись на не зарегистрированном Постановлении СМ СССР «О задачах и программе испытаний на полигоне № 2» в 1953 году выглядит так: «Л Б». Это ведь тоже, пожалуй, говорит о психологически ином, более высоком уровне осознания себя.

Берия, безусловно, до конца уважал Сталина, но с начала по крайней мере 50-х годов не мог уже смотреть на него только снизу вверх. Как эффективные менеджеры они к тому времени уже стоили, пожалуй, друг друга.

При этом оба они, и Сталин, и Берия, очень уставали и к 1953 году устали — от всего! От груза государственных проблем, от неизбежной лести части окружающих, от многообразного, так сказать, однообразия повседневной жизни.

Но Сталин был на двадцать лет старше, Берия имел фору в два десятка лет и понимал, что за эти годы он и страна могут совершить очень много. А упорное нежелание Сталина формально сделать Берию своим преемником не могло Лаврентия Павловича не обижать, а порой и злить. И тут был прав ученик, а не учитель.

Надо, пожалуй, сказать несколько слов о смещении дат в дневниках военных лет. Иногда запись за то или иное число датирована одним днем, но сделана могла быть только на следующий день, если судить по ныне опубликованному Журналу посещений кремлёвского кабинета И.В. Сталина.

Это вполне объяснимо — совещания у Сталина проходили, как правило, во второй половине дня до полночи и позднее, с переходом в ночь следующего дня. Иными словами, для ближайших сотрудников Сталина, к которым относился, естественно, и Берия, ночь превращалась в день, день — в ночь, и личные записи датировались с учетом этой особенности жизни.

В первый период работы, когда я лишь осваивал текст, меня смущали как длительные, порой, перерывы в записях, так и малое их количество в некоторые годы, особенно во второй половине 1941 года, в 1942, 1950 и 1951 годах. Но потом я — во всяком случае, для себя — нашёл объяснение этому.

Немногочисленность записей за первые военные полтора года вполне понятна. Как свидетельствуют объективные мемуаристы, тогда Берию можно было застать в рабочем кабинете «живьём» или по телефону практически в любой момент суток.

Впрочем, как признавался «Павел Лаврентьевич», возможно, часть текста была изъята до того, как он и его товарищи смогли снять с дневников фотокопии. **Более подробно на этом пикантном моменте я остановлюсь в комментарии к дневниковой записи от 10 июня 1941 года. Сразу рекомендую читателю прочесть этот комментарий внимательно.**

К весне 1943 года ситуация обрела черты стабильности и уверенности в благополучном для СССР исходе войны. У Берии появилось больше свободного времени. С другой стороны, необходимость в доверенном «собеседнике» возросла, потому что у Берии произошёл раскол в семье — у него появилась женщина, о чём он тогда же сказал жене Нино. Результатом стало, конечно же, отчуждение супругов, что Берия переносил тяжело (более подробно об этом будет сказано в послесловии).

Скудный объём дневника за 1950 год я объясняю высоким тонусом его автора в то время, а тоже скудный объём записей за 1951 год, напротив, тем, что в 1951 году Лаврентия Павловича, если судить по дневнику, чаще посещали минорные мысли и настроения.

И тому есть свои причины. Слишком много проблем накопилось в СССР к 1951 году. Всю их сложность, многомерность Берия не видеть не мог. Он сознавал, что эти проблемы решаемы, но при этом не мог не сознавать, сколько для этого надо приложить усилий, в том числе и ему. А он ведь был уже не юношей с горящими глазами.

Впрочем, относительная скудость объёма дневника ряда послевоенных лет может иметь и другое объяснение (см., в частности, комментарий к дневниковой записи от 10 июня 1941 года).

Должен сказать, что работа по подготовке дневника Л.П. Берии к печати лишь укрепила те мои выводы, которые я сделал ранее относительно Берии и его эпохи. Эти выводы были уже изложены мной в ряде своих книг.

Что же до дневников Берии, то в них не оказалось никакого «грязного белья» в том смысле, какой этому выражению обычно придают. Да ничего подобного в бериевских дневниках и не могло оказаться: сталинских соратников пакетами акций никто не подкупал, тайных садистских наклонностей они не имели и «откатами» не занимались.

Другое дело — освещение некоторых периодов в истории СССР. Здесь о сенсации (как о неожиданном откровении) говорить можно. Например, как следует из дневников, именно Берия — в отличие от устоявшихся клише, своей объективной информацией об угрозе войны своевременно, за несколько дней до 22 июня 1941 года, переломил убеждённость Сталина в том, что войны в 1941 году можно избежать. Такой факт, конечно же, сенсационен.

И все же записи Берии не раскрывают никаких «грязных» «тайн кремлёвского двора». Поэтому можно сказать, что сенсационность дневника Берии заключается ещё и в том, что сенсация (как некие «жареные» факты) в них отсутствует! Что они подтверждают: на высшем уровне сталинского руководства никаких особо пикантных тайн не было.

Повторяю: никто из, так сказать, доброкачественной, то есть прошедшей с ним до конца его жизни «команды» Сталина не был ни тайным педофилом или гомосексуалистом, ни тайным провокатором охранки или запойным алкоголиком, ни скрягой-накопителем, ни коррумпционером, ни предтечей разного рода «уотергейтов» и «куршевелей»...

Правда той эпохи заключается в том, что нормальные люди, далеко не ангелы, но и не черти с рогами, занимались тогда большим и важным государственным делом. Строили державу, защищали её, восстанавливали разрушенное, развивали.

И руководили — пусть и не всегда идеально — этим процессом.

В сборнике документов «Политбюро ЦК ВКП(б) и Совет Министров СССР. 1945—1953», изданном в 2002 году, на с. 154—157 опубликованы три записки Л.П. Берии в Бюро Совмина СССР: о состоянии лесосплава от 26.02.48 г., о механизации лесозаготовок от 14.03.48 г., и по отчёту министра лесной и бумажной промышленности СССР от 28.09.48 г.

Всего три серьёзных документа на одну и ту же тему! А ведь год за годом число их, проходивших через

Берию в течение года, достигало, по крайней мере, двух-трёх тысяч! И — по доброму десятку тем!

Какой надо было обладать усидчивостью и работоспособностью, чтобы хотя бы *прочитывать* всё это! А ведь надо было ещё прочитанное усваивать, осмыслять, и не просто так, а для принятия решений. И не просто решений, а верных, *компетентных* решений в весьма разных сферах жизни и деятельности государства, экономики, общества.

Спору нет, как правило, лично Берия не готовил «рыбу» своих записок, писем и т.п. по специализированным вопросам. Проекты документов готовили его помощники, специалисты в конкретной проблематике. Но всё равно поток исходящих и входящих документов проходил через Берию и Берией эффективно и компетентно контролировался!

Какие тут интриги, шашни, «тайны кремлёвского двора» и «кремлёвской кухни»! Тут бы до кровати добраться да супу похлебать. Одна отрада — в отпуск в родные места вырваться, благо эти родные места как раз и есть райский уголок.

Да ещё разве что урвать — когда пяток минут, а когда полчаса — для потаённого «дружка»-дневника.

Засим мне остаётся сказать следующее.

В исходной электронной версии не было разбивки по годам. Записи из года в год идут слитно. Я, для удобства читателя и собственного, дал записям каждого года соответствующий заголовок.

Далее... Проверка пунктуации показывает, что знаки препинания чаще всего присутствуют (но нередко и не присутствуют) там, где им и положено быть, то есть автор текста обладал неплохой синтаксической культурой. В рукописи практически нет и грамматических ошибок, кроме явных описок. Но Берия вообще-то был весьма грамотен и неплохо образован, имел вкус к чтению.

Чем дальше я продвигался в анализе переданных

материалов, тем больше у меня возникало возможных вопросов к «Павлу Лаврентьевичу» и его неизвестным помощникам. Увы, я этого был лишён. Был бы благодарен, если бы «Павел Лаврентьевич», дай Бог ему здоровья, счёл возможным откликнуться и прояснить хотя бы для меня ряд невыясненных моментов.

Так или иначе, моя утомительная, признаюсь, работа, наконец, закончена. И я представляю её итоги на суд читателей, не скрыв от них тех обстоятельств, которые предшествовали изданию книги.

Не знаю, жив ли «Павел Лаврентьевич» сейчас. Даже самые крепкие на вид старики в возрасте за девяносто могут уйти неожиданно, в любой момент, но я надеюсь, что «Павел Лаврентьевич» всё еще жив и здоров и эту книгу прочтёт.

Сергей Кремлёв (Брезкун)

Берия:
путь от Кавказа до Москвы
Вводный очерк

Биография Лаврентия Павловича Берии и сегодня известна недостаточно широко, поэтому я счёл целесообразным кое-что читателю напомнить, начав с биографической справки о нём, опубликованной в массовом календаре-справочнике на 1941 год, изданном Государственным социально-экономическим издательством (Соцэкгиз):

> Лаврентий Павлович Берия родился 29 марта 1899 г. в селении Мерхеули (Грузинская ССР) в бедной крестьянской семье. В партию большевиков т. Берия вступил в марте 1917 года в Баку. В 1918—1920 гг., в период господства муссаватистов и меньшевиков в Закавказье т. Берия вел активную подпольную работу в Баку и Грузии. В 1920 г. т. Берия был арестован меньшевистским правительством Грузии. По настоянию С.М. Кирова, который работал в то время полномочным представителем Советской России в Грузии, т. Берия был выслан из Грузии в Советский Азербайджан. С 1921 г. т. Берия на руководящей работе в органах советской разведки. С ноября 1931 г. — первый секретарь ЦК КП(б) Грузии, а в 1932 г. и первый секретарь Закавказского крайкома ВКП(б)...
>
> ...
>
> С конца 1938 г. т. Берия — народный комиссар внутренних дел СССР. С XVII съезда — член ЦК ВКП(б), с марта 1939 г. — кандидат в члены Политбюро ЦК ВКП(б). Тов. Берия — один из виднейших руководителей ВКП(б) и ближайших учеников и соратников товарища Сталина...»

Так оно и было — в основных чертах. Вначале — работа в органах ЧК и ОГПУ, затем — после того как Берия зарекомендовал себя деятельным работником, способным быстро разбираться в разнородных проблемах и решать их, — перевод на крупную партийную работу. С 1932 года Берия — формальный и неформальный лидер всего Закавказья.

Могло ли быть иначе? Могло — в том смысле, что Берия мог шагнуть на руководящие партийные высоты не из органов ОГПУ, а, например, после работы в народном хозяйстве. Дело в том, что Берия очень хотел стать инженером-строителем, а скорее — архитектором. Ещё до революции он поступил в Бакинское механико-строительное училище и к 1918 году окончил его. После установления в Азербайджане советской власти училище осенью 1920 года было преобразовано в Политехнический институт, и Берия сразу же в него поступает.

Он хочет быть студентом, однако доучиться ему не пришлось — партия сказала, что он должен стать чекистом. ЦК Компартии Азербайджана назначает 22-летнего Лаврентия Берию в Азербайджанскую ЧК заместителем начальника секретно-оперативного отдела (СПО), а вскоре — начальником СПО и заместителем председателя АзЧК.

В ноябре 1922 года Берия распоряжением Закавказского крайкома отзывается из АзЧК в распоряжение ЦК КП(б) Грузии. В Тифлисе его назначают начальником секретно-оперативной части и заместителем председателя ЧК Грузии.

К тому моменту, когда Сталин решил перевести Л.П. Берию на руководящую партийную работу, он возглавлял уже всё ОГПУ Закавказья. Надо сказать, что Берии, как руководителю чекистов Закавказья, приходилось работать в особо сложных условиях, но он работал не только эффективно, но ещё и — насколько это было возможно — бескровно. Известна история с эмиссаром меньшевиков Джугели, арестованным ГрузЧК и обратившимся из заключения к своим сотоварищам с призывом прекратить борьбу из-за её бессмысленности. Поступить так убедил Джугели именно Берия. И это был его стиль.

Став первым секретарём ЦК КП(б) Грузии в 1931 году, Берия руководил республикой до конца лета 1938 года. С 1932 года до разделения в 1936 году Закавказской Советской Федеративной Социалистической Республики (ЗСФСР) на Азербайджанскую, Армянскую и Грузинскую ССР, Берия руководил, как первый секретарь Закавказского крайкома ВКП(б), и всем Закавказьем.

Когда «продвинутые» «демократические» «историки» говорят о кавказском периоде деятельности Берии, то вспоминают лишь репрессии 1937—1938 годов, которые якобы были раздуты им до огромных размеров. Однако в действительности Л.П. Берия вошёл в историю (пусть это сейчас и замалчивается) как наиболее выдающийся и эффективный реформатор Кавказа и прежде всего — Грузии.

К 1940 году Грузинская ССР держала абсолютный рекорд среди всех остальных союзных республик, включая РСФСР, по темпам экономического развития. Если принять 1913 год за единицу, то к 1940 году объём промышленного производства в Грузии вырос в 10 раз, а сельскохозяйственного — в 2,5 раза при принципиальном изменении структуры сельского хозяйства в сторону высокодоходных культур субтропической зоны.

Что же до «кровавых репрессий», то к окончанию чекистской операции 1937—1938 годов в заключении в различных тюрьмах и лагерях НКВД находился примерно один из 277 жителей Грузии. Для сравнения напомню, что в нынешней «Россиянии» «сидит» примерно каждый стопятидесятый, то есть в Грузии времён Берии количество заключённых на 1000 человек было примерно в два раза меньшим, чем в ельциноидной «Россиянии» в нынешние «демократические» времена.

Даже по весьма подозрительным подсчётам конца 1953 года в Грузии в 1937—1938 годах к высшей мере наказания было осуждено 8 тысяч человек. Много это или мало для бурных времён, когда реальной чертой жизни оказывалась острая социальная борьба нового со старым, и наоборот?

Сейчас «бухгалтеры» горе-«реформатора» Саакадзе увеличивают цифру репрессированных в Грузии по 1-й категории (то есть приговорённых к высшей мере наказания) до 15 тысяч человек, что ещё более сомнительно. Но если принять такую цифру за достоверную — что тогда? При населении Грузии в 3,5 миллиона человек это даёт четырёх расстрелянных на тысячу жителей. Много это или мало?

Ещё в 1920 году Грузия была меньшевистской. По сути, правительственная партия меньшевиков насчитывала тогда до 80 тысяч членов, из них не менее 10 процентов — активных, включая функционеров. Грузинских большевиков тогда было не более двух тысяч человек.

Антисоветские и антирусские настроения поощрялись и питались не только меньшевиками, но и их западными покровителями. В Грузии, как и вообще в Закавказье, активно насаждали свою агентуру американцы с англичанами, французы с турками, и даже поляки (последние, к слову, весьма активно). Грузинский пролетариат был ещё слаб, зато была велика прослойка купцов, дворян, разного рода князей, торговцев, полууголовных люмпенов и т.п.

Так спрашивается — что, в грузинском городке с населением в, скажем, пять тысяч в конце 30-х годов не было двух десятков активных врагов Советской власти?

Да их там было и ещё больше! Не считая традиционных для Кавказа коррумпционеров.

Однако, вопреки клевете на него, Берия не имел палаческих наклонностей (он даже охоту не любил, предпочитая ей рыбалку) и неизбежные по той ситуации репрессивные меры предпринимал так, чтобы, по возможности, минимизировать их. Тем не менее его репрессивная политика оказалась весьма эффективной в том смысле, что активной «пятой колонны» в Грузии и вообще в Закавказье, несмотря на всё их стратегическое значение, немцы не имели даже в период своих наибольших успехов на Кавказе.

Возможная германская оккупация Грузии унесла бы, по крайней мере, 50—60 тысяч жизней только грузин (не говорю уж о грузинских евреях). То есть, при любом угле зрения — если не надевать, конечно, чёрные очки — объективная «арифметика» репрессий в Грузии не обвиняет, а оправдывает Берию. Он и его чекисты сумели оздоровить внутреннюю ситуацию в республике минимально возможной кровью.

Обойтись же вообще без крови было нельзя, потому что наличие мощной «пятой колонны» в преддверии возможной большой войны привело бы в случае войны к намного большей крови.

Как уже было сказано, Грузия под руководством Берии развивалась исключительно динамично и при этом — гармонично. Берия в Грузии — это первый расцвет грузинской экономики, науки, образования, культуры (в том числе — физической)... Это — период реконструкции Тбилиси, массового городского и промышленного строительства, преобразования Грузии во всесоюзную курортную зону. Однако в конце лета 1938 года Берия навсегда уезжает из Грузии в Москву по вызову Сталина.

Сталину вновь потребовался чекист Берия, а не социалистический менеджер Берия. Забегая вперёд, скажу, что и в НКВД Берия проявил себя прежде всего как эффективный реформатор, а затем достаточно быстро вырос в выдающуюся фигуру общегосударственного масштаба.

При этом назначение Л.П. Берии в НКВД было логичным не только потому, что Сталину надоели во главе НКВД разного рода политиканы, которые то и дело норовили вляпаться сами и вляпать других в те или иные антисталинские, а фактически в антисоветские заговоры. В отношении же Берии заранее можно было не сомневаться, что он будет толково, самоотверженно и честно заниматься прямым делом, укрепляя, а не расшатывая государство.

Однако суть была не только в этом, как и не только в том, что Берия имел огромный чисто чекистский опыт. Это малоизвестно, но Берия входил в ту узкую комиссию, которая была образована Политбюро 20 марта 1934 года для разработки проекта Положения об НКВД СССР и Особом совещании НКВД СССР.

Вот состав комиссии: Каганович (председатель), Куйбышев, Ягода, Ст. Косиор, Берия, Чубарь, Гр. Леплевский, Акулов, Вышинский, Прокофьев, Булатов, Агранов, Балицкий, Реденс, Бельский и Крыленко.

Из этого состава Ягода, Леплевский, Прокофьев, Булатов, Агранов, Балицкий, Реденс и Бельский были «чистыми» чекистами и входили в руководство ОГПУ СССР, которое предстояло преобразовать в НКВД СССР.

Каганович тогда был как минимум левой рукой Сталина, если считать, что правой был Молотов. Впрочем, не будет ошибкой считать и наоборот.

Куйбышев к марту 1934 года занимал пост Председателя Комиссии советского контроля при СНК СССР (в мае 1934 года он был назначен 1-м заместителем Председателя СНК и СТО СССР).

Косиор был тогда 1-м секретарём ЦК КП(б) Украины, Акулов и Вышинский представляли Прокуратуру СССР, Крыленко был наркомом юстиции СССР, а Булатов — заведующим Отделом руководящих партийных органов (ОРПО) ЦК ВКП(б).

Берия же занимал пост 1-го секретаря Закавказского крайкома ВКП(б) и 1-го секретаря ЦК КП(б) Грузии. По масштабам страны — не самый высокий уровень, однако при его назначении в комиссию явно были учтены не просто его деловые качества, но именно чекистский опыт.

К лету 1938 года из всего состава комиссии в строю оставались только Каганович, Вышинский и Берия. Куйбышев умер, остальные были репрессированы. И теперь, при назначении Берии в НКВД, Сталин и его ближайшие соратники не могли не помнить о том, что Берия стоял у начала НКВД и принял в первой реформе ОГПУ в НКВД прямое и активное участие.

Вот кратко — о пути Лаврентия Павловича Берии от Кавказа до Москвы.

1938 год

29/VII-38

Никогда не думал, что буду писать дневник. У меня вместо дневника секретари. А тут потянуло. Хоть с кем-то надо посоветоваться, даже Нино сказать не могу. Можно только с собой. А это называется дневник. Попробую, может поможет. Каждый день записывать не получится, но это и не надо. А выговориться надо.

Получил личное письмо от товарища Сталина. Серьезное письмо и надо крепко подумать. Предлагает вернуться на чекистскую работу, в Москву, первым замом Ежова.

Николай[1] человек сложный. Наломал дров с репрессированием, а самое тяжелое в разведке. Предал Никольский[2], предал Кривицкий[3], предал Люшков[4].

---

[1] Е ж о в Н и к о л а й И в а н о в и ч (1895 — 4.02.1940), партийный и государственный деятель. Сын литейщика, участник Первой мировой войны, был ранен. В мае 1917 года вступил в партию большевиков. С 1 февраля 1935 г. — секретарь ЦК ВКП(б), с 12 октября 1937 года кандидат в члены Политбюро ЦК, Генеральный комиссар государственной безопасности СССР. 26 сентября 1936 года назначен наркомом внутренних дел СССР вместо снятого Генриха Ягоды. С апреля 1938 по апрель 1939 года также нарком водного транспорта СССР. Провёл чистку НКВД и руководил проведением основных этапов чекистской операции по массовому репрессированию антисоветских элементов, допустил серьёзные перегибы, оказался вовлечённым в политические авантюры. 25 ноября 1938 года заменён на посту НКВД СССР Л.П. Берией, 10 марта 1939 года лишён всех партийных постов, 10 апреля 1939 года арестован, 4 февраля 1940 года расстрелян.

[2] Н и к о л ь с к и й Л е в Л а з а р е в и ч (Орлов Александр Михайлович, настоящее имя Фельдбинг Лейба Лазаревич) (1895—1973), высокопоставленный сотрудник ЧК—ОГПУ—НКВД, майор госбезопасности (1935), с 1933 по 1937 год нелегальный резидент ИНО ОГПУ—НКВД во

Это крупные провалы. Коба пишет, что не знает, кому верить. В разведке долго заправляли Артузов[1], Слуцкий[2], Урицкий[3] и прочие бл...ди. Способности есть, но авантюристы, я всегда так считал. И воспитывали авантюристов. Куда повернут, никогда не было ясно, они меня часто дое...ывали еще по работе ОГПУ.

Франции, в 1937—1938 гг. резидент НКВД в Испании и советник испанского республиканского правительства. В 1938 году перебежал в США, прихватив из резидентуры оперативный запас валюты (более 50 тыс долларов). Жил в США.

[3] Кривицкий Вальтер Германович (Гинзберг Самуил Гершевич) (1899—1941), член РКП(б) с 1919 года, с 1918 по 1921 год на нелегальной работе в Австрии и Польше, с 1921 года сотрудник 4-го (разведывательного) управления Штаба РККА, с 1931 г. в ИНО ОГПУ, с октября 1935 года нелегальный резидент ИНО в Голландии, осенью 1937 года попросил политическое убежище во Франции. В 1941 году покончил жизнь самоубийством (возможно, ликвидирован). Выдал сотрудникам западных спецслужб более 100 советских разведчиков-нелегалов в Западной Европе, чуть не «засветил» «кембриджскую пятёрку», в том числе Кима Филби.

[4] Люшков Генрих Самойлович (1900, Одесса — 19.08.1945, Дайрен, Маньчжурия), один из руководителей органов государственной безопасности, самый высокопоставленный перебежчик из НКВД к врагу. В органах ЧК с июня 1920 года, комиссар ГБ 3-го ранга (1935), протеже Генриха Ягоды, заместитель начальника СПО НКВД СССР. Перемещён Н.И. Ежовым из центрального аппарата на периферию, с июня 1937 года начальник Управления НКВД в Дальневосточном крае, 13 июня 1938 года бежал к японцам, сотрудничал с разведкой Квантунской армии, после разгрома Японии ликвидирован начальником Дайренской военной миссии Японии.

[1] Артузов (Фраучи) Артур Христианович (1891—1937), один из руководителей органов госбезопасности и разведки, талантливый контрразведчик, один из руководителей операции «Трест», с июля 1931 года начальник Иностранного отдела (ИНО) ОГПУ СССР, затем в ГРУ ГШ РККА. Арестован 13 мая 1937 г., 28 августа 1937 г. приговорён к ВМН.

[2] Слуцкий Абрам Аронович (1898—17.02.1938), один из руководителей внешней разведки ОГПУ—НКВД, протеже Генриха Ягоды, с мая 1935 года сменил А. Артузова на посту начальника ИНО. Утверждается, что был отравлен, однако более вероятен вариант самоубийства из-за боязни разоблачения связей по заговору Ягоды, арестованного 4 апреля 1937 года.

[3] Урицкий Семён Петрович (1895—1.08.1938), один из руководителей военной разведки, с 1927 по апрель 1935 года на различных должностях в РККА, с апреля 1935 года начальник 4-го (разведывательного) управления Генерального штаба РККА, 1 ноября 1937 года арестован, 1 августа 1938 года расстрелян.

НКВД и военная разведка засорены кадрами Ягоды и Троцкого. Коба пишет, я один из всего партийного руководства хорошо знаю чекистскую работу и только я могу выправить дело. Жмет на сознательность, подписался «Коба». Пишет, что наведешь порядок в ЧК и потом если захочешь, вернешься домой.

Легко сказать вернешься. Даже если вернешься, темп потеряш (*Так в тексте, но это явная описка, как и в ряде других случаев. — С.К.*[1]). А темп мы взяли хороший. Самый высокий в Союзе[2].

Не хочется уезжать с Кавказа. Здесь дышать легко и сам себе голова. И дела много. Всю жизнь жил на Кавказе работал на Кавказе, никуда не перебрасывали. И не хочу.

Когда муд...ки заправляли, гнило было. Что Лаврентий[3], что Мамия[4]. А когда Коба мне поверил, дал власть, я Грузию двинул так, что пусть кто другой попробует. За шесть лет не узнать. Это же ясно видно!

---

[1] Явные грамматические ошибки каждый раз оговариваются публикатором в круглых скобках курсивом с пометкой «*С.К.*». Однако необходимо отметить, что эти оговорки в скобках (*Так в тексте*) имелись уже в исходной электронной копии, переданной «Павлом Лаврентьевичем».

[2] Берия, как мы знаем, не хвалился. Грузинская ССР именно при его руководстве обрела подлинный всесторонний расцвет (см. вводный очерк).

[3] К а р т в е л и ш в и л и Л а в р е н т и й И о с и ф о в и ч (1890— 22.8.1938), партийный деятель, член РСДРП(б) с 1910 года, в 1931 году секретарь Закавказского крайкома ВКП(б), затем в Западно-Сибирском и Дальневосточном краях, с декабря 1936 года первый секретарь Крымского обкома ВКП(б). В июне 1937 года исключён из партии, в июле арестован, в августе 1938 года расстрелян.

[4] О р а х е л а ш в и л и И в а н (М а м и я) Д м и т р и е в и ч (1881— 1937) партийный и государственный деятель, из дворян, окончил Военно-медицинскую академию (1908), член РСДРП(б) с 1903 года. После установления Советской власти в Грузии занимал ряд высших постов в республике и ЗСФСР, в мае 1920 г. — председатель ЦК КП(б) Грузии. В 1926—1929 и с 1931 по 1932 гг. — 1-й секретарь Закавказского крайкома ВКП(б), с 1932 года заместитель директора Института Маркса— Энгельса—Ленина. В апреле 1937 года выслан в Астрахань, 26 июля 1937 арестован и переведён в Тбилиси. 11 декабря 1937 года расстрелян по приговору Тройки при НКВД Грузии.

И только все наладилось, а тут снимайся, Лаврентий, кати в Москву. Шпионов лови. Я их в ЧК на всю жизнь наловился.

Самое тяжелое время пережили, сколько ср...ни вычистил, подполье задавил, промышленность развил, науку поднял, Тифлис реконструировал. Сразу видно, что сделано, видно что делать надо. А чистить после этих жидов ГУГБ (*Главное управление государственной безопасности НКВД СССР. — С.К.*) удовольствия мало. Но Коба просит. Так и пишет, прошу как старого чекиста. Поработай, а там вернешься или подберем тебе что-то покрупнее на хозяйственной работе. Но чувствую, что придется заменять Николая.

Не хочется. Я привык, что год прошел, сразу видно результат. На глазах все меняется, а толкает кто вперед — я. Люди подобраны, ср...нь вычищена, только работать. Еще одна пятилетка, Грузию не узнаешь. А в Москве бумаги, агенты, шифровки, допросы, протоколы. Возни много, удовольствия мало.

Но с разведкой дело хреново. И в Наркомате нечисто, запутали дела. А если Николай провалился, придется брать на себя Наркомат. Тут мне и конец, уже не выберусь, так и застряну. А мне интереснее здесь.

Но думаю, придется ехать. Коба просит, но ясно, что это приказ. Только обижать не хочет, понимает, что и так меня обидел, от живого дела отрывает. Просился на учебу — не дали. Хорошо, остался в ЧК, поднял там дело. Потом дали возможность, сказали строй. Хорошо, целую республику построили. Строить интереснее, а теперь опять выходит ЧК.

Главных направлений два. Разведка может провалена, может не провалена. Кто знает, кого сдали эти сволочи, кого не сдали. Надо разобраться. Кобу особенно беспокоит Люшков. Значит, надо будет крепко проверить всех. Недоверие — тяжелая вещь, но если ты свой, то ты внутри обидишься, а против своих не пойдешь никогда. Никакая обида, если ты свой, предателем не сделает. Так что тут буду действовать соотвественно (*Так в тексте. — С.К.*). Выразил открыто недоверие и надо посмотреть, как ведет себя. Боится или обиделся. А почему боится? Тоже надо разобраться. Но если обиделся, уже хорошо.

Второе, это кадры. Надо взять с собой ребят, Всеволода[1] обязательно. Мы с ним сработались, слов не надо. Коба верит мне, я верю Всеволоду. Его и спрашивать не надо, поедет со мной хоть в Ташкент, а в Москву тем более. Конечно, ему там тоже будет не сахар.

А если заменять Николая, то главное будет разобраться с результатами репрессивной операции в масштабах Союза. Это второе главное направление. Даже у нас, при моем контроле, не обошлось без перегибов. Меньшевистская сволочь пакостила, скрытые троцкисты. Пока не вывели на чистую воду, ряд человек лишились, даже до расстрела. У нас процент перегиба был малый, а с другими надо разбираться. Но пока мне хватит разведки.

Разведка и внутренняя диверсия прямо связаны. Так что работа по к.-р. (*Контрреволюционному. — С.К.*) подполью тоже сразу будет большая. А то мелочь берем, а надо глубже.

———————

[1] **Меркулов Всеволод Николаевич** (1895—1953), один из давних соратников Берии, в том числе — по Кавказу. Сын офицера, учился на физико-математическом факультете Петербургского университета, в 1916 году призван в армию, участник Первой мировой войны, прапорщик, с марта 1918 года жил в Тифлисе, с сентября 1921 года — в органах ГрузЧК, член партии с 1925 года, член ЦК с 1939 по 1952 г., в 1952—1953 гг. кандидат в члены ЦК. В 1937—1938 гг. заведующий промышленно-транспортным отделом ЦК КП(б) Грузии, с августа 1938 года в НКВД СССР (с ноября 1938 г. — начальник ГУГБ НКВД СССР), в феврале—июле 1941 г. и с апреля 1943 по май 1946 г. — нарком государственной безопасности СССР. С октября 1950 г. — министр государственного контроля СССР. Арестован в сентябре 1953 года, расстрелян в декабре 1953 года.

Ба! Я уже считай вернулся в ЧК, думаю о делах не в Тбилиси, а в Москве. Вот так, Лаврентий. Не пожалел тебя Коба, не дает спокойно дома жить. Там и не выспишься как следует, Коба не даст. Так что сейчас ложусь спать, пока можно.

Болел за «Динамо» Тбилиси, а если перееду, придется болеть за «Динамо» Москва.

А может еще обойдется, может останусь.

Но вряд ли.

5/VIII-38

Уезжаю в Москву на сессию[1]. Голова работает уже на две стороны. Текущая работа здесь, а мысли там. Коба звонил, по телефону ничего не говорил, только спросил: «Ты думаешь?»

Говорю: «Думаю».

«Ну думай, приедешь на сессию, поговорим».

И все.

Сижу, думаю. В Центре будет тяжело. Отношения с Николаем[2] никогда хорошими не были, с Михаилом[3] тоже. Михаил мужик рисковый и авантюрист. Увле-

---

[1] С 10 августа 1938 года в Москве проходила сессия Верховного Совета СССР.

[2] Н. И. Ежов.

[3] Фриновский Михаил Петрович (1898—4.2.1940), один из руководителей органов госбезопасности и разведки, командарм 1-го ранга. Сын учителя из Пензенской губернии, окончил духовное училище в 1914 году, в январе 1916 года поступил в кавалерию вольноопределяющимся, получил чин унтер-офицера, был связан с анархистами, в августе 1916 года дезертировал, участвовал в террористическом акте против генерала М.А. Бема. В сентябре 1917 года вступил в московскую Красную гвардию, участник штурма Кремля, был тяжело ранен. В июле 1918 года — командир эскадрона, затем начальник Особого отдела 1-й конной армии С.М. Будённого. В 1919 году переведён в органы ВЧК. В 1928—1930 гг. командир и комиссар дивизии особого назначения им. Ф.Э. Дзержинского, с 1934 года начальник Главного управления пограничной и внутренней охраны НКВД СССР, с 15 апреля 1937 года — 1-й заместитель наркома и начальник ГУГБ НКВД СССР. С 8 сентября 1938 года нарком ВМФ СССР, 6 апреля 1939 года арестован по обвинению в заговоре в НКВД, в феврале 1940 года расстрелян.

кается, может попасть под влияние и сам может влиять на другого. Кто на кого влияет, Ежов на Фриновского или Фриновский на Ежова? Они там при Ягоде были как пауки. Похоже Николай тоже влип. Я на этот счет мало думал, а теперь думаю и думаю. Тяжело мне будет.

Пока о переезде никому не говорил, зачем раньше времени. Только с Всеволодом[1] надо поговорить осторожно, его надо сразу забрать с собой, если уеду.

Будет тяжело. За эти два года крови пролилось в стране немало. Тут никуда не денешся (*Так в тексте. — С.К.*), пятая колонна нам не нужна, а она была и как ни чисти, ни (*Так в тексте. — С.К.*) вычистишь. Но на местах слишком много арестов и расстрелов.

С этим надо будет разбираться. В Грузии мы старались брать только тех, кто был и так на учете, а кроме них, что на следствии вскрылось, тех и брали. Но брали самых активных. Если брать в Грузии всех, это надо брать примерно 50 тысяч[2], но тогда недовольных будет 200 тысяч и больше.

Тут надо выбрать меру. А как ее выбрать. Чистых бандитов мы постреляли, и то не всех. Троцкистов и меньшевиков активных тоже постреляли. Также перерожденцев. А сколько притаилось. Но все равно по Союзу цифры Николай дал большие. Может он виноват, может аппарат на местах и в союзном Наркомвнуделе. А может и то, и то.

У меня аппарат не засорен, мы его все время чис-

---

[1] В.Н. Меркулов (см. примечание 12 к записи от 29 июля 1938 г.)

[2] Антисоветские и антисоциалистические силы в Грузии были традиционно сильны. Как я уже отмечал, в 1920 году в меньшевистской Грузии правительственная партия насчитывала до 80 тысяч членов, в то время как партия грузинских большевиков — примерно 2 тысячи членов. Грузинский пролетариат тогда был слаб, зато была велика прослойка купцов, разного рода князей, торговцев, полууголовных люмпенов и т.п. Плюс — многочисленная на Кавказе агентура иностранных спецслужб. Поэтому Л.П. Берия в своих количественных оценках конца 30-х годов не ошибался.

тим, выгоняем, но всех не выгонишь. Вот Мдивани[1]. Муд...к, пакостил и пакостил, а все равно не мы на него вышли, а Москва.

Тяжело мне будет. И не откажешься (*Так в тексте. — С.К.*).

29/VIII-38

Вернулся из Москвы, голова пухнет. Все, дело решено. Политбюро приняло Постановление об утверждении т. Берия первым Заместителем Народного Комиссара Внутренних Дел СССР. Фриновского перебрасывают Наркомом Военного Морского Флота. Назначение странное, Михаил с морем связан был только по погранохране, какой из него моряк. Так что это назначение временное. Но мне Фриновский не нужен. Мне в ГУГБ нужен Всеволод, забираю его с собой, уже договорился. Рад.

Говорил с Кобой, но мало. Сказал: «Тебе все карты в руки. Приедешь, присматривайся, с Ежовым веди себя аккуратно, в разные стороны не тяни, но сразу веди свою линию». Людей забрать разрешил.

Мне предписано представить кандидата на утверждение ЦК по первому секретарю. Буду рекомендовать Кандида[2]. Но тут последнее слово за Кобой. Пусть выбирает. Теперь ему работать с грузинами. А мне скоро уезжать. Нино с Серго пока побудут здесь, но

---

[1] Мдивани (Буду) Поликарп Гургенович (1877—1937), партийный и государственный деятель, член РСДРП с 1903 года, в 1921 году председатель ревкома Грузии, известен конфликтом 1922 года с Г.К. Орджоникидзе, дошедшим до взаимного рукоприкладства. В 1931—1936 гг. — Председатель ВСНХ Грузинской ССР. Последний пост перед арестом — первый заместитель Председателя Совнаркома Грузинской ССР. Активный сепаратист, грузинский националист. В отличие от линии Л.П. Берии противодействовал интеграции грузинской экономики во всесоюзную. В 1937 году по делу о троцкистском шпионско-вредительском центре приговорён к расстрелу.

[2] Первым секретарём ЦК КП(б) Грузии с 1938 по 1952 год был Кандид Несторович Чарквиани (1907—1994), до этого третий секретарь ЦК КП(б) Грузии.

учебный год для парня разрывать не хочется. Ему в Москве будет интереснее, а может тоже будет тосковать по горному воздуху.

Но что делать, надо собираться и ехать. Передам дела, и опять Лаврентий надевай форму.

Говорил с Николаем[1]. Разговор был долгий и тягучий. Похоже, крепко он обоср...лся, не знаю, как будем работать. И видно, что выпивает, а это последнее дело. Если человек пошел по этому делу, хорошо не кончит. А может от страха, так тоже бывает.

Все время кручусь, хочется напоследок больше сделать. Не верится, что все здесь будет теперь без меня. Новый Дворец Правительства сдаем, а меня не будет. Дорогу до Сталинири сдадут тоже без меня[2]. Академию Наук организовать не успел и уже не успею[3]. Жалко. Останется стадион имени Берия, клуб имени Берия, институт имени Берия, площадь имени Берия. Так что память останется, спасибо людям, не забудут. Строительную базу мы уже хорошую сделали, и по кирпичу, и по черепице, будем строить много. Новый телескоп для Абастумани[4] я не успел. Может позже помогу. Нет не до того будет, вряд ли.

Скоро выеду в Москву. Проведем Пленум[5], и поехал. Коба торопит. Тогда будет совсем не до дневника. Но это дело я не брошу. Там особенно нужен будет такой советчик, что не проболтается и не подведет.

---

[1] Во время пребывания в Москве на сессии Верховного Совета СССР Л.П. Берия вечером 22 августа 1938 года был принят Ежовым.

[2] Железная дорога от Гори до Сталинири (до 1934 года Цхинвали, центр Юго-Осетинской автономной области в составе Грузинской ССР) была сдана в эксплуатацию в 1940 г.

[3] В 1935 году был образован Грузинский филиал АН СССР, в 1941 году преобразованный в Академию наук Грузинской ССР. Роль Л.П. Берии в развитии грузинской науки была при этом бесспорно большой.

[4] В 1932 году у грузинского курортного поселка Абастумани была основана первая в СССР высокогорная астрономическая обсерватория. С 1937 года выпускает свой «Бюллетень».

[5] 31 августа 1938 года прошёл последний Пленум ЦК КП(б) Грузии, который Л.П. Берия провёл как первый секретарь Грузинского ЦК.

Только что вернулся от Ежова. Просидели до позднего вечера. Сразу потянулся к рюмке, стал угощать, пришлось отказаться. Вначале обиделся, потом понял, что залупаться не от ума, начал говорить по существу. Мужик он умный и знающий, но уже видно, что запутался. Я ему сказал прямо, что работать будем без обид, у меня сейчас главное по своему кусту, а остальное буду входить в курс дела. Договорились, что палки в колеса Всеволоду ставить не будет, ГУГБ я сразу переложу на него, всю оперативную работу и кадровый вопрос[1].

Договорились, что Госбезопасность будем переводить в положение Главка, как раньше[2]. Договорились, но вижу что и тут Николай недоволен. А структура Наркомата хреновая, надо менять[3].

Но вижу, что очень нечисто. Меня утвердили 22-го, а в конце августа на Лубянке расстреляли группу. Заковского[4] тоже расстреляли. И до этого расстреляли

---

[1] 1 сентября 1938 года В. Н. Меркулов был назначен заместителем начальника Главного управления государственной безопасности НКВД СССР.

[2] 28 марта 1938 года Политбюро ЦК ВКП(б) приняло решение об упразднении Главного управления государственной безопасности в составе НКВД СССР и преобразовании его просто в первое управление НКВД. Берия, придя в НКВД и заменив М.П. Фриновского на постах 1-го заместителя наркома и начальника УГБ, настоял на возврате этому важнейшему подразделению НКВД статуса Главного управления. Всеволод Меркулов стал заместителем Берии по ГУГБ, а после назначения Берии наркомом возглавил ГУГБ.

[3] 13 сентября 1938 года Политбюро утвердило представленную пока ещё Ежовым новую организационную структуру НКВД в составе трех главных управлений: Государственной безопасности, Экономического и Транспортного. Это стало результатом первого совместного совещания Сталина с Ежовым и Берией. Однако уже 23 сентября Сталин принял предложение Берии о коренном изменении структуры НКВД с образованием 10 Главных управлений, включая ГУГБ, ГУ рабоче-крестьянской милиции, ГУ пограничных войск и др.

[4] Заковский Леонид Михайлович (Штубис Генрих Эрнестович) (1894—1938), комиссар ГБ 1-го ранга, с 1913 года член РСДРП(б). Биография с юных лет насыщенная (с 18 лет плавал юнгой и кочегаром на линии Либава—Нью-Йорк и т.д.). В органах ВЧК с декабря 1917 года, работал на различных должностях в ряде регионов, после убийства

группу бывших руководящих работников. Это похоже, что следы заметают. А что за этим? Барахольство, склоки, или хуже? Подозрительно. Николай производит впечатление крепко запутавшегося человека. А если запутался, то можно замарать себя в чем хочешь, от вербовки до авантюры. Тухачевский и Уборевич с Якиром нам это показали.

Ягода тоже показал.

Ягода с Енукидзе[1] разложили аппарат еще при ОГПУ, все в политику играли. А в Наркомвнуделе Ягода продолжил. В заговоры играли по настоящему. Николай сам сказал, что почистил их хорошо. Но спешные расстрелы до моего приезда это факт подозрительный уже для Николая. Зачем спешка? Придется разбираться самому.

10/IX-38

Втягиваюсь в московскую жизнь. Когда постоянно живешь, не то настроение, когда приехал на время. Живу пока недолго, но настроение другое. Николай

С.М. Кирова был назначен начальником Управления НКВД по Ленинградской области, с 19 января 1938 года заместитель наркома внутренних дел и начальник Московского УНКВД. Весной 1938 года снят, назначен начальником строительства Куйбышевского гидроузла, 30 апреля 1938 г. арестован и 29 августа 1938 года расстрелян.

[1] Ягода Генрих Григорьевич (Енох Гершенович) (1891 — 15.03.1938), Генеральный комиссар ГБ, многолетний 1-й заместитель председателя ОГПУ В.Р. Менжинского, фактически подчинил себе аппарат ОГПУ и насытил его своими ставленниками. После смерти Менжинского (май 1934) Ягода с июля 1934 года, после преобразования ОГПУ СССР в НКВД СССР, стал первым наркомом внутренних дел. В сентябре 1936 года заменён на посту НКВД Ежовым. 4 апреля 1937 года арестован, проходил по процессу Антисоветского правотроцкистского центра, в марте 1938 года расстрелян. Имел далеко идущие политические амбиции и планы, был связан с антисталинским заговором Авеля Енукидзе (1877 — 30.10.1937).

Последний, старый большевик, с 1922 по 1935 год секретарь Президиума Центрального Исполнительного Комитета (ЦИК) СССР, завидуя Сталину, политически и морально разложившись, видел себя как замену Сталину. 11 февраля 1937 года Енукидзе был арестован, 29 октября 1937 года приговорён к расстрелу и на следующий день расстрелян за активное участие в Антисоветском правотроцкистском центре.

держится больше на расстоянии. Похоже прикидывает, взвалят на меня Наркомат или нет. Я сказал, что назначению не рад, сам не просился, мне лучше было в Грузии работать. Но Приказ есть Приказ. Все равно косится.

Мне присвоили новое Звание[1]. Николай поздравил, Коба тоже. Принимаю дела. Коба вызывает меня и Николая на серьезный разговор.

Комментарий Сергея Кремлёва.

Читатель, надеюсь, уже обратил внимание на то, что публикатор дневников Л.П. Берии, то есть — я, предпочитает давать примечания к записям в дневнике за ту или иную дату не в конце книги, а непосредственно после самой записи. Такой вариант размещения примечаний мне представляется наиболее удобным для читателя.

Более того, хотелось бы подчеркнуть, что ПРИМЕЧАНИЯ ЯВЛЯЮТСЯ НЕОТЪЕМЛЕМОЙ ЧАСТЬЮ ЭТОЙ ПУБЛИКАЦИИ, без внимательного прочтения которых понимание текста самих дневников (а соответственно, и понимание личности автора дневников) не может быть полным.

Кроме того, я счёл уместным, целесообразным и полезным включать в текст не только примечания. Время от времени я буду вводить в текст, кроме оперативных примечаний, также и более общий комментарий и ряд справок. На мой взгляд, это поможет полнее осветить различные периоды жизни и деятельности Л.П. Берии и ту эпоху, в которой он жил, действовал и вёл свой дневник.

Итак, уже первые записи в дневнике Л.П. Берии, начатом в Тбилиси и продолженном в Москве, позволяют по-новому взглянуть на историю назначения Л.П. Берии в НКВД СССР на пост первого заместителя Ежова.

Недоброжелателями Берии уже в реальном масштабе

---

[1] 9 сентября 1938 года было принято Постановление Политбюро ЦК ВКП(б) о присвоении первому заместителю наркома внутренних дел СССР т. Берия Лаврентию Павловичу звания комиссара государственной безопасности 1-го ранга.

времени утверждалось, что он-де стремился в Москву из карьеристских соображений, и назначение его в НКВД стало результатом ловкой интриги. Так, к слову, считал сам Ежов.

В наше время инициативу в деле назначения Берии в НКВД приписывают иногда Маленкову и т.д.

В действительности же в назначении Берии первым заместителем наркома внутренних дел СССР главную роль сыграл сам... Ежов.

К середине лета 1938 года Сталину, который и до этого имел основания для беспокойства по поводу состояния дел в НКВД, стало окончательно ясно, что дела с НКВД неладны. В частности, 13 июля к японцам бежал Люшков, а на следующий день, 14 июля, перебежал к врагу Никольский (Орлов-Фельдбинг).

Конечно, список высокопоставленных «невозвращенцев» был открыт не ими. К тому времени в нём фигурировали имена, например, Ивана Товстухи, Георгия Агабекова, Григория Беседовского (Ивана Карпова, Кирилла Калинова), Фёдора Раскольникова (Ильина), Вальтера Кривицкого (Гинзберга), Александра Бармина (Граффа), Игнатия (Натана) Рейсса (Порецкого). И почти все они до побега в разное время были так или иначе связаны с советскими спецслужбами. Однако Люшков и Никольский были фигурами, во-первых, особо информированными, а во-вторых, их побеги совпали по времени настолько плотно, что Сталин не мог не призадуматься. А задумавшись и обратив часть своего внимания на работу НКВД в большей мере, чем до этого, Сталин не мог не увидеть очень уж очевидные провалы в этой работе как вне страны, так и, особенно, внутри неё.

Поэтому Сталину нужен был человек, способный переломить ситуацию. То, что он предлагал пост наркома НКВД (причём — сразу наркома, а не первого зама!) Чкалову, лично для меня вне сомнений, и не потому, что об этом в последние годы много писали. На этот счёт имеется хотя и косвенное, но очень убедительное свидетельство. В давние, простодушные 70-е годы, когда о нынешних грязных «исторических сенсациях» в СССР и думать никто не думал, бывший лётчик-испытатель Игорь Иванович Шелест в документальной книге «Лечу за мечтой» без всяких, конечно, задних мыслей, привёл свой разговор со старым испытателем Александром Петровичем Чернавским.

Чернавский был другом Валерия Чкалова и ещё одного выдающегося испытателя-пилотажника Александра Анисимова. И вот «под настроение» Чернавский рассказал, как Чкалов, тоже под настроение, признался ему и Анисимову, что Сталин только что предложил Чкалову «очень ответственную должность»...

Потом Чернавский сделал длинную паузу и Шелест не выдержал:

— Так и не сказал вам Валерий, что хотели ему поручить?

— Сказал.

— Что же?

— Знаешь что... — улыбнулся Чернавский, — если я скажу тебе сейчас *это*, ты не поверишь всё равно; поэтому позволь мне больше ничего не говорить.

Не приходится сомневаться, что Чкалов рассказал друзьям как раз о предложении Сталина перейти из лётчиков в чекисты.

Но почему Сталин сделал ему это предложение? Думаю, что ответ кроется именно в предложении сразу заменить Ежова на посту наркома.

Как замнаркома Чкалов в проблеме НКВД ничего изменить не мог, потому что был здесь полным профаном. Но Чкалов мог, говоря языком современным, сразу же изменить имидж НКВД, который приобретал одиозный оттенок после двух лет что-то очень уж разросшихся репрессий. При этом Сталин не списывал «в тираж» и Ежова — тот оставался бы наркомом водного транспорта, секретарём ЦК и председателем КПК при ЦК. Тут было постов на троих!

Чкалов, к счастью для всех, отказался. К счастью потому, что сегодня можно уверенно заявлять: любой другой кандидат в наркомы НКВД, кроме Берии, и близко не смог бы сделать всего того положительного, что сумел сделать за три довоенных года Лаврентий Павлович. В тогдашнем советском руководстве он был фигурой уникальной в точном значении последнего слова! Блестящий профессиональный чекист с выдающимся опытом успешного руководства крупной республикой — другого такого сотрудника у Сталина не было.

Только Берия мог разобраться во внутренних интригах и заговоре внутри НКВД, пресечь их, исправить перегибы репрессий, реформировать НКВД в соответствии с новыми задачами, создать новую разведку, новые пограничные войска и эффективно встроить НКВД в общую систему народного хозяйства (что по тем временам было объективно необходимым).

Но именно потому, что Берия, придя в НКВД, не мог не стать при этом реальной «рабочей лошадью», изменяя не имидж наркомата, а его суть, Сталин не мог сразу сделать его наркомом. Врастание Берии в НКВД должно было быть хотя и быстрым, но постепенным. При этом, в зависимости от степени личной вины Ежова в провалах НКВД, можно было или сохранять НКВД за ним, или заменять его Берией.

Как видно из дневника, Берия не обрадовался назначению в НКВД, и это вполне объяснимо. Он только вошел во вкус созидательной работы в Грузии, а тут снова «лови шпионов»...

Но Берия был человеком долга. К тому же, придя в НКВД, он сразу после слома старого НКВД тут же создал новую, по сути, структуру, сохранив в наркомате всё живое и нужное и отбросив вредное и гибельное.

Ведь Берия был строителем, архитектором (иными словами — творцом, созидателем) и по образованию, и по природным склонностям! Понятно и то, почему начинать ему пришлось с решения проблемы деятельности непосредственно оперативно-чекистских структур НКВД, то есть — с ГУГБ.

В ГУГБ (тогда, впрочем, УГБ) и, в частности, в разведке НКВД тогда сложилась ситуация, которая была не лучшей, чем в разведке ГРУ Генерального штаба РККА. Ряд измен, прежде всего Никольского-Орлова-Фельдбинга, Вальтера Кривицкого, Генриха Люшкова привели к тому, что в 1938 году нельзя было быть уверенным почти ни в ком из внешних сотрудников советской разведки — почти все они могли быть расшифрованы предателями, оказаться под негласным контролем спецслужб противника. Кто-то мог быть под давлением перевербован.

В этих условиях переломить ситуацию и преодолеть кризис мог, пожалуй, действительно только Берия — с его умением разбираться в людях, энергией, напором и, что очень важно — с его немалым опытом профессионального разведчика и ещё больше — опытом высокопрофессионального контрразведчика.

Если судить по первой записи в дневнике от 29 июля 1938 года, Сталин намеревался возложить на Берию прежде всего задачу разбора завалов во внешней разведке. Однако в то лето обстановка в НКВД менялась очень быстро, динамично и развивалась в неблагоприятную сторону. Репрессивные меры, сами по себе необходимые, почему-то приняли обвальный характер. Берия имел прямое отношение к репрессивной операции в пределах, в основном, Грузии, однако и общий масштаб явления он улавливал. Но не более чем улавливал! Пока Берия был занят руководством республикой, он не имел возможности глубоко анализировать общее положение дел с репрессиями в стране. С сентября 1938 года это стало одной из его прямых задач. Тут и пошло, и поехало...

Интересна хронология посещений сталинского кабинета Ежовым и Берией, начиная с момента нового назначения Берии.

20 августа 1938 года — за день до назначения Л.П. Берии в НКВД СССР — Ежов был у Сталина вместе с Молотовым — с 19.40 до 23.30. Вне сомнений, Сталин объяснил тогда Ежову, что в НКВД нужна новая рука и этой рукой будет Берия. Но в тот момент Сталин ещё не ставит на Ежове крест как на наркоме НКВД! Это непреложно следует из того, что в сентябре и начале октября 1938 года Ежов появляется у Сталина часто, надолго и, как правило, *без Берии*.

4 сентября 1938 года приехавший в Москву Берия имел разговор наедине с Ежовым на Лубянке. А 5 сентября 1938 года Сталин принял у себя в Кремле только трёх, начав в 18.50 как раз с Ежова. Через час, в 19.55 к ним присоединился Молотов, а в 20.35 — Маленков. В 21.50 все трое вышли от Сталина вместе.

В ночь с 12 на 13 сентября Сталин совещался с 1.00 до 3.00 с Ежовым и Берией в присутствии Молотова и Жданова. Это была, скорее всего, «установочная» беседа через примерно полмесяца после начала работы Берии в центральном аппарате НКВД СССР.

Затем только Ежов — без Берии — принимает участие в совещаниях у Сталина вечером 13 сентября, 18, 20, 21, 22, 25, 28 сентября, 2, 5, 7, 8 октября 1938 года — одиннадцать раз за неполный месяц! Это мало похоже на «опалу», недоверие и подозрения.

Лишь 15 октября в кабинете Сталина появляется Берия — без Ежова. Причём разговор был явно конфиденциальный и важный. Проведя совещание с руководящими московскими советскими и партийными работниками, Сталин с 23.40 оставил у себя Молотова, Жданова, Ворошилова, Микояна и Хрущёва. Подошёл Каганович, и почти полчаса Сталин о чём-то информировал только членов Политбюро, а в 0.05 в кабинете появился Берия и докладывал почти полтора часа — до половины второго ночи 16 октября. Затем Берия ушёл, а члены Политбюро задержались ещё на 20 минут.

Весь день 16 октября Сталин у себя ни принимал никого, а вечером в 22 часа к нему пришёл Берия — один. Через пять минут подошёл Маленков и они втроём беседовали до половины двенадцатого ночи. Потом Маленков ушёл, а Берию Сталин задержал ещё на полчаса.

19 октября Ежов и Берия вместе приняли участие во вполне рядовом совещании у Сталина, а вот 21 октября надо считать переломным моментом!

21 октября 1938 года после девяти часов вечера у Сталина появляются Ворошилов, Молотов и Каганович, затем около десяти часов приходит Ежов, а через час — Маленков. Ровно в 23.00 в кабинет приглашён Берия. Через полтора часа, в 0.30 они с Маленковым уходят, а прежний ареопаг остаётся в кабинете, как остаётся там и Ежов. Только в 1.45 ночи Ежов уходит — вместе со всеми, но это ещё не занавес, а лишь антракт! В ту бурную ночь сталинский кабинет напоминает проходной двор: входят и выходят Молотов, Каганович, Микоян, Маленков. Ещё в час ночи — при Ежове, Сталин вызывает Льва Бельского (Абрама Левина) (1889—1941), старого чекиста, до 1907 года члена Бунда, с июня 1917 года большевика, к тому времени первого заместителя наркома путей сообщения, а до 28 мая 1938 года — за-

местителя Ежова. В конце июня 1939 года, через два с половиной месяца после ареста Ежова, Бельского тоже арестуют и после долгого следствия расстреляют уже после начала войны — 5 июля 1941 года. Но тогда, в 1938 году, Сталин ему ещё доверял, хотя это доверие таяло, как таяло и доверие к Ежову.

Через день, 23 октября, Ежов снова у Сталина. К Сталину приехал из станицы Вёшенской с «Тихого Дона» писатель Михаил Шолохов, в том числе с жалобами на ведомство Ежова, и теперь Сталин устраивает им двоим что-то вроде очной ставки. В 19.20 Шолохов уходит, и Сталин и его «железный нарком» остаются наедине более часа.

Разговор был, конечно, обоюдно тяжёлым.

Но Сталин ещё не утратил веры в Ежова полностью. Тот появляется в кабинете вождя 25 октября (вместе с Берией, но последний уходит от Сталина намного раньше Ежова), затем — 26, 28 (без Берии) октября.

31 октября 1938 года Ежов — вновь у Сталина вместе с Шолоховым, секретарём Вёшенского райкома партии Луговым и руководителями Ростовского УНКВД.

К слову, в 1998 году в журнале «Новый мир» некий Виталий Шенталинский, со ссылкой на корреспондента «Литературной газеты» Вадима Соколова, поведал удивительные вещи! Якобы Соколов вскоре после смерти Сталина брал в Вёшенской у Шолохова интервью и лишь в 1994 году смог «обнародовать» рассказ писателя о его пребывании в кабинете Сталина в 1938 году.

Мол, якобы весной (!) 1938 года Шолохов, опасаясь ареста, уехал в Москву, написал Сталину, изнемог от ожидания и загулял (мол, напоследок) в ресторане гостиницы «Советской» с Александром Фадеевым. И прямо из-за стола был доставлен в Кремль, где вначале Поскрёбышев поставил Шолохова для протрезвления чуть ли не под кипяток, а потом, снабдив писателя «новой гимнастёркой», «впихнул» его в кабинет, который Шолохов «до этого только в кино видел». В скобках замечу, что в кино тогда сталинский кабинет не показывали, а Шолохов бывал в нём до 1938 года ни много ни мало, а девять раз!

За столом Шолохов (по словам Соколова-Шенталинского) узрел ряд «сплошь военных», абсолютно не знакомых ему «генералов», за исключением одного с «лисьей мордочкой» — Ежова. Напротив «генеральского ряда» спиной к Шолохову — два штатских, в которых Шолохов «признал по затылку» земляков. Во главе стола — «Политбюро в полном составе».

Сам «усатый» якобы «вышагивал» за спиной «несчастного». А генералы по картам и «раскрашенным картонам» якобы докладывали о «контрреволюционном заговоре белоказаков на Дону». Мол, те готовили переворот и рассчитывали сделать «будущим президентом самостоятельной казачьей республики» «тов. Шолохова»...

Весь этот «живописный», но, увы, насквозь лживый рассказ разбивается об увесистый книжный «кирпич» ныне изданного Журнала посещений кремлёвского кабинета Сталина. Из него следует, что не весной, а осенью 1938 года Шолохов первый раз появился у Сталина 23 октября вначале *один* — в 18.30, и лишь в 19.00 к ним присоединился Ежов. После общего двадцатиминутного разговора *втроём*, Шолохов покинул кабинет, а Ежов оставался в нём ещё семьдесят минут наедине со Сталиным.

31 октября 1938 года Ежов был вызван к Сталину к 16.05, и десять минут в кабинете были только Сталин, уже сидевшие там Молотов и Маленков, и Ежов.

В 16.15 в кабинет *все вместе* вошли Шолохов, начальник УНКВД по Ростовской области Гречухин (единственный, кроме самого Ежова, «генерал» НКВД), его заместитель Коган, начальник Вёшенского райотдела НКВД Лудищев и представитель НКВД по Вёшенскому району Щавелев (двух последних Шолохов, естественно, знал как облупленных). А кроме них — освобождённые, благодаря заступничеству Шолохова, бывший секретарь Вёшенского райкома партии Луговой и партработник Попернов.

Все они находились в кабинете до 18.35 и все, кроме Ежова, Молотова и Маленкова, одновременно из кабинета вышли. Сталин, Молотов, Маленков и Ежов остались. В 19.10 Маленков вышел, и десять минут Сталин и Молотов говорили с одним Ежовым. Затем Ежов и Молотов покинули кабинет, и больше никого в тот вечер Сталин не принимал.

Думаю, ему было над чем поразмыслить наедине с самим собой.

Тем не менее 1 и 2 ноября 1938 года Ежов вновь сидит на совещаниях у Сталина. А 4 ноября Ежов был у Сталина вновь вместе с Берией, и при их беседе присутствовал только Жданов.

5 ноября 1938 года Ежов был на совещании у Сталина вместе с Молотовым. Кагановичем, Ворошиловым и Микояном — скорее всего как нарком водного транспорта СССР. Однако 9 ноября 1938 года снятие Ежова было почти окончательно предрешено.

9 ноября у Сталина собираются Ежов, Берия, Маленков и Андреев, то есть — пока ещё формально действующий нарком, нарком без трёх недель и оба члена будущей комиссии по приёму и передаче дел в НКВД СССР.

10 ноября Ежов вновь на совещании у Сталина, и вновь скорее всего как нарком водного транспорта.

Но 12 ноября застрелился Литвин — начальник УНКВД по Ленинградской области. Почти сразу после этого исчезает Успенский — нарком НКВД Украины.

А 14 ноября 1938 года Берия направляет Сталину сообщение о заявлении начальника УНКВД по Ивановской области В.П. Журавлёва о серьёзных неполадках (если не сказать больше) в НКВД. Это — уже прямое обвинение Ежова в политических шашнях. Нередко утверждают, что заявление Журавлёва якобы инспирировал сам Берия, дабы «свалить» Ежова, но это просто глупости.

Во-первых, падение Ежова подготовил сам Ежов, запутавшийся в собственной жизни и судьбе и запутанный недобросовестным и авантюристическим окружением.

Во-вторых, к середине ноября 1938 года замена Ежова Берией встала на повестку дня сама собой — ходом вещей и событий.

14 ноября у Сталина был один Берия, 19 ноября он у Сталина вместе с Ежовым, но приходит позже своего наркома и уходит раньше него.

16, 17 и 21 ноября Берия единолично присутствует на совещаниях у Сталина, но это уже неудивительно — фактически все смотрят на Берию как на нового наркома. Его назначение окончательно предрешено после бурных дебатов у Сталина в ночь с 19 на 20 ноября, где Берия был вместе с Ежовым и Фриновским.

Но об этом я скажу позднее.

13/IX-38

Сегодня товарищ Сталин вызвал меня и Николая. Были только Молотов и Жданов, говорили до трех. Разговор был тяжелый, Николай видно было, что врет. Жданов только головой качал. Потом Жданов сказал, что и с Литвином[1] непонятно что. Николай тоже стал оправдываться. А дело темное. У Литвина связи не самые лучшие. Тоже надо разобраться.

Уже забыл, что такое нормальный сон. А вижу, что впереди еще хуже.

21/IX-38

Николая часто вызывает товарищ Сталин, а я сижу на Лубянке, ворочаю папки, вхожу в курс дела. А дело х...евое. Теперь мне ясно, что Николая надо заменять. Он в Наркомате сделал много нужного, а много напортачил. Хорошо то, что убрал людей Ягоды, но не всех, зато своего г...вна наложил и Люшкова упустил. Спасибо за то, что набрал молодое пополнение из ребят с высшим образованием из промышленности. Этот костяк молодой, здоровый, он нам пригодится, резерв есть. Главное, что это все в основном кадры на местах, а с Центральным Аппаратом я разберусь. Лишь бы не новый крупный заговор обнаружился, как Ягода заворачивал. Но может и заговор есть. Вопрос кто и зачем. Приходится арестовывать кое-кого в головке Аппарата.

Структура Наркомата рыхлая, Николай тут пора-

---

[1] Протеже Ежова, начальник УНКВД СССР по Ленинградской области Михаил Иосифович Литвин (1892—1938), комиссар ГБ 3-го ранга. В 1920 году воевал на Дальнем Востоке, был в контакте с Блюхером и Постышевым. Демобилизованный из ЧК в 1921 году по ранению, перешёл на профсоюзную работу. В 1929 году в Средней Азии познакомился с Ежовым и с тех пор пользовался его поддержкой, перешёл на партийную работу, работал в ЦК ВКП(б), в 1936 году был 2-м секретарём Харьковского обкома партии. После прихода Ежова в НКВД Литвин с октября 1936 года возглавил отдел кадров ГУГБ НКВД СССР, а затем — Отдел кадров НКВД СССР. Занимался чистками аппарата от кадров Ягоды и продвигал кадры Ежова.

12 ноября 1938 года Литвин, вызванный в Москву, застрелился.

ботал слабо. Потом надо разбираться в следственных делах, отправлять на доследование, или распихивать по судам, а если следствие вину не подтверждает, то освобождать из-под стражи. Это дело надо будет поставить широко, а для этого надо особое подразделение.

Контингент заключенных теперь большой, а в отдаленных районах начинаем большое строительство. Теперь много заключенных рисковых, отчаянных, оставлять лагеря в населенных местностях опасно для народа. Контрактация по вольному найму в Сибирь и в ДВК (*Дальневосточный край. — С.К.*) идет плохо, вот туда и надо больше направлять осужденных. Значит, нужны отдельные промышленные управления.

Надо по новому ставить Погранохрану. Полностью. Этим я займусь сам, и людей подберу. И политическую работу на границе надо ставить. Название надо менять. Охрана, это как сторожа. Конвойные войска, значит и пограничные войска.

С охраной Правительства бардак уже давно, чуть что заговоры выходят на комендантов Кремля. Надо иметь отдельное Управление Коменданта и отобрать людей по человеку.

Вижу, зря Коба верит Николаю. Он что-то крутит свое, а это опасно. Ягода уже раз крутил.

Комментарий Сергея Кремлёва.

Запись от 21 сентября 1938 года можно считать итоговым наброском бериевской программы реорганизации НКВД. Вскоре она была принята официально. 23 сентября 1938 года Политбюро ЦК ВКП(б) во изменение Постановления от 13 сентября утвердило структуру НКВД СССР с образованием 10 Главных управлений, включая ГУГБ, Главное экономическое управление, Главные управления рабоче-крестьянской милиции, пограничных и внутренних войск, пожарной охраны и других, в том числе — Главное архивное управление.

В отличие от многих политических лидеров Берия заботился не об уничтожении, а о сохранении архивов, сознавая их значение для обеспечения прочного будущего государства.

Новая структура НКВД СССР предполагала масштабное увеличение экономической и промышленной деятельности НКВД. Показательно, что, став в 1938 году инициатором такого поворота дел, сам же Берия после смерти Сталина решительно вывел всю народно-хозяйственную деятельность МВД СССР из-под его юрисдикции и передал все промышленные предприятия и организации МВД СССР в отраслевые министерства. А ГУЛАГ, кстати, — в ведение Министерства юстиции СССР. И здесь не было противоречий — Берия умел чётко видеть задачи момента и оптимальные пути их решения. Для конца 30-х годов (а затем и военного времени) хозяйственная деятельность НКВД была оправданной, но к началу 50-х годов становилась несвойственной для структуры, призванной теперь обеспечивать исключительно государственную безопасность и контроль за деятельностью органов власти на местах.

По инициативе Л.П. Берии новые возможности получало с 1939 года Управление по строительству на Дальнем Востоке — Дальстрой. Берия понимал его возрастающее значение для добычи золота в стране, а также олова и ряда других ценных металлов.

Отдельно надо отметить, как Берия реализовал свою мысль о том, что необходим массовый пересмотр многих дел с последующим массовым освобождением тех, кто был осужден или арестован без вины. Постановлением Политбюро от 23 сентября предусматривалось создание в НКВД СССР особого **Бюро по приёму и рассмотрению жалоб**. Такого подразделения до Берии в НКВД не было. Это Бюро функционировало весь 1939 год.

Л.П. Берия стал также подлинным реформатором Пограничных войск, начиная с организации службы и системы связи на границе и заканчивая боевой и политической подготовкой и оснащением пограничников современным оружием, включая автоматы и тяжёлое стрелковое вооружение. Погранвойска Берии в боевом и организационном отношении были подготовлены так хорошо, что в начале войны сыграли фактически стратегическую роль в сдерживании первого натиска вермахта и ведении приграничного сражения. Сознавая значение морального фактора, Л.П. Берия, между прочим, стал инициатором выпуска журнала погранвойск «Пограничник».

При Берии в практику государственного управления стала всё шире внедряться защищённая высокочастотная связь («ВЧ»).

Объективно рассмотренная активность Берии всё более убеждала как Сталина, так и остальных членов Политбюро в том, что Ежова необходимо поскорее заменить Берией. Одновременно в работе НКВД обнаруживалось всё большее число даже не недостатков, а пороков и преступлений, совершаемых в том числе скрытыми врагами в системе НКВД.

Берии не было нужды создавать «липовые», дутые дела — ситуация была неприглядной и так. Болячки в НКВД накапливались ещё во время существования ОГПУ, особенно если учесть, что органы ВЧК—ОГПУ—НКВД всегда были соблазнительным местом для проникновения туда противников строя по всему политическому спектру — от прямых антисоветчиков-белогвардейцев и иностранной агентуры до троцкистов и правых.

При этом разница в подходах к репрессивным мерам у Ежова и у Берии хорошо видна из анализа их совместного спецсообщения Сталину от 15 октября 1938 года об арестах жён изменников Родины.

Со ссылкой на оперативный приказ НКВД СССР № 00486 от 15.08.1937 г. сообщалось, что приказ предусматривал «арест жен изменников родины, членов право-троцкистских шпионско-диверсионных организаций, осуждённых военной коллегией и военными трибуналами по первой и второй категории, начиная с 1 августа 1936 года» с тем, чтобы в дальнейшем вместе с арестом мужей производились аресты и жён, с последующим заключением их в лагеря или высылкой на срок от 5 до 8 лет.

Это был подход Ежова — всех под одну гребёнку.

Однако далее в спецсообщении было сказано так:

«В дальнейшем считаем целесообразным репрессировать не всех жен осужденных…, а только тех из них:

а) которые были в курсе или содействовали контрреволюционной работе своих мужей;

б) в отношении которых органы НКВД располагают данными об их антисоветских настроениях…» и т.д.

И это был, конечно же, новый подход Берии — дифференцированный, а не огульный. Он требовал иной, более высокой, культуры следствия, но был, конечно, гуманным.

Думаю, читателю будет небезынтересно узнать об одной цифре, приведённой в этом совершенно секретном сообщении НКВД СССР № 109173. Из него со всей очевидностью следует, что за два года активных репрессий, с 1 августа 1936 по октябрь 1938 года в СССР было осуждено Военной коллегией и военными трибуналами по первой и второй категории (то есть не только к расстрелу, но и к лишению свободы) всего 18 тысяч человек, а не те мифические 350 тысяч якобы только расстрелянных партийных и советских работников, которые как появились в хрущёвские времена, так, по сей день, и гуляют в мозгах «записных» «демократов».

1/X-38

Не думал, что положение дел в Москве, в Наркомате и вообще в Стране такое хреновое. У нас в Грузии мы сильной внутренней оппозиции уже не имеем, а тут голова пухнет. Активность врагов большая. На днях Богдан[1] доложил данные по Кольцову, журнали-

---

[1] Кобулов Богдан Захарович (1904—1953), с 1922 года сотрудник Берии по ГрузЧК, затем на руководящих постах в ОГПУ—НКВД ЗСФСР и НКВД Грузии, в 1935 году находился на разведывательной работе в Персии, с середины сентября 1938 года начальник 4-го (секретно-политического) отдела 1-го управления НКВД. Занимал различные посты в центральном аппарате НКВД СССР и затем в Грузии. После смерти Сталина был назначен 1-м заместителем министра внутренних дел СССР. Арестован по «делу Берии» и 23 декабря 1953 года расстрелян.

сту[1]. Один брат[2] рисует Ежова в ежовых рукавицах, а другой собрал троцкистский салон из писателей. Муд...ки. Эта братия хуже террористов.

Я уже окунулся по уши в обычное чекистское болото, отвык, теперь привыкаю. Хватает в стране и врагов, и дураков, а наше чекистское дело не цветочки собирать, а грязь убирать. Теперь это через меня идет потоком. В Ярославской области областные долбо...бы постановили в два раза увеличить сбор колокольной бронзы, а районные долбо...бы решили под эту марку закрыть в селе церковь, а колокола в металлолом. Церковники подняли бунт[3]. Послал туда человека, пусть разбирается. Доложил Кобе и Молотову. Будем разбираться вместе с Маленковым.

---

[1] Кольцов (Фридлянд) Михаил Ефимович (1898 — 02 февраля 1940), публицист с уклоном в «мировую революцию», автор «Испанского дневника», славословил Ежова и показывал в кармане фигу Сталину. 14 декабря 1938 года арестован, 01 декабря 1940 года приговорён к ВМН, расстрелян.

[2] Ефимов (Фридлянд) Борис Ефимович (1900—2008), знаменитый карикатурист, газетный художник, родной брат Михаила «Кольцова». Публиковал карикатуры на расхитителей социалистической собственности, империалистов Запада и т.д. во всех ведущих советских газетах и журналах до горбачёвских времён. Дожил и до ельцинско-путинских времён, однако карикатур на них уже не рисовал.

[3] Запись подтверждается архивами НКВД. Инцидент произошёл в сентябре 1938 года в селе Чёрная Заводь Некрасовского района Ярославской области. Когда районные работники приехали закрывать церковь, заранее извещённые кем-то (?) церковники собрали на площади толпу до 600 человек, готовых пустить в дело топоры и вилы. Из толпы неслись провокационные выкрики: «Пьяные бандиты приехали! Бей их!»

Секретарь райкома партии, председатель райисполкома, председатель райфинотдела и бригада Цветметаллолома растерялись и стали оправдываться, что они-де не пьяные, вызвали врача для освидетельствования. Ничего не помогло и представители района под улюлюкание уехали из села.

Кончилось всё тем, что 27 октября 1938 года Ярославский обком партии отменил решение Ярославского облисполкома об увеличении сбора колокольной бронзы, а церковь в селе была сохранена. Председатель Некрасовского райисполкома Мезенев был отдан под суд «за провокационное по своим последствиям решение о закрытии церкви».
Эта история хорошо показывает, насколько даже под конец репрессивной операции 1937—1938 гг. были «запуганы» властями рядовой обыватель и провокаторы, подстрекавшие его к насилию.

Приходится разматывать и разматывать головку Наркомата. И вижу, что основные аресты еще впереди[1].

9/X-38

Политбюро поручило комиссионно разработать в 10-тидневный срок проэкт Постановления ЦК, Совнаркома и Наркомвнудел по вопросу об арестах, прокурорском надзоре и ведении следствия[2]. Ежов председатель, члены я, Георгий[3], Вышинский[4] и Рычков[5]. Этот вопрос мы поставили с Георгием, работать с ним можно. Вялый, но основательный и умеет копать. Бумаги прорабатывает хорошо.

Договорились, Георгий, Вышинский и Рычков бу-

---

[1] За период с сентября по декабрь 1938 года было арестовано 332 руководящих работника НКВД, из них 140 — в центральном аппарате и 192 на периферии, в том числе было арестовано 18 наркомов внутренних дел союзных и автономных республик. Однако эти цифры не удивляют после знакомства с показаниями арестованных — в них раскрывается картина ужасающей запущенности, моральной деформации и перерождения руководящих кадров ОГПУ—НКВД. Соответственно, чистка Берией руководящего слоя НКВД не то что назрела, но была жизненно для страны необходима.

[2] Политбюро образовало комиссию и приняло решение о разработке нового подхода к арестам и т.д. 8 октября 1938 года. Однако срок реализации решения затянулся вместо десяти дней до 17 ноября, когда было принято то Постановление ЦК и СНК, которое можно считать переломным для дела выправления всех перегибов и провокаций и прямых преступлений, допущенных в ходе репрессивной операции 1937—1938 гг.

Пожалуй, причиной было то, что Ежов не торопился с подготовкой проекта, а Берия был занят открывшимся следствием по делу арестованных высокопоставленных чинов Лубянки. Как это бывает, особенно у хорошего следователя (а Берия был им), одно разоблачение тянуло за собой другое, факты и события нарастали как снежный ком. Берия был очень занят, тем более что время не ждало.

[3] Г. М. Маленков.

[4] Вышинский Андрей Януарьевич (1883—1954), выдающийся государственный деятель, в 1935—1940 гг. Прокурор СССР. Одна из наиболее оболганных в хрущёвско-медведевские времена фигур советской истории.

[5] Рычков Николай Михайлович (1897—1959), в 1938—1948 гг. Нарком (министр) юстиции СССР.

дут готовить основной проэкт, мы с Ежовым будем просматривать по отдельности, потом они вносят поправки. Мне ясно, что надо дать гарантию против злоупотреблений аппарата Наркомвнудел, особенно на местах. Если сразу не ударить по рукам, это все будет продолжаться.

Тут по двум линиям надо. Старый аппарат вычистить, а новому сразу дать направление, соблюдай законность и не смотри на партийные и советские органы как на врага, там тоже хорошо почистили. И чтобы прокуроры себя хозяевами законности почувствовали. Я сейчас уже вижу, что нах...евертили кадры Ягоды и Ежова, разгребай не разгребешь. Раз...баи.

Как уже это надоело. А работы только по чекистской линии на пару лет. Сколько я бы за эти годы в Тифлисе дела переделал. Но что, Лаврентий, тяни лямку ЧК. Комуто (*Так в тексте. — С.К.*) надо.

16/X-38

Только что от товарища Сталина. Был важный разговор. Только он, я и Георгий Маленков. Разногласий не было, потом Коба меня ещё задержал одного. Когда я пришел, он был один, сказал: «Сейчас подойдет Маленков, вам надо познакомиться поближе, будете часто пересекаться. Он у нас тоже инженер недоучка, как и ты».

Я вскинулся, он говорит, не кипятись, я тебя понимаю, сам недоучился. Затянулся, потом говорит: «Что делать, не всем в академиках ходить».

Я говорю, мы уже пересекаемся.

Он спрашивает: Срабатываетесь?

Я говорю: Срабатываемся.

Ну хорошо.

Потом пришел Георгий, Коба стал говорить, как он видит теперь задачи Наркомвнудела. Сказал, что Ежов крепко подвёл и неясно, чем это для него кончится. Вместо того, чтобы на себя обижаться, обижается на других, на Берию обижается, мол, выживает Лаврентий.

Это сказал, чепуха. Ежова наверное заменим, и с Фриновским посмотрим, как он работать будет. Сказал, что опасается, что в Наркомате есть заговор, или очень заелись. Спросил, как показывают арестованные. Я доложил, что ниточки распутываются, пока только начинается. Но картина хреновая.

Говорили по разведке. Я сказал, что пока руки не доходят, но разведку надо будет ставить по новому. И надо разведчиков готовить по плану, а не так, как художественная самодеятельность. Согласился, сказал, поддержим.

Много говорили, какой надо иметь Наркомвнудел. Коба сказал, что ЧК задумывалась как орган диктатуры, потом ее забрал в руки Ягода и получилась сборная солянка, и честные чекисты, и враги, и заговоры разные, и правые и левые, и просто разложившиеся шкурники. И так все время, в НКВД всегда хватало наполеончиков. Ежов с ними покончить не смог, и сам их начал плодить. Мы с этими наполеончиками в армии разобрались в 1937 году, а с наполеончиками в ЧК надо разобраться сейчас.

Сказал, что хватит этого Коминтерна и бонапартизма. Всех, кто хочет играть в политику вычистить, допросить и шлепнуть. Сказал, что ЧК это дело особое было, есть и будет. Но все равно нам нужен нормальный Наркомат, нормальное Государственное Учреждение которое должно решать задачи, которые поставило Государство.

Политикой в Наркомате и пахнуть не должно больше. Политикой в Наркомате должен заниматься только Нарком, и больше никто. И то так как Ежов занимался, спсибо *(Так в тексте. — С.К.)*, лучше не надо.

Когда Георгий ушел, Коба спросил про следствие, я сказал, что Берман[1] и другие дают очень важные показания. Он сказал, присылай поскорее. Потом спросил: Ежов сильно замаран? Я сказал, что похоже сильно. Он сказал, наверное будем заменять тобой, готовься. Николаю оставим водный наркомат, если потянет, пусть тянет.

К тому дело и шло. Но Ежов похоже не просто замаран. Ведет себя так, как будто на крючке. Или у кого-то у своих, а может и за кордоном. Посмотрим.

2/XI-38

Ежова часто приглашает Коба, но уже похоже больше для блезира или как водного наркома. Два дня назад вызвал меня для доклада[2]. Были только Молотов, Каганович и Георгий (*Маленков. — С.К.*). Слушал внимательно, потом разозлился, стал материться. Говорит, надо стрелять к е...аной матери, но перед этим хорошо размотать, потому что хватит рвать концы, их все вытащить надо. Дело к войне, а у нас предатель на предателе. Хватит. Когда эти пи...дюки только переве-

---

[1] Б е р м а н Б о р и с Д а в ы д о в и ч (1901—1939), один из руководителей органов государственной безопасности, в ЧК с февраля 1921 года, в 1931 году был направлен легальным резидентом ИНО ОГПУ в Германию, 4 марта 1937 года был назначен наркомом внутренних дел Белорусской ССР и начальником Особого отдела Белорусского военного округа, с мая 1938 года начальник 3-го (транспорт и связь) управления НКВД СССР. Арестован 24 сентября 1938 года по обвинению в организации правых и шпионаже в пользу Германии, дал обширные и безусловно достоверные показания. 23 февраля 1939 года расстрелян.

[2] 31 октября 1938 года с примерно двух часов дня до семи вечера у Сталина, не выходя, сидели Молотов, Маленков, а также Каганович. До Берии они заслушивали наркома ВМФ Фриновского и его первого заместителя, природного моряка Исакова по флотским делам. А с 15.10 до 16.00 Сталину докладывал Берия. Сразу после ухода Берии в кабинете появился Ежов, и вскоре, как уже отмечалось ранее, началось разбирательство обвинений писателя Шолохова в адрес Ежова и работников НКВД в присутствии руководства УНКВД по Ростовской области и партийного работника с Дона Лугового, освобождённого по ходатайству Шолохова. С 18.35 до 19.20 в кабинете оставались только Сталин, Молотов, Маленков (ушёл в 19.10), Каганович и Ежов. Суть разговора вряд ли радовала последнего.

дутся[1]. Говорит: «Эх, Николай, Николай, заср...нец. Себя подвел и нас подвел».

Скоро Октябрьский праздник. Буду на трибуне. Все таки приятно. Не разу (*Так в тексте. — С.К.*) не был.

8/XI-38

Никто и не знает, что мы пережили самый тяжелый момент. На демонстрации вполне мог быть теракт. Время удобное, все на трибуне. Дагин[2] и его ребята могли рискнуть. Коба понимал, но не уйдешь же с Мавзолея[3]. Взял на контроль все сам. Теперь будет легче. Думаю, самую опасную головку мы взяли.

---

[1] Как иллюстрацию к записи приведу фрагмент обширного протокола допроса Бориса Бермана от 13—14 октября 1938 года, направленный Берией Сталину 21 октября 1938 года: «...Такую же примерно картину я и другие работники НКВД видели по так называемым альбомам — многих краев и областей. Агентам иностранных разведок, пробравшимся в НКВД, — усердно до безрассудства помогали «карьеристы-чекисты»... Офицер разведки (*офицер связи абвера. — С.К.*) прямо мо сказал, что иностранным разведкам это известно, и они сделают все через своих людей, чтобы это и дальше так было. В Москве, еще раньше, я слышал, каких дел наворочал на Урале прожженный негодяй Дмитриев (*бывший начальник УНКВД по Свердловской области. — С.К.*)...»

[2] Д а г и н И з р а и л ь Я к о в л е в и ч (1895 — 22.01.1940), из рабочих, образование низшее, член РКП(б) с 1919 года, работал в органах милиции в Северо-Кавказском крае (СКК), в 1934—1937 гг. начальник УНКВД по СКК-Орджоникидзевскому краю, по Горьковской области, затем — начальник 1-го отдела (охрана правительства) УГБ НКВД СССР. Был арестован Берией прямо в кабинете Ежова 5 ноября 1938 года. Дагин был тесно связан с участником антисталинской оппозиции Е.Г. Евдокимовым (1891—1940). Евдокимов был одним из руководителей ВЧК—ОГПУ, с 1934 года перешёл на руководящую партийную работу, с мая 1938 стал заместителем Ежова по Наркомату водного транспорта. Был арестован 9 ноября 1938 г., 2 февраля 1940 г. приговорён к ВМН.

[3] Уже в давние времена понимали: «Кто устережёт сторожей?» Например, Индиру Ганди расстреляли её собственные телохранители. Что же до Израиля Дагина, отвечавшего за безопасность высшего руководства страны, то его участие в антигосударственном заговоре внутри НКВД, как и сам этот заговор, были не мистификацией Берии и Сталина, а реальностью. И та охрана трибуны Мавзолея, которую подобрал Дагин, вполне могла пойти на террористический акт по отношению к Сталину и другим членам Политбюро, если бы Дагин не был своевременно арестован, а руководил охранниками 7 ноября 1938 года.

14/XI-38

Все горячее и горячее. Только что вернулся от товарища Сталина. Докладывал по Журавлеву[1]. Были только Молотов, Жданов и Георгий (*Г.М. Маленков. — С.К.*). Получается нехорошая картина.

Литвин[2] застрелился. Это уже признак. Второй признак, доложили, что Успенский[3] утопился в Днепре. Может и утопился, может не утопился. Надо разбираться[4]. Дагин работал с Евдокимовым, Литвин работал с Блюхером и прикрывал Постышева, Успенский работал с Эйхе[5], отсюда может тянуться ниточка.

---

[1] Журавлёв Виктор Павлович (1902—1946), в 1938 году начальник УНКВД СССР по Ивановской области, с декабря 1938 г. — начальник УНКВД по Московской области, с июня 1939 по март 1944 года начальник Карагандинского исправительно-трудового лагеря. В десятых числах ноября 1938 года Журавлёв вначале по телефону сообщил Берии о важных показаниях бывших сотрудников НКВД Чангули и Каменского. Берия вызвал Журавлёва в Москву и 14 ноября направил его докладную записку Сталину. 19 ноября эта записка и другие компрометирующие Ежова материалы рассматривались на совещании у Сталина.

[2] См. примечание 1 к записи от 13 сентября 1938 г.

[3] Успенский Александр Иванович (1902—1940), один из руководителей органов ГБ, комиссар ГБ 3-го ранга. Сын лесника, в органах ВЧК с августа 1920 г. В 1934 г. начальник управления НКВД по Московской области. 28 февраля 1936 года был направлен в Западно-Сибирский край, а в январе 1938 года Н.С. Хрущёв, уезжая на Украину, забрал его с собой — наркомом внутренних дел УССР. Оба активно проводили репрессивную политику, причём оба имели хорошую «практику» в раскручивании репрессий — Успенский в Западной Сибири под руководством Эйхе, а Хрущёв — как первый секретарь Московского городского и областного комитета ВКП(б).

[4] Успенский инсценировал самоубийство, бежав на Урал. 15 апреля 1939 года он был арестован в Челябинской области (в Миассе) и этапирован в Москву. 28 января 1940 года расстрелян.

[5] Эйхе Роберт Индрикович (1890—1940), партийный и государственный деятель. Сын батрака, образование получил в начальном училище, в 1905 году вступил в Социал-демократию Латышского края. С 1924 года председатель Сибирского ревкома, с 1930 года первый секретарь Западно-Сибирского крайкома ВКП(б), с 1935 года кандидат в члены Политбюро ЦК ВКП(б). Стремясь сорвать намечаемый Сталиным процесс демократизации советского общества (альтернативные выборы в первый Верховный Совет СССР в декабре 1937 года), стал одним из инициаторов широкой чекистской операции против антисовет-

В Москву Успенского привез Ягода. На Украину Успенский уехал с Мыкытой[1], ну тут не обломится. Мыкыта надежен. На Украине перегибы были большие, и троцкисты там сидят крепко даже сейчас, но Успенский в этом не замечен. Но все равно подозрительно. Тоже заговор? А как Ежов?

Ежов все больше отстраняется, говорит, что надо работать по водному транспорту и в ЦК[2]. А сам вижу все больше пьет.

Анастас[3] держится холодно, завидует, что ли. А чему завидовать? Он что, сам на НКВД хотел пойти? Пожалуйста, хоть завтра. Мы с ним никогда не дружили, но знаем друг друга давно, мог бы хоть по плечу похлопать.

А, ладно, черт с ним.

Постановление по прокурорскому надзору почти готово. Затянули, но тут столько всякого сразу, что не успеваешь. Хорошо, что этим занимался и сам Коба. Но это большое дело мы сделали[4].

ских элементов, пытаясь обострить внутриполитическую ситуацию. С 29 октября 1937 года нарком земледелия СССР. 29 апреля 1938 года арестован, 2 февраля 1940 года расстрелян.

[1] Хрущёв Никита Сергеевич (1894—1971), с января 1938 года первый секретарь ЦК КП(б) Украины.

[2] За Ежовым в тот момент сохранялись посты наркома внутренних дел СССР, наркома водного транспорта СССР, секретаря ЦК и председателя Комитета партийного контроля.

[3] Микоян Анастас Иванович (1895—1978), крупный партийный и государственный деятель, член РСДРП(б) с 1915 года, один из руководителей Бакинской коммуны, был знаком с Л.П. Берией по партийной и подпольной работе с 1918 года.

[4] 15 ноября 1938 года Политбюро рассмотрело вопрос Прокуратуры СССР, и 17 ноября 1938 года Молотов как Председатель Совета народных комиссаров СССР и Сталин как секретарь Центрального Комитета ВКП(б) подписали Постановление СНК СССР и ЦК ВКП(б) «Об арестах, прокурорском надзоре и ведении следствия». Последний абзац этого Постановления выглядел так:

«СНК СССР и ЦК ВКП(б) предупреждают всех работников НКВД и Прокуратуры, что за малейшее нарушение советских законов и директив Партии и Правительства каждый работник НКВД и Прокуратуры, невзирая на лица, будет привлекаться к суровой судебной ответственности».

Ну и ночка у меня получилась. На всю жизнь запомню. Всю ночь просидели у Кобы, разбирались с Ежовым[1]. Все одно к одному. Если Ежов сам не враг, то вокруг него врагов хватало. И еще не всех мы вскрыли. Устал, но хочу записать.

Я знаю, что такое власть давно, мальчишкой был, а уже власть была. Что для меня была власть? Ответсвенность (*Так в тексте. — С.К.*). Тебе доверили, работай. Не умеешь учись. Не хочешь — через не могу, а делай! Тебе же доверили. Потом, когда у тебя власть есть, это же интересно. Сам придумал, сам сделал, видишь, что человек рядом толковый, можешь его поднять, помочь, он тебе тоже поможет, тебе же работать будет легче.

Чем больше власти, тем интереснее. А если ты сам себе хозяин, так тут работай и работай. Я когда Заккрайком получил, то как летал. До этого руки чесались, там непорядок, там долбо...бы, там можно сделать, а не делают. А теперь все от тебя зависит! Сказал, делается. Не делается, наказал. Не помогает, выгнал. Ты все можешь. Как я в Грузии поработал, душа радовалась. Видишь болото, осушай. Хочешь чтобы дети были здоровыми и грамотными, строй стадион, строй институт. Учитесь, бегайте, радуйтесь.

А как бывает? Думает, получил власть, можешь есть всласть. И начинают шкурничать, барахолить, потом манкируют (*Пренебрегают своими обязанностями. — С.К.*), потом на чем-то попался, а чаще всего на бабах, все, пи...дец, ты на крючке. Сам не заметил, как стал враг.

А то еще наши заср...нцы чекисты. Тебе большая власть, ты ей пользуйся для дела и осторожно. Тут и не хочешь, а ошибок наделаеш (*Так в тексте. — С.К.*), потому что пойди разберись, где правда. Может он

---

[1] См. комментарий ниже.

раскололся, а может просто со зла или от отчаяния кого-то оговаривает. Так нет, начинают строить из себя, как Коба сказал сегодня, наполеончиков. Мы особенные, мы что захочем, то и сделаем. Начинают думать, что они самые умные, а Коба дурак, а Лаврентий дурак, обстановки не знают. Евдокимов из себя чуть не Карла Маркса строил, он политику знает, он деревню знает, а Коба сидит в Кремле и жизнь только по нашим сводкам знает.

А потом начинаются разговоры, потом обсуждают, прикидывают. Потом идет заговор. Но и тут боятся, колебнутся туда, колебнутся сюда. И хочется и колется. Не убить Кобу, не выйдет дело. А убить Кобу, это не шутка. И неизвестно, что выйдет. А власти хочется. Не чтобы дело делать, а чтобы власть иметь.

А кто-то считает, что лучше Кобы будет. То троцкисты, то правые. Таких умников мы за эти годы видели, ого! Плакали! Кулака уничтожим, и хлеба не будет, ситца нет, а мы самолеты строим, куда нам до Европы с голой ж...пой. И поехало, видели!

Им что, дела мало. Дела по горло. Давно видно, если хочешь делать дело, делай его с Кобой. Он если ошибется, поправится, только ошибается он редко, а в главной линии никогда еще не ошибся.

Жалко что я из Грузии уехал, там месяц прожил, все, что сделал на глазах. Был грязный берег, делай набережную. Сегодня фундамент, через месяц уже стены стоят.

А тут хлебаешь это болото, а оно все болото и болото, а хлебать надо. Ну, ладно, буду хлебать. Потому что этого не сделаешь, и дела не будет. Поскорей бы с этой сволочью разобраться, и тогда можно поработать. Разведка, Погранохрана и по производственным Делам разобраться. Тут такая махина, тоже можно крепко поработать.

Коба теперь может вызвать в любой момент, надо иметь в виду.

Комментарий Сергея Кремлёва.

В ночь с 19 на 20 ноября 1938 года — с 23.10 до 4.20 — у Сталина прошло очень бурное совещание, в котором приняли участие Молотов, Микоян, Ворошилов, Каганович, Маленков, секретари ЦК Андреев и Жданов, секретарь парткомиссии КПК при ЦК Шкирятов, а также Ежов, Берия и Фриновский. Обсуждалась работа НКВД и Ежова, в том числе — в свете заявления Журавлёва.

Читатель уже прочёл достаточно для того, чтобы и без моих пространных описаний понять, что для Ежова, да и для Фриновского, та ночь стала, пожалуй, самой чёрной в их жизни, которая с той ночи всё более стремительно катилась к концу.

Сообщу лишь одну деталь, характеризующую тот момент. В ночь с 19 на 20 ноября состоялось новое назначение Николая Власика. Личный телохранитель Сталина с конца 20-х годов, с 1936 года начальник оперативной группы и начальник отделения 1-го отдела ГУГБ НКВД СССР, он был назначен на место арестованного Дагина начальником 1-го отдела ГУГБ, приняв на себя всю полноту непосредственной ответственности за безопасность Сталина и высшего партийно-государственного руководства страны. Власик вошёл в кабинет Сталина в 2.40, а через пять минут вышел из него уже начальником 1-го отдела ГУГБ.

Однако запись в дневнике Л.П. Берии от 20 ноября 1938 года интересна прежде всего другим. Она даёт очень много для понимания жизни и деятельности Лаврентия Павловича. Это — пусть немного сбивчиво и торопливо изложенное, но Credo, это — его воззрения на то, как и чем должен жить человек, получающий большую власть.

Тогда, в ночь, когда фактически решалась дальнейшая судьба не только Ежова, но и самого Берии, в ночь, которая стала «моментом истины» для всей «команды» Сталина, эмоциональный стресс испытали, конечно же, не только Ежов и Фриновский. Его испытали и все остальные, а уж Берия — больше, чем кто-либо другой, за исключением разве что тех же Ежова и Фриновского. И это, только что пережитое, волнение, всплеск чувств хорошо проявились в сбивчивой дневниковой записи, где, как это вообще характерно для дневника Берии, пунктуация и прочие грамматические нормы то соблюдаются, то не соблюдаются.

Для Берии, как и для Сталина, большая власть — большая возможность делать большие дела. Но так мыслили не все.

За время работы над историей той эпохи я прочёл немало интереснейших рассекреченных её документов. Но раз за разом убеждаюсь, что одним из ключевых свидетельств, важных и нужных для понимания тогдашней ситуации, надо считать заявление М.П. Фриновского от 11 апреля 1939 года. Оно даёт много для понимания такого явления, как перерождение части советской элиты к середине 30-х годов, а также для понимания причин репрессивного процесса в верхних эшелонах власти в СССР.

6 апреля 1939 года Фриновский был арестован, а через пять дней он написал (скорее, впрочем, закончил, потому что оно было огромным, на многих листах) заявление на имя «Народного комиссара внутренних дел Союза Советских Соц. Республик — Комиссара Государственной безопасности 1 ранга Берия Л.П.»

13 апреля 1939 года Берия направил его Сталину. В малотиражном сборнике документов «Лубянка. Сталин и НКВД — НКГБ — ГУКР «Смерш». 1939—март 1946» это заявление занимает 16 страниц формата $70\times100^1/_{16}$ и поражает своей откровенностью и конкретностью. Причём ни о каком «литературном творчестве» следователей с Лубянки тут не может быть и речи, тем более что это — не протокол допроса с вопросами и ответами, а именно заявление. Я не могу, естественно, привести его полностью, однако начало приведу:

«Следствием мне предъявлено обвинение в антисоветской заговорщицкой работе. Долго боролась во мне мысль о необходимости сознаться в своей преступной деятельности в период, когда я был на свободе, но жалкое состояние труса взяло верх[1]. Имея возможность обо всём честно рас-

---

[1] Эти слова особенно психологически достоверны, потому что бывший конник Первой конной Будённого Михаил Фриновский был далеко не трусом, если иметь в виду его поведение в опасных боевых ситуациях. Достаточно сказать, что в Особом отделе Московской ЧК в ноябре 1919 года он был помощником начальника активной (то есть оператив-

сказать Вам и руководителям партии[1], членом которой я недостойно был последние годы, обманывая партию, — я этого не сделал. Только после ареста, после предъявления обвинения и беседы лично с Вами я стал на путь раскаяния и обещаю рассказать следствию всю правду до конца, как о своей преступно-вражеской работе, так и о лицах, являющихся соучастниками и руководителями этой преступной вражеской работы.

Стал я преступником из-за слепого доверия авторитетам своих руководителей ЯГОДЫ, ЕВДОКИМОВА и ЕЖОВА, а став преступником, я вместе с ними творил гнусное контрреволюционное дело против партии.

В 1928 году, вскоре после назначения меня командиром и военкомом Дивизии Особого назначения при Коллегии ОГПУ, на состоявшейся районной партийной конференции я был избран в состав пленума, а пленумом в состав бюро партийной организации Сокольнического района.

Еще на конференции я установил контакт с бывшим работником ОГПУ (в 1937 г. покончил самоубийством в связи с арестом ЯГОДЫ) — ПОГРЕБИНСКИМ, который информировал меня о наличии групповой борьбы среди членов райкома. В последующем...» и т. д. — лист за листом, год за годом: фамилии, ситуации...

Сталин получил это заявление 13 апреля 1939 года. А 28 апреля 1939 года был арестован Ежов. И теперь уже для него наступало время признавать и признаваться.

А признаваться, увы, было в чём...

Но тут уж не было вины ни Сталина, ни Берии. Они, получив власть, несли её бремя достойно от начала до конца. А для Ежова, Фриновского, Ягоды, Евдокимова и им подобных **бремя** власти со временем сменилось *соблазнами* власти.

ной) части, а в 1920 году был начальником активной части Особого отдела Юго-Западного фронта и позднее, в 1921—1922 гг., заместителем начальника оперативного отряда Всеукраинской ЧК, принимал участие в ликвидации анархистов, махновцев и т.п.

[1] Хотя бы в ту же ночь с 19 на 20 ноября 1938 года, а также во время совещаний у Сталина 10, 17, 19 января и 8 февраля 1939 года, не говоря уже о ежедневном общении с Л.П. Берий в стенах НКВД.

Говорят, что власть развращает, а абсолютная власть развращает абсолютно. Но это — не более чем хлёсткая фраза. Если человек смотрит на данную ему власть как на долг, как на ответственность, то власть не развращает его, а постоянно развивает его как личность, как лидера и как управленца.

Развращает же власть лишь тех, кто смотрит на неё как на средство удовлетворения своих страстей, не имеет значения — высоких или низменных.

21/XI-38

Сегодня докладывал товарищу Сталину, был только Молотов. Жена Ежова покончила с собой в больнице, обстоятельства смерти подозрительные. Может она и сама, но кто-то помог. Надо разобраться.

Коба сказал, что получил от нее на днях письмо, показал. Она там пишет, что ни в чем не виновата, клянется старухой матерью и дочкой, но это все нервы, она психопатка, и на половой почве может быть. Мне всякое приходилось читать. Клянется здоровьем родителей, а потом оказывается, что врет. Важно то, что она написала, что умереть не имеет права. А потом взяла и сама себя. Как понимать?

Я Кобе сказал, а он говорит: А может не сама? Я говорю, а черт ее знает. Коба говорит: «Черт не черт, а ЧК должна знать». Я говорю: Узнаем.

Но это всё х...йня. Надо важное размотать. Коба злится по Успенскому[1]. Он уверен, что Успенский жив и сбежал. Я и сам так думаю, есть данные. Но это же не сопляк. Успенский опытный оперативник, все знает. Так просто не поймаешь[2].

---

[1] См. примечание 3 к записи от 14 ноября 1938 г.

[2] 22 ноября 1938 года Сталин написал Берии записку, где требовал «мерзавца — Успенского, который на глазах у всех ушел в подполье» поймать «во что бы то ни стало». Сталин писал, что «задета и опозорена честь чекистов» и что «нельзя этого терпеть».
См. также примечание 4 к записи от 14 ноября 1938 г.

25/XI-38

Все, Лаврентий. Прощай мечты о Грузии. Теперь я засяду в Москве может навсегда. С сего дня Нарком. Ежов сразу после 19-го написал товарищу Сталину заявление с просьбой освободить.

Сегодня товарищ Сталин вызвал, и сказал, принимай Лаврентий Наркомат. Ежов написал заявление, кается и просит освободить. Мы его освободили, оставляем за ним наркомат водного транспорта и Партконтроль.

Дал прочитать заявление. Сказал, что будет образована Комиссия по передаче Дел, а потом говорили уже конкретно. Все мои предложения одобрил, главное сказал, что кадрами Наркомвнудел мы укрепим, давайте списки и Маленков тоже подберет людей. Только не зазнавайся, говорит, а то мы уже устали менять в ЧК наркомов.

Кроме меня был только Молотов.

Комментарий Сергея Кремлёва.

23 ноября 1938 года Ежов написал заявление в Политбюро на имя Сталина с просьбой освободить его от работы наркома внутренних дел. Надо отметить, что все свои упущения и недостатки по работе он перечислил весьма подробно и полно, так что знакомство с этим заявлением для того же Берии представляло определённую пользу. Ежов не просто каялся, а анализировал ситуацию в НКВД, и его заявление можно было рассматривать одновременно как краткую аналитическую записку.

Одну фразу из этого заявления «продвинутые» «историки» уже донельзя затаскали, но я её тоже приведу. В конце Ежов писал: «Несмотря на все эти большие недостатки и промахи в моей работе, должен сказать, что при повседневном руководстве ЦК — НКВД погромил врагов здорово». Спорить здесь не с чем. Даже Ежов при всех его пороках и грехах сделал для очистки руководящих слоёв страны от разного рода врагов (от белогвардейцев и целого набора заговорщиков до простых перерожденцев и шкурников) немало.

23 ноября 1938 года Ежов появился в кабинете Сталина последний раз в своей жизни, войдя в него в 21 час 35 минут 23 ноября и выйдя оттуда уже в час ночи 24 ноября. В последнем разговоре Сталина с Ежовым участвовал вначале только Ворошилов, а к десяти вечера подошёл и Молотов. Сталин пока видел в Ежове только очень запутавшегося человека, много нагрешившего, но еще способного выправиться. Он уже лишил Ежова своего доверия, о чём тому прямо и сказал. Однако если бы Сталин видел в конце 1938 года в Ежове врага или просто поставил бы на нём крест, то он бы не стал тратить на разговор с Ежовым три с половиной часа только 23 ноября, не говоря уже о пятичасовом «разборе полётов» в ночь с 19 на 20 ноября!

Соответственно, Сталин не принял бы 24 ноября решения, проведённого как Постановление Политбюро, об удовлетворении просьбы Ежова об освобождении его от обязанностей наркома НКВД с сохранением за ним должностей «секретаря ЦК, председателя комиссии партийного контроля и наркома водного транспорта».

Поэтому лишь как подлую, антиисторичную и безответственную болтовню надо оценивать «мемориальные» россказни «демократов» о том, что Ежов-де был нужен Сталину только как «инструмент кровавого тотального террора», а когда дело было сделано и «страна запугана», «инструмент» за ненадобностью выбросили. Сталин вообще был терпим и каждый раз старался до последнего верить в человека и рвал с ним только тогда, когда убеждался в том, что это уже не товарищ и соратник, а предатель и враг.

Так вышло и с Ежовым. Так вышло и с Фриновским, хотя этот бывший заместитель Ежова и его будущий подельник был на совещаниях у Сталина после 19 ноября 1938 года четыре раза уже в 1939 году (последний раз — 8 февраля 1939 года, за два месяца до ареста). И для Сталина это не было игрой — он в политические триллеры не играл. Если человек оказывался в его кабинете на деловом совещании, то причина была одна: этот человек рассматривался как нужный для дела. То есть Фриновский лишь к концу зимы

1939 года стал рассматриваться Сталиным как фигура сомнительная...

Впрочем, я забежал вперёд. 25 ноября 1938 года на места ушла шифровка за подписью Сталина «первым секретарям ЦК нацкомпартий, крайкомов и обкомов» о неблагополучном положении в НКВД, об удовлетворении просьбы Ежова об его освобождении от НКВД, о сохранении за ним постов «по НКВоду и по линии работы в органах ЦК ВКП(б)». В той же шифровке сообщалось о назначении наркомом НКВД СССР «по единодушному предложению членов ЦК, в том числе и т. Ежова, — нынешнего первого заместителя НКВД тов. Берия Л.П.». Адресатам предлагалось «с настоящим сообщением немедля ознакомить наркомов НКВД и начальников УНКВД».

Ежов был, конечно, подавлен. К тому же он запутался не только в делячестве в НКВД, но и в заговорах, в связях с иностранными спецслужбами, в личной жизни — во всём сразу. Ежов не был идейным противником Сталина и Советской власти, он их даже любил и был им по-своему предан, но он оказался слабым человеком без крепкого внутреннего стержня. Повторяю: Ежов не был монстром, садистом и т.д., не был он и врагом, он был просто слабым человеком и поэтому скатился до предательства Сталина и России. Предают всегда и только свои. Открытый враг не может предать по определению, потому что он сразу осознаётся тобой как враг. Скрытый враг тоже не может предать, потому что *ты* осознаёшься им сразу как враг, пусть он этого и не показывает. А предатель — до тех пор, пока его предательство не обнаружится, был когда-то другом на деле и поэтому воспринимается, как друг, как свой, даже после того как он встал на путь измены, но ещё не разоблачён.

Ежов был своим.

Но он предал.

Фриновский тоже был своим.

И он тоже предал.

Можно сказать, что они оказались фигурами почти шекспировскими, однако лично меня психология и генезис предательства никогда всерьёз не интересовали. И не интересуют. Поэтому я не буду продолжать далее психологические экзерсисы, а сообщу, что уже после назначения Берии Ежов написал Сталину личное письмо, которое дошло до адресата через Поскребышева (секретаря Сталина) 27 ноября 1938 года.

Это была уже не аналитическая записка, а исповедь. Причём по всему письму рефреном проходила фамилия «Фриновский» — как злой гений Ежова и НКВД. Последняя же треть длинного и весьма искреннего письма была посвящена почти исключительно отношениям с Берией. Ежов, в частности, признавался в предубеждении против него, поощряемом Фриновским.

Суть наговоров Фриновского, по словам Ежова, сводилась к следующему: «...1) с Берией я не сработаюсь; 2) будут два управления; 3) необъективно будет информироваться ЦК и т.Сталин; 4) недостатки будут возводиться в систему; не побрезгует любыми средствами, чтобы достигнуть намеченной цели».

Ссылаясь на то, что у Берии «властный характер» и что он «не потерпит подчинённости», Фриновский, как признавался в письме Ежов, советовал: «...держать крепко вожжи в руках. Не давать садиться на голову. Не хандрить, а взяться крепко за аппарат, чтобы он не двоил между т. Берия и мной. Не допускать людей т. Берия в аппарат».

Конец письма заслуживает того, чтобы привести его полностью:

«Я всю эту мразь выслушивал с сочувствием...

Касаясь дел Грузии говорил он (Фриновский. — С.К.) и следующее: ошибка, что я не послушал его вовремя и не проконтролировал Грузию. Допустил много вольностей для Грузии. Подозрительно, что т. Берия хочет уничтожить всех чекистов, когда-либо работавших в Грузии. Говорил, что все свое самое близкое окружение т. Берия перестрелял. Он должен за это окружение отвечать...».

Здесь я прерву цитирование, чтобы напомнить читателю, что после перевода в Москву Берия почти сразу же добился перевода с ним в Москву из Тбилиси на ответственные должности в НКВД СССР своих давних сотрудников по чекистской работе в Грузии: Меркулова, Богдана и Захара Кобуловых, Деканозова, Мамулова, Шария, С.Р. Мильштейна, Гоглидзе, Цанаву (для назначения наркомом НКВД в Белоруссию), Сумбатова-Топуридзе, Гвишиани, Шарапова,

Шалву Церетели. С 1939 года Берия перевёл в Москву из Белоруссии на должность замнаркома давнего соратника по Грузии Ивана Масленникова, будущего героя Великой Отечественной войны.

И всё это были люди из самого близкого окружения Берии! Причём и в НКВД Грузии ведь оставалось немало чекистов, которые давно работали с Берией в ЧК, а затем — в ОГПУ Закавказья (тот же Рапава остался в Тбилиси наркомом НКВД Грузинской ССР).

Многих из старых чекистов Берия, став 1-м секретарём Заккрайкома ВКП(б) и 1-м секретарём ЦК КП(б) Грузии, выдвинул на партийную и хозяйственную работу в Грузии. Не забудем также о «чистых», так сказать, партийных и государственных работниках Грузии, выдвинутых Берией и спокойно трудившихся там как до 1937-го, так и после 1937 года.

То есть Фриновский, с начала 30-х годов постепенно погрязавший в играх в заговоры правых и в интригах, просто клеветал на Берию. Фриновский не сошёлся с ним натурами ещё с 1930 года, когда Фриновский был назначен председателем ГПУ Азербайджана, а Берия был председателем всего Закавказского ГПУ и полномочным представителем ОГПУ СССР в Закавказской СФСР.

Уже после отставки это понял и Ежов, потому что писал Сталину:

«Словом, крепко накачивал. Я, в свою очередь, не только слушал, но во многом соглашался и говорил ему [о] плохом отношении т. Берия к Фриновскому.

В результате всего этого сволочного своего поведения я наделал массу совершенно непростительных глупостей. Они выражались в следующем: а) всякое справедливое критическое замечание т. Берия в работе аппарата, я считал необъективным; б) мне казалось, что т. Берия недоучитывает обстановку в которой мне пришлось вести работу и недоучитывал, что работа все же проделана большая; в) мне казалось, что т. Берия оттирает меня от работы в ГУГБ; г) мне казалось, что т. Берия недостаточно объективен в информации ЦК; и наконец, д) что все это персонально направлено против меня».

Сюжет, как говорится, очерчен весьма ярко.

27/XI-38

Сегодня почти час был с Кобой наедине[1]. Поговорили, что называется, по душам. Показал письмо Ежова. Да, запутался, запутался Николай. Но виноват сам. А Михаил как был заср...нцем так и остался. Здоровый бугай, переть вперед умеет как танк, и на Николая влиял, а сам тоже поддается влиянию. Авантюрист. Но это уже пусть Коба решает. Я ему насчет Михаила все сказал, что думаю.

Коба сказал, принимай поскорее дела от Николая и шуруй[2]. А что шуруй. И так шуруем на полную кочегарку. Договорился с Георгием, что они начнут готовить людей на пополнение Центрального Аппарата и на периферию.

15/XII-38

Тяжелый день. За всем не усмотришь, а потом крепко жалеешь. Разбился Чкалов[3]. И предупреждали же

---

[1] 27 ноября 1938 года Сталин начал приём с того, что с 18.00 до 18.45 беседовал с Берией с глазу на глаз. С этого момента Лаврентий Павлович становится почти непременным участником рабочих встреч в кремлёвском кабинете Сталина. Из двадцати одного совещания, которые Сталин провёл у себя с 28 ноября до конца 1938 года, Берия присутствовал на двенадцати.

[2] 5 декабря 1938 года Политбюро приняло Постановление о сдаче Ежовом дел по НКВД Берии, при этом «сдачу и приёмку дел произвести при участии секретаря ЦК ВКП(б) т. Андреева и зав. ОРПО (Отдел руководящих партийных органов) ЦК т. Маленкова». Сдачу и приёмку дел предписывалось начать с 7 декабря и закончить в недельный срок. Реально акт приёма-сдачи дел по НКВД СССР был представлен в ЦК Сталину Берией, Андреевым и Маленковым лишь 29 января 1939 года, поскольку в процессе работы комиссии с участием самого Ежова вскрывались всё новые и новые прегрешения Ежова и его руководящего аппарата.

[3] Валерий Чкалов разбился в первом испытательном полёте нового истребителя Н.Н. Поликарпова И–180-1 15 декабря 1938 года в 13.10. Намечавшийся на 12 декабря полёт был отложен по настоянию представителя НКВД и по указанию Л.П. Берии (при подготовке к вылету 12 декабря было выявлено 48 дефектов). К 14 декабря поломки были исправлены, и 15 декабря Чкалов в 12.58 взлетел, а через десять минут погиб при аварийной посадке.

его и Поликарпова[1], сам людей направлял, и товарищу Сталину писал. 12 декабря полет отложили, по Земле поездил и на Земле у него лопнула тяга. Вроде исправили, а все равно разбился. Докладывал товарищу Сталину, злой, хмурый. Сказал, разбирайтесь[2].

Каганович[3] оправдывается, а толка. Буду разбираться[4].

18/XII-38

Есть русская пословица «Простота хуже воровства». Можно новую пословицу придумать «Бардак хуже вредительства». Разбираюсь с гибелью Чкалова. Все могло быть, теракт мог быть, вредительство по самолету. Самолет новый, нужный, могли сразу два дела сделать.

Но получается, что просто долбо...бы и заср...нцы. Мне уже говорили авиационщики, что где начинается авиация, там кончается порядок. А тут разбирашся (*Так в тексте. — С.К.*) и видно, что там порядка вообще нет. Хуже чем в Наркомате. Придется кое-кого посадить, но что толка[5]. Тут надо всю систему менять, но это уже не мне. Мне со своим бы разобраться, Наркомат почищу и займемся делом.

---

[1] Поликарпов Николай Николаевич (1892—1944), известный авиационный конструктор, Герой Социалистического Труда.

[2] Л.П. Берия был с докладом у Сталина с 21.00 до 21.55 15 декабря 1938 года. В следующий раз он появился у Сталина 19 декабря 1938 года.

[3] Имеется в виду брат Л.М. Кагановича Михаил Моисеевич Каганович (1888—1941), тогда нарком оборонной промышленности СССР (в 1939—1940 гг. нарком авиационной промышленности).

[4] Кое-кто ныне обвиняет Сталина и Берию в намеренной организации гибели Чкалова. Мол, Чкалов выходил из-под контроля, и его надо было убрать. Не только характер Сталина и Берии, но и объективный анализ конкретной ситуации убеждает в полной беспочвенности подобных обвинений.

[5] В результате следствия были осуждены заместитель Главного конструктора Н.Н. Поликарпова Н.В. Томашевич (досрочно освобождён в июне 1941 года за хорошую работу в ЦКБ-29 НКВД со снятием судимости) и директор опытного завода М.А. Усачев (досрочно освобождён в августе 1943 года со снятием судимости).

Не мое дело, я в этом не разбираюсь но сказал Поликарпову, что вы Николай Николаевич так высоко не улетите, у вас все тяп-ляп, а надо к делу ответственно подходить. Он конечно переживает, Чкалов на нем. Но надо думать как дальше работать[1].

Завтра доложу товарищу Сталину, что вредительства нет, а судить надо.

Георгий[2] продолжает подбирать людей в соответсвии (*Так в тексте. — С.К.*) с ноябрьскими Постановлениями[3]. Сказал, что отдает мне хорошего надежного работника Круглова. Сказал, не пожалеешь, парень с перспективой. Посмотрим[4]. Георгий сказал, что скоро кадры к тебе пойдут потоком, отберем лучших людей. Это хорошо.

---

[1] Самолёт И-180 и его развитие И-185 — это один из примеров нереализованных возможностей нашей авиации. Николай Николаевич Поликарпов был талантливым конструктором, но его воззрения на процесс разработки конструкции самолёта были весьма своеобразными. Он вполне мог выпустить в полёт «сырой» самолёт, рискуя лётчиком и считая, что все недоработки выявятся при лётных испытаниях. Чкалов погиб на И-180-1, а 5 сентября 1939 года на пятьдесят третьем полёте варианта И-180-2 разбился талантливый испытатель Томас Сузи. В 1943 году на пушечном варианте истребителя И-186 (развитие И-185) погиб ещё один талантливый испытатель Василий Степанчонок. При этом по оценке НИИ ВВС конца 1942 года И-186 превосходил все истребители мира и имел хорошую перспективу развития. Увы, перспективами всё и ограничилось.

[2] Г.М. Маленков, тогда заведующий Отделом руководящих партийных работников (ОРПО) ЦК ВКП(б), то есть главный «кадровик» партии и вообще государства.

[3] 26 и 27 ноября 1938 года были приняты два постановления Политбюро о работниках для НКВД СССР, по которым Берии и Маленкову поручалось отобрать 100 человек на курсы по подготовке работников для НКВД «из числа руководящих районных и областных партийных и комсомольских работников». Кроме того 25 человек направлялись для работы в центральном аппарате НКВД персонально.

[4] Это первая запись в дневнике Л.П. Берии о Сергее Никифоровиче Круглове (1907—1977), будущем заместителе Берии, а впоследствии и его преемнике на посту наркома внутренних дел СССР с 1946 года (и на посту министра внутренних дел СССР с 26 июня 1953 года). Круглов был направлен в НКВД персонально по постановлению Политбюро от 20 декабря 1938 года с должности ответственного организатора Отдела руководящих партийных работников (ОРПО) ЦК ВКП(б). До февраля 1939 года он был особоуполномоченным НКВД, а с февраля 1939 года стал заместителем наркома и начальником Отдела кадров НКВД СССР.

Комментарий Сергея Кремлёва.

Серьёзное и положительное кадровое обновление органов НКВД в центральном аппарате и на местах начал уже, надо сказать, Н.И. Ежов. В этом, как и во многом другом, сказалась двойственность и натуры Ежова, и его судьбы, и неоднозначность ситуации внутри НКВД.

Здесь можно, пожалуй, провести аналогию с провокатором Малиновским, который был одновременно и агентом охранки, и одним из крупных деятелей партии большевиков и даже депутатом царской Государственной Думы от рабочей курии. Малиновский играл двойственную роль. С одной стороны, как тайный агент царского правительства, он должен был противодействовать развитию революционного движения в России. Но он не мог бы выдвинуться в руководящее ядро РСДРП(б), если бы не имел таланта политического организатора масс и не проявлял его в своей повседневной работе. Он его и проявлял: блестяще выступая в Думе и перед рабочими, привлекая в партию новых членов и т.д. На примере и Малиновского, и Ежова видно, что это удел любой крупной фигуры, имеющей «двойное дно». Даже тайно противодействуя и разлагая то дело, которому он обязан служить открыто.

То есть, с одной стороны, Ежов разлагал НКВД (на уровне высшего руководящего аппарата), но, с другой стороны, он укреплял НКВД на массовом низовом уровне, привлекая в «органы» вполне преданных Советской власти молодых и развитых ребят, в том числе — с периферии и для работы на периферии.

11 марта 1937 года Ежов выступил с докладом перед молодыми коммунистами и комсомольцами, мобилизованными на работу в органы НКВД, и это были в большинстве своём хорошо образованные (многие — с высшим, в том числе — высшим техническим образованием) работники. При этом за период с 1 октября 1936 по 1 января 1938 года из органов ГБ убыло 5229 человек (из них арестовано 1220), а прибыло 5359 человек.

Л.П. Берия расширил процесс привлечения в органы НКВД специалистов из народного хозяйства и партийно-государственных органов. В том числе в декабре 1938 года

НКВД СССР, ОРПО ЦК ВКП(б), Московский ГК ВКП(б) отобрали для учебы и последующей работы в НКВД 1500 человек среди политически проверенных и передовых производственников города Москвы.

Так что образ полуграмотного чекиста-садиста из НКВД Берии, созданный *либерастической* «интеллигенцией», не более историчен, чем образ Бабы-яги как реальной фигуры древней русской истории. В подтверждение сказанного могу привести, например, любопытные данные из Государственного архива Томской области о количестве граждан, репрессированных в Томской области по статье 58 УК РСФСР за ряд лет.

Год	Арестовано	Расстреляно
1935	366	3
1936	380	86
1937	9505	7275
1938	3249	2748
1939	81	3
1940	169	6
1941	418	51
1942	508	19
1943	327	—
1944	237	1
1945	221	—

То есть если в «ежовско-фриновском» 1938 году в Томской области было по политическим обвинениям расстреляно под три **тысячи** человек, то в полностью «бериевском» 1939 году в той же области было расстреляно **три** человека!

Убеждён, что для многих эти цифры будут неожиданными, особенно в свете тех представлений о Берии, которые всё ещё имеют хождение в умах.

Сразу же, с конца 1938 года, Л.П. Берия начал и масштабную, выдающуюся реформу советской разведки. Фактически он создал качественно новую политическую разведку СССР, сотрудники которой не мнили себя политиками, как это было ранее, а рассматривали себя как инструмент обеспечения политики государственного руководства страны. Причём это касалось не только новых кадров разведчиков, но и старых, которые Берия лично и тщательно проверил. Сошлюсь здесь на оценку Владимира Константиновича Виноградова, ведущего инспектора Управления регистрации и архивных фондов ФСБ России, профессора РАЕН. В статье о реформе органов ГБ, опубликованной во II томе «Трудов Общества изучения истории отечественных спецслужб», он писал:

«При новом наркоме (*Л.П. Берии.* — *С.К.*) начали решать проблемы, связанные с разгромом опытных чекистских кадров, которые попали под волну массовых репрессий. В отношении многих пострадавших были проведены амнистия и реабилитация, некоторых бывших сотрудников стали возвращать в строй, налаживать разведывательную и контрразведывательную работу, воссоздавать зарубежные резидентуры, разгромленные при Ежове. Одновременно активно стали проводить спецнаборы и обучение в школах НКВД».

А ведь по сей день многие уверены, что Берия якобы чуть ли не уничтожил советскую разведку. В действительности он её творчески реформировал, поставив на новый уровень и техническое оснащение разведывательной работы.

26/XII-38

Сегодня удалось немного отдохнуть. Год заканчивается. Думаю, это был самый тяжелый год в моей жизни. Не весь год, а четыре месяца. За это время устал больше чем за год в Тбилиси. А что сделал? Го...но разгреб в Наркомате, и то не до конца. Но теперь будет легче, в Новом Году можно уже будет работать, Дела будет много.

Уже понятно, что массово сажали, а теперь надо массово освобождать. Расстрелянных не вернешь, а там тоже не все виноваты. Но постреляли много за дело. Даже если сегодня не вредили, война если началась, вредили бы. И жгли, и убивали и отравляли, и взрывали. Враг есть враг. Пока тихо, он сидит тихо, а порохом запахнет, начнет действовать.

Принял Анну Ларину. Теперь вдова Бухарина. Я ее помню молоденькой девчонкой. Такая была цыганистая и вся как светилась. Николай Иванович был бабник, польстился, увлек девчонку, очаровал, она и сейчас за него умерла бы. Дура ты дура. Села из-за своего Николая Ивановича, и будешь сидеть. Николай Иванович враг, но ей же не докажешь, она на него молится. Стихи пишет. Николай Иванович белый голубь, а Сталин черный ворон и его мозг клюет.

Написала письмо Ежову, а в кабинет привели, а там Берия. Удивилась, она думала что я в Грузии, а я на Лубянке. Дерзит, смотрит волчонком. Дура дура. Вначале прикидывал. Может выпустить, не портить судьбу.

Поговорил, вижу, не получается выпускать. Если выпустишь, она на всех углах будет кричать, что Николай Иванович невиноват. А это уже не игрушки девочка. Ты в политику суешься, а это уже не мое личное дело. Хотелось выпустить, но нельзя. По настоящему ее надо бы расстрелять, потому что все равно языком звонить будет хоть по лагерям, хоть в ссылке, но жалко. Пусть живет и живет долго. Может что то поймет.

Жалко когда такие молодые не туда идут. Тебе жить и жить, еще пять лет, и мы такую жизнь наладим, что только живи. Если не будет войны. Только война и может помешать, но тут надо постараться долго не возиться. Можно кончить быстро, если будем готовы.

Ладно, год кончили, будем думать уже о Новом Годе. В марте мне уже будет сорок. Старик, кацо.

1939 год

3/I-39

Сегодня говорил с Кобой по мерам физического воздействия. После Постановления о Прокурорском Надзоре[1] пошла обратная волна. Никого не арестуй, никого не тронь и т.д. А как следствие вести по заговорам? Я объяснил, что тут вещественных доказательств не бывает. Его взяли, он отказывается. А на него показания трех человек. Может оговор? Может. Тут надо сравнить, набрать материал. Набрали, снова допрос. Он отказывается. Как докажешь? Только другими показаниями. А время идет. Очная ставка не всегда помогает. Если они друзья, так они друг друга без слов поймут, а следователь если неопытный, не поймет, что они тут же при нем сговорились.

Нет, если материалы серьезные есть, а он тянет резину, так лучше пару раз по морде дать или тоже резиной. Что делать! Вот тут он начинает показывать. А ты пиши и потом снова сравнивай.

Следствие дело всегда тяжелое, а если следствие по заговору или антисоветской работе, тут сто раз тяжелее. По вредительству проще, тут факт налицо. Надо только разобраться, халатность или вредитель-

---

[1] Постановление Политбюро ЦК ВКП(б) «Об арестах, прокурорском надзоре и ведении следствия» было принято 17 ноября 1938 года, а подготовлено при активном идейном участии Берии и во многом по его инициативе после того, как он разобрался с ситуацией в НКВД.

ство и организация. А по заговору работать одними уговорами гиблое дело.

Коба согласился, сказал, что даст раз'яснение[1,2].

Комментарий Сергея Кремлёва.

Это — интересный момент, вокруг которого нагорожено много вранья. Применение физического воздействия как один из методов ведения следствия в НКВД было действительно допущено с 1937 года с разрешения Сталина и ЦК, и в январе 1939 года Сталин лишь подтвердил, что в принципе подход к вопросу не изменился. Однако надо понимать, почему так было решено в 1937 году и подтверждено в 1939 году.

До 1937 года, до раскрытия заговора Тухачевского—Якира—Уборевича, такой метод санкционирован не был, потому что картина тайной, с организацией заговоров против «генеральной линии ЦК», деятельности в СССР не представлялась очень уж масштабной и разветвлённой. В заговоры именно что играли, потому что верхушка любого заговора состояла из людей непоследовательных, колеблющихся, внутренне слабых. С одной стороны, они — сами по себе, без внешней поддержки — не представлялись очень опасными. С другой стороны, после ареста они достаточно быстро сознавались, поскольку за всеми числились, как правило, былые оппозиционные прегрешения, отрицать которые было нельзя. То есть ниточки, за которые могло ухватиться следствие, имелись.

С 1937 года ситуация изменилась. Вначале раскрытие заговора Тухачевского показало, что реальная опасность для страны была большой и остаётся большой. Затем, в ходе следствия, всё более выявлялась картина заговорщицкой деятельности в общегосударственном масштабе. К се-

---

[1] 10 января 1939 года Сталин направил шифртелеграмму 26/ш «секретарям обкомов, крайкомов, ЦК нацкомпартий, наркомам внутренних дел, начальникам УНКВД», где говорилось о том, что «применение физического воздействия в практике НКВД было допущено с 1937 года с разрешения ЦК ВКП».

[2] См комментарий ниже.

редине лета 1937 года Сталину стало ясно, что в партийно-государственном руководстве в центре и на местах сформировался мощный слой перерожденцев, который оказался переплетён связями и настроениями с затаившимися троцкистами, правыми и прямыми внутренними и внешними врагами социализма. Причём практических действий ещё предпринято не было, пока всё оставалось на уровне разговоров. Но, как известно, «в начале было Слово». А за словом могли последовать и дела.

Однако слово, хотя и может стать материальной силой, само по себе нематериально, и его к протоколу не пришьёшь. А скрытая магнитофонная запись тогда существовала в зачаточном состоянии даже на Западе. Поэтому даже долгое следствие с использованием лишь логических методов было мало эффективно или неэффективно и вело к неприемлемой — по ситуации — затяжке сроков.

К тому же следователям противостояли не дети и не полудефективные уголовники, а люди развитые, привыкшие к дискуссиям, дипломатии, лавированию и т.п. Вот почему с 1937 года пришлось вынужденно санкционировать для НКВД меры физического воздействия.

Однако в шифровке от 10 января 1939 года Сталин напоминал: *«При этом было указано, что физическое воздействие допускается как исключение, и притом в отношении лишь таких явных врагов народа, которые, используя гуманный метод допроса, нагло отказываются выдать заговорщиков, месяцами не дают показаний, стараются затормозить разоблачение оставшихся на воле заговорщиков, — следовательно, продолжают борьбу с Советской властью даже в тюрьме...»*

В той же шифровке Сталин отмечал, что этот метод намного ускорил дело разоблачения врагов народа, но при этом признавал, что *«впоследствии, на практике, метод физического воздействия был загажен мерзавцами Заковским, Литвиным, Успенским и другими, ибо они превратили его из исключения в правило и стали применять его к случайно арестованным честным людям, за что они понесли должную кару...»*

Впрочем, Сталин тут же предупреждал адресатов, что

этим нисколько не опорочивается сам метод, если он правильно применяется на практике, и пояснял:

«Известно, что все буржуазные разведки применяют физическое воздействие в отношении представителей социалистического пролетариата… Спрашивается, почему социалистическая разведка должна быть более гуманной в отношении заядлых агентов буржуазии, заклятых врагов рабочего класса и колхозников».

В заключение Сталин вновь подчёркивал, что данный метод должен применяться в виде исключения, в отношении явных и не разоружающихся врагов.

Нельзя забывать, что Берия обратился к Сталину с просьбой о санкционировании методов физического воздействия и впредь в тот момент, когда НКВД Берии ещё лишь предстояло вскрытие многих сторон вполне реальной антигосударственной деятельности тех же Ежова, Фриновского, многих других троцкистов и правых и т.д.

И в записи в дневнике от 3 января 1939 года Берия обрисовал ситуацию вполне внятно. В следствии по заговорам важнейшими являются чистосердечные показания подозреваемых или обвиняемых, а добиться их одной логикой порой просто невозможно. К тому же — в краткие сроки. А ликвидировать потенциальную «пятую колонну» в верхних эшелонах руководства страной надо было очень срочно. Ведь уже в 1939 году СССР стоял перед реальной угрозой вовлечения в войну с тем или иным противником.

11/I-39

Никак не разделаемся с передачей дел. У Николая[1] вид то злой, то бледный, а чаще вообще не появляется, а надо. Приходится появляться, не всегда трезвый, а бывает и хуже. Манкирует все больше.

Надо все проверить до точки, потому что сейчас вычищу, потом можно будет спокойно работать. Георгий и Андреев ругаются, Николай сразу стихает. Тут

---

[1] Н.И. Ежов.

уже не скажешь, что Берия придирается. Но чем больше разбираемся, тем он тише.

А что он скажет. Довел до бардака, ничего не скажешь. Почти по любой линии приходится выправлять. Сейчас вижу что хороших задумок у Николая было много, что-то мы обязательно используем. Ну и что? Дурак, начал за здравие, а кончил за упокой.

Одно спасибо, Николай хорошо почистил Аппарат от людей Ягоды. Но это он для своих расчищал, а теперь надо их чистить. Вот кончим с проверкой, Акт Кобе направим, а там возьмусь уже крепко. Надо взяться за погранохрану. Пограничник должен быть на границе не сторожем, а хозяином и часовым передовой линии. Это большое дело и оно сейчас очень плохо поставлено. Во Внутренних Войсках тоже бардак, но у них своя специфика. Они как раз должны быть сторожа, а какие они к еб...ной матери сторожа если за один год сбежало 30 000 человек[1]. Долбое...ы.

21/I-39

Сегодня с Николаем[2] сидели рядом в президиуме на Траурном Заседании по поводу 15-летия смерти Ильича. Вид грустный, так и просидел молча, слова не сказал. И жалко его, и сам виноват. Сколько я уже видел запутавшихся людей и все не поймешь зачем. Если нет у тебя дисциплины, то пропал. Когда власть есть, легко разложиться.

Николай тоже, и работал как вол всю жизнь, сам так говорит, а все равно не удержался. И не все здесь чисто. Я и Михаила[3] знаю. Это теперь Николай Кобе кается, а когда они с Михаилом в Наркомате заправляли, не каялись. Михаил недаром с анархизма начи-

---

[1] Цифра достоверна. За 1938 год при числе охраны лагерей НКВД в 60 тысяч человек, число удачных побегов достигло 30 тысяч.

[2] Н.И. Ежов.

[3] М.П. Фриновский.

нал, эта публика как была авантюристами, так оно и дальше шло. Сколько я с Михаилом ругался по ГПУ.

Ниточки тянутся, а как размотаются?

24/I-39

Сегодня товарищ Сталин говорит мне, когда остались одни, насчет Интуриста ты прав, так всегда и действуй. Ты хоть и в ГПУ сейчас, а всегда должен смотреть широко, в государственном масштабе. Не со своей кочки а как с горы. Ты молодец, умеешь видеть все сразу. Так и шуруй. И имей ввиду (*Так в тексте. — С.К.*), нам надо Дальстрой раскрутить, золото надо. И олово надо[1]. Война может быть уже в этом году.

Комментарий Сергея Кремлёва.

На коллизии с «Интуристом» стоит остановиться отдельно. Это — интересный момент! Постановлением Совнаркома СССР Всесоюзное акционерное общество «Интурист» было передано в апреле 1938 года в ведение НКВД СССР, а в августе 1938 года, то есть ещё при Ежове, окончательно вошло в состав НКВД.

С одной стороны, Ежов вроде бы понимал, что это решение неразумное. Однако дальше понимания у Ежова дело не пошло, к тому же иметь в своём подчинении «Интурист» для Ежова могло быть соблазнительным с учётом того, что жена Ежова была дамой нрава весёлого и «светского», не чуждого «изячной» жизни. Соответственно, «Интурист» был удобным каналом для получения заграничных товаров, парфюмерии, белья и т.д.

Впрочем, к октябрю 1938 года Ежову было уже не до обеспечения Евгении Соломоновны Ежовой (Фейгенберг) парижскими духами. И в октябре он, ещё в качестве наркома, направил Председателю Совета народных комиссаров

---

[1] В ночь на 24 января 1939 года Сталин отдельно принял Л.П. Берию и работников Дальстроя НКВД СССР, в том числе заместителя начальника Дальстроя комбрига Аркадия Александровича Ходырева. При этом 45 минут Сталин беседовал с Берией один на один.

СССР В.М. Молотову записку о нецелесообразности передачи «Интуриста» в НКВД.

В конце ноября 1938 года наркомом стал Берия, а в декабре 1938 года в США начался суд над представителем «Интуриста», уличённым в разведывательной деятельности.

Берия всегда думал о пользе дела, и поэтому, ещё даже официально не приняв наркомат, он вышел на Сталина с предложением изъять «Интурист» из ведения НКВД. Обоснование такого шага было в письме Берии деловым, конкретным и обнаруживало хорошее знакомство с сутью проблемы. Скорее всего, проект письма готовил не сам Берия (хотя инициатива исходила, вне сомнений, от него), однако Лаврентий Павлович как раз и отличался умением, во-первых, не глушить, а поощрять подчинённых к собственному аргументированному мнению, а во-вторых, умел подбирать толковых людей и эффективно их использовать.

Так или иначе, заключительный довод письма Берии от 7 декабря 1938 года (к Сталину оно попало 9 января 1939 года) был сделан в стиле Берии:

«...3. Факт перехода «ИНТУРИСТА» в ведение НКВД безусловно станет известен за границей. Капиталистические туристические фирмы и враждебная нам печать этот факт постараются использовать для развертывания травли вокруг представительств «ИНТУРИСТА», будут называть их филиалами НКВД и тем самым затруднят их нормальную работу, а также своей провокацией будут отпугивать лиц из мелкой буржуазии и интеллигенции от поездок в СССР».

Прочтя письмо Берии, Сталин наложил резолюцию: *«Т.т. Молотову, Микояну. Кажется, т. Берия прав, можно бы передать Интурист Наркомвнешторгу. И. Сталин. 10.01.39 г.».* В тот же день, 10 января 1939 года, Постановлением Политбюро ЦК ВКП(б) «Интурист» был передан в ведение Наркомата внешней торговли СССР.

Казалось бы, мелкий факт (хотя, если вдуматься, не такой уж и мелкий даже в масштабе Сталина), не мог не укрепить мнение Сталина о Берии как работнике, умеющем стать не на узко ведомственную, а на государственную точку зрения и активно её провести.

29/I-39

Наконец подписали Акт[1]. Выводы для Николая х...евые. Для Фриновского тоже. Андреев считает, что надо исключать из Партии. Я говорю, исключать, так это сразу под суд. Тоже перегиб. Мы написали что есть для того, чтобы товарищ Сталин и Политбюро знало объективную картину, что запущено и что надо будет выправлять. А Николай и так наказан крепко. Если он партийный человек, сделает выводы. У него работы в ЦК по горло и в наркомате навигация на носу. Пусть работает если будет тянуть.

Но записали, что есть сомнения в политической честности тов. Ежова.

Пусть решает товарищ Сталин. Мы свои выводы записали.

6/II-39

Все, начинаю шуровать. Главная программа будет такая. По Экономике поднимаем в первую голову Дальстрой[2]. Коба очень заинтересован. Потом надо поднять строительство по каналам и железнодорожное. Надо будет структуру расширять. Все в одном Управлении не охватишь.

Спецов вредителей сидит много, их работу надо организовать с умом. Это тоже надо сделать быстро. Он политически сволочь или пассивный, а спец хороший. Так используй его на полную катушку, он поработает, другой человек будет. Для него работа как другому

---

[1] 29 января 1939 года Л.П. Берия, А.А. Андреев и Г.М. Маленков подписали акт приёма-сдачи дел в НКВД СССР и сопроводительное письмо Сталину. Номер сопроводительного письма был наркоматовским с литерой Берии — 447/Б, но стиль акта позволяет предполагать, что основные формулировки принадлежат Г.М. Маленкову.

[2] Дальстрой — Главное управление строительства Дальнего Севера «Дальстрой» НКВД СССР. Основными задачами являлись обеспечение добычи золота и олова на Колыме и хозяйственное освоение северных областей Восточной Сибири.

стакан водки. Он без работы не может. Так дай ему работу.

Потом детально проверить Аппарат. Люди приходят, так что заменить есть кому. Опыт наживут, передадим. Тяжело, а что делать.

Разведка, это дело особое, тут я буду проверять все сам. Самое тонкое дело, а напортачили крепко. Может вся агентура засвечена, а работать надо. Надо будет рискнуть, в Разведке без риска нельзя. Но проверить надо всех. Вызываю, беру на испуг, смотрю кто как себя ведет. Честный человек обидится, но это сразу видно, обиделся или испугался. Если испугался, дело дрянь. А если обиделся, извини, друг, проверим и потом поверим. А поверим, работай. А не поверим, тоже извини.

Обязательно надо развернуть школу для разведки. Хватит самодеятельности, нам и в разведке профессора нужны. Только без Коминтерна. Своих найдем. Ребята толковые есть. И пусть ищут собственную агентуру за кордоном.

Погранохрану надо ставить по новому. Тоже новые училища нужны, отбор самый строгий. На Границе политически неграмотный человек служить не должен. На него с той стороны смотрят, он должен быть образец и по виду и во всем. Чтобы все девки сохли по обе стороны Границы.

Политическая подготовка крепкая нужна. Надо будет поговорить с Георгием. И самим готовить.

Оперативная связь на границе нужна везде. Радио само собой. А главное проводная. На границе проводную можно, потому что нормальный режим на границе в мирное время, а в мирное время массово рвать связь не будут. А если связь рвут, это уже война. Или на носу.

Вооружение на границе сейчас х...евое, слабое. Надо крепко перевооружить. Нужны автоматы и миномёты. Если война будет, армия армией, а нам тоже воевать.

Одиночная подготовка должна быть как у диверсанта. Против тебя не урка идет, а хорошо подготовленный человек. И ты должен. Надо уметь действовать одному и в малой группе. Стрелять надо хорошо. На границе нам все нужны ворошиловские стрелки. Снайперов готовить надо массово.

Дальше, на Границе нужна своя разведка. Одного агента можно раскрыть и перевербовать. И не будешь знать, на кого он работает, на тебя или на дядю. А если массово, на низовом уровне, то тут уже такой наплыв информации, что не спрячешь. Для пограничных войск разведку поставим отдельно. Это нам еще в Закавказье помогало. От крестьян узнаешь больше чем от шишки из министерства.

Надо начать пересмотр дел. Постановление по арестам приняли, а аппарат на местах весь не заменишь, надо подтолкнуть, пересмотреть. По паспортному режиму тоже. Надо по новому поставить следствие, это уже делается.

Николай натворил дел. Получается так, что специально делали, чтобы озлобить. Врагов много, но видно, что было много необоснованных арестов. Думаю, не меньше 100 000, а может и больше зря посадили. И по расстрелам был перегиб, но тут уже не исправишь.

По охране Правительства будет проще. Власик[1] не подведет, мы ему еще добавим людей. На оперативно-чекистскую работу надо штат добавить крепко.

Надо попросить Кобу, чтобы дал мне время лучше разобраться с делами в Наркомате и потом ему сразу доложить по всей программе. Надо подготовить проэкты Постановлений, что еще не готово.

---

[1] В л а с и к Н и к о л а й С и д о р о в и ч (1896—1967), многолетний руководитель охраны И.В. Сталина. После прихода в НКВД Л.П. Берии назначен начальником 1-го отдела ГУГБ НКВД СССР.

Комментарий Сергея Кремлёва.

Запись от 6 февраля 1939 года говорит сама за себя. Это — программа ближайшей деятельности, уточненная, после более детального знакомства Л.П. Берии с положением дел во вверенном ему очень непростом ведомстве с очень разнообразными задачами.

Сразу надо сказать, что в течение 1939—1940 годов Л.П. Берия эту программу в основном выполнил, а в чём-то и перевыполнил, дополняя её и расширяя, потому что он всегда умел видеть требования дня.

Так, ещё 12 декабря 1938 года Берия получил санкцию Сталина на создание Следственной части НКВД, что обеспечивало разделение функций розыска и следствия в интересах квалифицированного ведения следствия.

В начале февраля 1939 года Берия направил Сталину проект Указа ПВС СССР о снятии судимости с осуждённых бывшей Коллегией ОГПУ, Особым совещанием и тройками НКВД. 5 апреля 1939 года Политбюро утвердило проект этого Указа.

Одновременно начался масштабный реабилитационный процесс при резком снижении числа новых арестов. По данным Международного фонда «Демократия», в 1939 году органами НКВД было арестовано 44 тысячи человек — в 15 раз меньше, чем в 1938 году. Причём историки Фонда признают, что основная доля арестов была проведена лишь осенью 1939 года после присоединения к СССР Западной Белоруссии и Западной Украины, где было сильное и активное антисоветское националистическое движение (особенно на Украине). В то же время (по данным Международного фонда «Демократия») в 1939 году было освобождено 110 тысяч человек, арестованных в 1937—1938 годах. В 1940 году массовые освобождения продолжились.

В скобках замечу, что имеются и иные цифры. Так, известный историк-антисоветчик К. Залесский сообщает, что Берия «в пропагандистских (?? — С.К.) целях провел в 1939 году освобождение из лагерей 223,6 тысячи человек и из колоний — 103,8 тысячи человек. Как ни лестны эти цифры для Лаврентия Павловича, думаю, что они всё же завышены. При этом К. Залесский утверждает, что одновременно в

1939 году было арестовано до 200 тысяч человек, не считая депортированных из западных областей Белоруссии и Украины. Но последние утверждения пусть остаются на совести К.Залесского. Если уж быть точным, то сообщу, что в апреле 1941 года Берия докладывал Сталину о том, что в западных областях УССР и БССР в 1939—1940 гг. было арестовано 102 408 человек. Это была, конечно, масштабная, но в целом, увы, обоснованная мера.

Вернёмся, впрочем, к первому периоду реформ Л.П. Берии в НКВД СССР.

В феврале 1939 года было принято Постановление СНК СССР о выделении из Главного управления пограничных и внутренних войск самостоятельного Главного управления пограничных войск. Этим было положено начало коренному реформированию пограничных войск СССР. Соответственно, именно Л.П. Берию необходимо считать подлинным реформатором пограничной службы в Советском Союзе (как и реформатором советской разведки, к слову).

За 1939—1940 годы погранвойска были полностью реорганизованы и получили единую структуру частей с организацией в них служб связи и тылов. Личный состав погранвойск за 1939—1940 годы возрос на 50%, а в 1941 году возрос ещё более.

В 1940 году в ГУПВ НКВД СССР были приняты новые нормативные документы: инструкции для пограничной комендатуры, пограничной заставы и пограничного наряда, где обобщался весь предшествующий опыт служебно-боевой деятельности пограничников.

Была проведена моторизация транспорта частей погранвойск. К началу 1941 года в Белорусском пограничном округе имелось около 400 автомобилей, а в Украинском пограничном округе — около 500 автомобилей. Были сформированы 15 автотранспортных рот и 70 автотранспортных взводов. Были сформированы также 6 сапёрных рот и 70 сапёрных взводов.

К исходу 1940 года по всей западной границе возникла единая система связи между управлениями пограничных округов, пограничными отрядами, комендатурами и заставами, для чего было проложено 6525 километров новых линий связи. На всех 511 заставах построили оперативную сигнальную связь между заставой и пограничными нарядами, несущими непосредственную охрану границы (те самые телефонные розетки «на каждом дереве», которые нам известны по фильмам о границе).

ГУПВ НКВД провело переформирование 7 школ служебных собак и школы связи. К началу 1941 года ГУПВ имело 11 военно-учебных заведений.

Развивалась охрана морских границ. Вместо деревянных строились стальные пограничные корабли со скоростью хода до 34 узлов (около 60 км/ч). В Анапе образовался учебный морской пограничный отряд, в Ленинграде открылось Военно-морское пограничное училище (его закрыли уже хрущёвцы в 1960 году).

Были созданы разведывательные органы частей и соединений пограничных войск. Эта «муравьиная» разведка к лету 1941 года обеспечила весьма полное вскрытие военных приготовлений Германии на нашей западной границе и своевременное информирование высшего руководства СССР и лично Сталина о близкой войне. Именно Берия постоянно снабжал Сталина соответствующей оперативной информацией, что позволило Сталину примерно за четыре дня до начала войны санкционировать приведение войск в боевую готовность. Лишь прямое предательство ряда нераскрытых сообщников Тухачевского, Уборевича и Якира и преступная халатность ряда руководителей наркомата обороны и Генерального штаба РККА привели к тому, что война началась для СССР так трагически. Однако пограничные войска НКВД, с началом войны обязанные отойти, чтобы уступить армии задачу отпора врагу, на самом деле сутками вели приграничные бои и в начальный период войны сыграли даже не оперативную, а стратегическую роль!

Однако голыми руками в современной войне много не навоюешь, и Берия добился выделения для пограничных войск только в 1940 году 81,1 тысячи пистолетов-пулемётов (автоматов). К началу 1941 года погранвойска получили в Белорусском пограничном округе 200 станковых пулемётов, 400 ручных пулемётов, до 2000 автоматов, в Украинском пограничном округе — 300 станковых пулемётов, более 600 ручных пулемётов, 6 500 самозарядных винтовок и 2500 автоматов.

И это — при постоянном повышении одиночной и коллективной боевой подготовки. Берия сам был отличным стрелком и хорошо сознавал значение меткой стрельбы личного состава. Поэтому снайперское движение в погранвойсках Берии сразу приобрело самые широкие возможности.

Не была забыта и политическая подготовка. Погранвойска получили сразу ставший популярным ежемесячный журнал «Пограничник». К 1941 году погранвойска состояли на 26% из членов ВКП(б) и на 70% из комсомольцев. А тогда принадлежность к комсомолу была далеко не формальной.

Окончательно приняв наркомат, Берия сразу же принялся и за реформу разведки. Как следует из дневниковой записи, он прекрасно понимал всю опасность возобновления работы с агентурой, которая могла оказаться массово раскрытой в результате перехода на сторону врага целого ряда бывших резидентов и разведчиков: Люшкова, Никольского-Орлова, Кривицкого, Александра Бармина, Рейсса. Кроме того, уже было ясно, что зарубежную агентуру ИНО НКВД могли сдавать и заговорщики или агенты врага внутри НКВД.

Нынешние критики Берии вряд ли способны — по причине полной деловой бездарности — даже представить себе, как рисковал Берия, идя на амнистию и реабилитацию ряда сотрудников внешней разведки, арестованных после возврата в СССР, а также восстанавливая зарубежные резидентуры, разгромленные при Ежове. Новые руководители разведки — Фитин, Судоплатов обращались к Берии с соответствующими предложениями, но всю полноту ответственности перед Сталиным за возможные провалы и дезинформацию нёс ведь Берия. Однако он пошёл на риск и вернул в активную разведывательную работу ряд как опытных, так и перспективных нелегалов, попавших под подозрение — достаточно напомнить примеры Василия Зарубина и Александра Короткова.

Но ещё большая заслуга Берии перед советской разведкой в том. что он дал «зелёный свет» специальным наборам и организации школ НКВД для подготовки разведывательных кадров — как в легальные резидентуры, так и нелегалов. Именно это создало прочный фундамент для плановой разведки, которая пришла на смену пусть и нередко талантливой, но дилетантской разведке 20-х и начала 30-х годов. Важное значение при Берии приобрела и аналитическая работа в Центре, к ней привлекались серьезные научные кадры.

Фактически нет ни одного аспекта работы советских спецслужб, который бы не получил в НКВД Берии хорошую устойчивую перспективу развития.

При этом Берия много внимания уделял и расширяющейся экономической деятельности НКВД. При Берии были созданы многие новые производственные Главные управления НКВД, но объяснение того, почему так происходило, далеко от «мемориальных» инсинуаций. Дело было не в том, что Берия якобы «загнал в ГУЛАГ половину страны», а в том, что Берия сумел — как это он делал всегда, столкнувшись с новой проблемой — подойти и здесь к организации работы заключённых по-новому. И до него осуждённые специалисты не кайлили, как правило, скалы, а имели возможность работать по специальности.

Если человек совершил преступление (а таких было немало) и отбывает наказание, он должен работать. Но он должен работать так, чтобы приносить максимальную пользу. Особенно это важно тогда, когда осуждён специалист-вредитель или саботажник (и таких было, увы, не так уж и мало). Однако профессиональный и квалификационный облик тех, кто попадал в заключение, был случайным. Берия же понимал, что эффективно может работать только комплексный коллектив, и поэтому он стал широко привлекать к производственной деятельности НКВД вольнонаёмных специалистов — в дополнение к осуждённым специалистам. Кроме того, он резко повысил профессиональный уровень руководителей производственных Управлений. Если мы просмотрим биографические справки на руководство Главгидростроя, Главного управления лагерей железнодорожного строительства, Дальстроя НКВД и т.д., пришедшее в НКВД при Берии по партийному набору, то мы убедимся, что это не пьяные держиморды с наганом в расстёгнутой кобуре — как их изображают «мемориальные» провокаторы — а полноценные специалисты с высшим образованием.

Вот только *ряд* примеров из высшего эшелона руководства НКВД Берии...

Базанов Н.А. (1904—1950), окончил Московскую Промакадемию; Буянов Л.С. (1911—1950), окончил ЛИИЖТ; Гвоздевский Ф.А. (1901—1962), окончил МИИТ; Егоров С.Е. (1905—1959), окончил МВТУ; Карташов К.И. (1904—1959), окончил Сталино-Донецкий горный институт; Кузнецов С.В. (1909—1980), окончил МХТИ им. Менделеева; Митраков И.В. (1905—?), окончил Московский горный институт; Павлов В.П. (1910—1962), окончил Ленинградский горный институт; Петренко И.Г. (1904—1950), окончил Ленинградскую Академию ж.д. транспорта им. Сталина; Поспелов М.Л. (1906—?), окончил Военно-транспортную академию им. Кагановича; Рождественский В.И. (1900 — ?), окончил ЛИИЖТ; Саркисьянц Г.А. (1904—1964), окончил МИИТ; Тополин С.А. (1908—1983), окончил ХИИТ; Хомчик М.И. (1902—?), окончил МИИТ...

Обращаю внимание читателя, что большинство из тех, кто упомянут выше, умерли в молодом, в общем-то, возрасте, потому что работали они на износ. Вот истинные кадры наркома Л.П. Берии!

И прежде всего сотрудничеством со специалистами, а не палкой обеспечивались при Берии производственные победы промышленных Управлений НКВД.

26/II-39

Уже полгода в Москве, а той Москвы и не видел. Раньше когда приезжал, что-то успевал увидеть, а теперь полная запарка. Конца не видно и не будет. Вскрываются новые правотроцкистские организации, в том числе в промышленности. Активизируются, чуют, что войной запахло, сволочи.

Надо не забыть предложить Кобе и Молотову восстановить Мобилизационный отдел. Когда вместо ОГПУ сделали НКВД, то с 1935 г. М工一Мотдела нет. Почему? Коба сам говорит, в этом году может придется воевать, а у нас нет аппарата, который решал бы вопросы подготовки к войне. Не дело, надо поправить[1].

5/III-39

Дошли руки до Дальстроя[2]. Будем готовить 5-летний план по развитию. Разговаривал с Павловым[3] и профессором Александровым[4]. Александров толковый дядька, дело знает, соглашается быть председателем Комиссии по Дальстрою. За два года мы там добыли 110 тонн золота, а надо добывать столько в год. Или хотя бы тонн 80 или 70[5]. Отдельно надо крепко взяться за олово[6]. Сказал Павлову, что орден получил, теперь давай работай на второй[7]. А главное, давай презренный металл. Позарез нужен.

---

[1] 9 апреля 1939 г. Политбюро по просьбе Л.П. Берии разрешило организацию в НКВД СССР Мобилизационного отдела во главе с И.С. Шередегой.

[2] Дальстрой — Главное управление строительства Дальнего Севера «Дальстрой» НКВД СССР.

[3] Павлов Карп Александрович 1895—1957), с 08 июня 1938 до 11 октября 39 г. начальник Главного управления строительства Дальнего Севера «Дальстрой» НКВД СССР.

[4] Александров Семён Петрович (1891—1962), горный инженер, к.т.н., инженер-полковник. Окончил Ленинградский горный институт. С 1925 года главный инженер треста «Редкие металлы», в 1928—1929 гг. в научной командировке в США, с 1930 г. заместитель директора Гинцветмета по науке, профессор Московского института цветных металлов и золота, с 1938 года в системе НКВД, с 13 июля 1940 г. заместитель начальника Управления горно-металлургической промышленности ГУЛАГа НКВД СССР. В январе 1945 года привлечён Берией в работы по Атомному проекту, в апреле 1946 года был руководителем Саксонской рудно-поисковой партии МВД СССР по разведке урановых руд в Германии. В октябре 1949 года удостоен звания Героя Социалистического Труда за участие в Атомном проекте.

[5] В 1939 году Дальстрой добыл 66,3 т золота, в 1940 году — 80 т. На 1941 год планировалась добыча 85 т золота.

[6] В 1940 году было добыто 1917 т олова, против 507 т в 1939 году, 202 т в 1938 году и 40 т в 1937 году.

[7] Указом ПВС СССР от 1 февраля 1939 года К.А. Павлов был награждён орденом Ленина за перевыполнение плана производства по Дальстрою. Всего по этому Указу было награждено 252 работника Дальстроя, в том числе орденом Ленина — 6 человек.

Думаю, дело там пойдет. Так и сказал, сделаем, товарищ Сталин, не беспокойтесь.

Справка комментатора.

С 10 по 21 марта 1939 года в Москве проходил XVIII съезд ВКП(б). Съезд утвердил 3-й пятилетний план развития народного хозяйства СССР на 1938—1942 годы. Съезд утвердил новый Устав ВКП(б).

На этом съезде Сталин выступил с большой речью, в которой много говорил о международной ситуации и внешней политике СССР. На Западе его речь известна как «каштановая», и вот почему. Сталин сказал, что нам необходимо «соблюдать осторожность и не дать втянуть в конфликты нашу страну военным провокаторам, привыкшим загребать жар чужими руками».

«Загребать жар чужими руками» — русское идиоматическое (то есть — точно не переводимое) выражение. Ему *примерно* соответствует западноевропейское идиоматическое выражение «заставлять других таскать для себя каштаны из огня». Оба выражения по смыслу схожи, но — не полностью. Загребать жар — значит гасить «жар», то есть загребать раскалённые угли так, чтобы они погасли. Сталин имел здесь в виду англосаксов, которые хотели столкнуть СССР с Германией в войне, чтобы ликвидировать германскую опасность русскими руками. Идиома же «таскать каштаны» имеет более узкий смысл как синоним эгоистической выгоды, связанной с удовольствием.

Имея в виду внутреннюю ситуацию, Сталин сказал в своей речи на съезде, что карательные органы, разведка «своим остриём обращены уже не вовнутрь страны, а вовне ее, против внешних врагов».

Н.И. Ежов присутствовал на съезде как всё ещё действующий член ЦК. На заседании 13 марта Ежов передал записку Сталину:

«Тов Сталин!

Очень прошу Вас, поговорите со мной одну минуту.

Дайте мне эту возможность».

В тот день у Ежова такой возможности не оказалось. Однако он получил её 20 марта, когда состоялось последнее заседание действующего состава ЦК накануне выборов нового состава 21 марта. Разговор был, естественно, публичным, но ничего внятного Ежов сказать не смог.

В новый состав ЦК он не попал. 29 марта 1939 года Политбюро поручило комиссии «в составе тт. Маленкова, Поскребышева и Крупина в 5-дневный срок принять все дела по Секретариату ЦК ВКП(б) б[ывшего] секретаря ЦК ВКП(б) т. Ежова Н.И.».

Был делегатом съезда и М.П. Фриновский, как нарком ВМФ, однако в президиум съезда был избран не он, а командующий Тихоокеанским флотом Н.Г. Кузнецов, сразу после съезда назначенный вначале 1-м заместителем Фриновского, а вскоре и наркомом вместо него.

6 апреля 1939 года Фриновский был арестован.

Ежов был арестован 10 апреля 1939 года.

22/III-39

На Пленуме избран Кандидатом в Члены Политбюро ЦК. Коба сказал, для тов. Берия это большой аванс, но он показал себя за время работы в Москве уже зрелым работником крупного масштаба и будет в работе Политбюро нужен.

Николай[1] тоже был Кандидатом, а выше не поднялся.

---

[1] Н.И. Ежов был введён в состав кандидатов в члены Политбюро 12 октября 1937 года.

Сегодня товарищ Сталин пригласил пораньше, я пришел, он один. Поздравил с днем рождения, говорит, сорок лет прожил, живи до ста лет Лаврентий. Говорю, спасибо, постараюсь дожить под вашим руководством.

Он вздохнул, говорит, мне не дожить. Будешь жить своей головой. Потом вздохнул, сказал, что вот чистим, а все не вычистим. А не стрелять врагов нельзя. Война может быть уже летом. Я говорю, а как же подготовка. Мы еще не готовы. Он говорит, как готовы, так и будем воевать, они тоже не очень-то готовы. Потом добавил, что надо арестовать Ежова и Фриновского. Ежов не кается, а злобится. Надо здесь разобраться всерьез.

Пока шел съезд, ситуация в Европе крепко изменилась. Активизировались венгры[1], немцы вошли в Чехию[2] и Мемель[3], теперь открыто требуют возврата Данцига.

В Испании дело кончено[4].

В Дюсельдорфе *(Так в тексте. — С.К.)* прошло совещание германских и английских промышленников. Вот это опасно[5]. Если они договорятся за наш счет, будет х...ево. А Литвинов[6] их обхаживает и собачится с немцами. Развел в Наркоминделе Биробиджан и сам Биробиджан[7]. Как бы это дело прекратить[8]. С немца-

---

[1] 14 марта 1939 года Венгрия оккупировала Закарпатскую Украину. В тот же день Словакия провозгласила свою независимость от Чехии.

[2] 15 марта 1939 года войска Германии вступили в Прагу, после того как избранный самими чехами президент Гаха «вручил судьбу чешского народа в руки фюрера германской нации».

[3] То, что литовцы называют сегодня «Клайпедой», издавна было немецким Мемелем в Мемельской области, которая была отдана после Первой мировой войны Антантой «новодельной» Литве и в которой, перед её возвратом в состав Германии в марте 1939 года, до 90% населения было немецким.

[4] В период с 28 марта по 1 апреля 1939 года вся территория Испании была занята войсками генерала Франко. 28 марта был занят Мадрид, и Гражданская война в Испании закончилась победой франкистов, которых поддерживали Германия и Италия.

ми можно договориться, а с англичанами — х...й. Тут надо подумать. Мне кажется, Коба тоже так начинает думать. На съезде он высказался больше в пользу немцев[1]. Гитлер не дурак, поймёт.

10/IV-39

Фриновский обещал рассказать всю правду, сказал, все напишу своей рукой, и допрашивать не надо. Сам напишу.

Посмотрим. Долго мы с Михаилом говорили, вижу, что осознал. Поздно, Михаил. Цапались мы как товарищи, а теперь извини, сам ты себя довел до того, что

---

[5] 15 и 16 марта 1939 года в Дюссельдорфе состоялась конференция Федерации британской промышленности и Союза германской промышленности (Имперской промышленной группы), по итогам которой было подписано Совместное заявление (Дюссельдорфское соглашение). Лондонский журнал «Экономист» назвал дюссельдорфские переговоры «беспрецедентными в истории в смысле масштабов». Однако США и Золотому Интернационалу нужна была европейская война, а не мир, и потенциал Дюссельдорфа реализован не был.

[6] Л и т в и н о в М а к с и м М а к с и м о в и ч (Меер-Енох Мовшевич Валлах) (1876—1951), советский государственный деятель, член РСДРП с 1898 года, большевик, агент ленинской «Искры», партийная кличка «Папаша». Жил в эмиграции, был женат на Айви Лоу, дочери английского журналиста еврейского происхождения (до конца жизни сохраняла английское подданство). В 1930 году заменил Г.В. Чичерина на посту наркома иностранных дел СССР, сторонник англо-французской ориентации, ставил палки в колёса советско-германскому сотрудничеству ещё во времена Веймарской Германии, но особенно — после 1933 года. Автор мертворождённой идеи «коллективной безопасности».

[7] Столица Еврейской автономной области.

[8] Роль Л.П. Берии в разумном изменении курса внешней политики СССР весной и летом 1939 года остаётся неясной, хотя можно предполагать, что она подспудно была велика. Вот почему фраза «Как бы это дело прекратить» очень интересна и интригует, особенно в свете того, что Анна Ларина-Бухарина вспоминала, что во время разговора с ней в декабре 1938 года Берия особенно интересовался связями Н.И. Бухарина и М.М. Литвинова и вообще расспрашивал её о Литвинове.

[1] На съезде Сталин жёстко говорил о западных странах как о «поджигателях войны между Россией и Германией», о том, что капитал готовит и приближает мировую войну и не прочь «поднять ярость Советского Союза против Германии и спровоцировать конфликт с Германией **без видимых на то оснований** (*выделение жирным шрифтом моё. — С.К.*)».

враг. Эх, дураки! Сам теперь говорит: «Был человек, стал г...вно». Зачем?

Николай[1] тоже арестован. Пока Фриновский не напишет свои показания, говорить с Николаем не буду. Дагин раскрыл много и другие тоже, но посмотрим, как Николай себя поведет. Допрашивать будет Богдан[2].

Решено судить вскрытых троцкистов, правых и вредителей[3]. Этих вскрыли. А сколько еще их по углам?

13/IV-39
Хреново. Окончательно ясно, что Николай — враг.

Комментарий Сергея Кремлёва.

Хотя объём репрессий уже с начала 1939 года резко снизился и начался возвратный реабилитационный процесс, это, конечно, не означало, что отпала объективная необходимость в подавлении разоблачаемых врагов государства. Необходимость имелась постольку, поскольку имелись враги.

Вернёмся немного назад — в 1937 год и кратко остановимся на причинах массовых репрессий.

Враги страны имелись в верхах, потому что значительная часть советской элиты не выдержала испытания ситуацией «из грязи в князи» и с годами погрязла вместо дела в политиканстве и заговорах.

Враги нового строя имелись и в низах, в массах. Это были и «бывшие», в том числе — из среднего класса и т.п., и

---

[1] Н.И. Ежов.

[2] Б.З. Кобулов, тогда начальник Следственной части НКВД СССР.

[3] 8 апреля 1939 года Политбюро приняло Постановление о передаче в Военную коллегию Верховного суда СССР дел «на активных участников контрреволюционных, правотроцкистской, заговорщицкой и шпионской организаций» для рассмотрения в соответствии с законом от 1 декабря 1934 года «в количестве 931 человека». Было решено в отношении 198 руководящих участников этих организаций применить ВМН, а остальных 733 обвиняемых приговорить к заключению в лагерь на срок не менее 15 лет каждого.

простые люди, не понимавшие, что основные перемены в стране совершаются во имя если не их ближайшего благоденствия, то уж точно — во имя благоденствия их детей.

То есть репрессии были необходимы. При этом наиболее деятельную антиобщественную часть как верхов, так и низов необходимо было устранить из жизни общества физически.

Во-первых, антисталинские верхи даже в той их части, которая происходила из «старых большевиков», были не такими уж и старыми. Например, Авелю Енукидзе (в партии с 1898 года) в год расстрела было 60 лет, Постышеву (в партии с 1904 года) — 52 года, Чубарю (в партии с 1907 года) — 48 лет. Что уж говорить о членах партии с 1917 года! Многим из них, доросшим до высоких постов и на этих постах переродившимся, не было в 1937 году и сорока лет.

Просто снятые со своих постов, просто лишённые власти, бывшие «верхи» тут же начали бы за неё бороться любыми способами. Опыт-то имелся.

«Низовые» активные антисоветчики тоже были не стары, но перевоспитать их убеждением, словом, было уже невозможно.

Масштабы расстрелов в 1937—1938 годах ныне серьёзно преувеличены, но вряд ли они составляют число менее 200…250 тысяч человек, включая как низовой слой репрессированных, так и верхи.

Представим себе — что было бы, если бы несколько десятков тысяч репрессированных бывших руководителей не расстреляли, а направили в лагеря? И если бы не было расстреляно сто-двести тысяч низовых антисоветчиков…

Возьмём бывшие верхи… Это ведь была очень опасная компания, имеющая опыт подпольной работы, Гражданской войны, локальных конфликтов, а также опыт организационной и агитационной работы. Соединившись с не расстрелянной, а просто направленной в лагеря наиболее активной частью антисоветской массы числом в сотню-другую тысяч человек, эти бывшие верхи в сочетании с заключёнными из низов дали бы такую взрывчатую смесь, что под угрозой оказалось бы само существование СССР.

В реальном масштабе времени это понимали и сами репрессированные, и, естественно, Сталин и сталинское Политбюро. Сталин, конечно же, не мог допустить возможности дестабилизации обстановки в стране, да ещё и в условиях вполне реальной внешней агрессии, возможно — польской, возможно — польско-германской, возможно — японской, возможно — общеевропейской под рукой Антанты.

Тогда жертвы мы считали бы на большие миллионы!

Вот почему в 1937—1938 годах было так много «расстрельных» приговоров — этого требовала суровая историческая реальность тех дней.

Полные своды протоколов допросов арестованных в 1937, 1938 и 1939 годах высокопоставленных деятелей ВКП(б), НКВД, РККА и промышленности, в том числе, например, показания Евдокимова, Дагина, Фриновского, не говоря уже о Ежове, Ягоде, не обнародованы по сей день. Нет полной картины и по следственным делам тех лет в «низах».

Рассекречены крохи.

Но, как по капле морской воды можно судить о солёности всего моря, так и крохи правды о тех годах позволяют представить их картину если не во всей полноте, то достаточно объективно. И становится понятно, что арестованные и расстрелянные были действительно виновны в том, в чём их обвиняли. Даже, в большинстве своём, в низах.

Ясно видно и то, что историческая и нравственная правота — безусловно за Сталиным и Берией.

Ведь те, кого пришлось арестовывать Берии и кого пришлось осуждать на смерть Сталину, долгое время были их товарищами по общему государственному делу. И эти бывшие товарищи, скатившиеся до интриг и прямого предательства, в своё время не так уж мало сделали для успеха той борьбы за новую Державу, участниками которой были Сталин и Берия.

Но если Сталину и Берии предстояли ещё годы великих трудов и побед, то для Ежова, Фриновского и их подельников всё было позади. И такую судьбу они уготовили себе сами. Скажем, 4 августа 1939 года Ежов на допросе говорил интересные вещи, а именно:

«Первые результаты операции для нас, заговорщиков, были совершенно неожиданны. Они не только не создали недовольства карательной политикой советской власти среди населения, а наоборот вызвали большой политический подъем, в особенности в деревне. Наблюдались массовые случаи, когда сами колхозники приходили в УНКВД и райотделения УНКВД с требованием ареста того или иного беглого кулака, белогвардейца, торговца и проч.

В городах резко сократилось воровство, поножовщина и хулиганство, от которых особенно страдали рабочие районы.

Было совершенно очевидно, что ЦК ВКП(б) правильно и своевременно решил провести это мероприятие...»

То есть всё начиналось разумно. В стране действительно имелось немало антиобщественных элементов, способных на активные действия в случае обострения ситуации или внешней интервенции. За партии крупного капитала на выборах в Учредительное собрание голосовало примерно 17% избирателей. Эта цифра не может быть принята как представительная потому, что в выборах в октябре 1917 года (к слову, они прошли уже после Октябрьской революции и при поддержке новой власти) смогли принять участие не все, особенно в сельской местности. К тому же через двадцать лет многие антисоветски настроенные граждане или умерли от естественных причин (возраст), или эмигрировали. Тем не менее если предположить, что активно антисоветски было настроено всего 3—4% населения, то при взрослом населении СССР к 1937 году примерно в 120 миллионов человек размер потенциальной «пятой колонны» мог достигать 4—5 миллионов человек. Но, даже по раздутым данным хрущёвцев и всех последующих фальсификаторов истории, в 1937—1938 гг. было репрессировано не более 2 миллионов человек.

Сколько из них пострадало невинно? Не имея возможности подробно вдаваться в анализ этой стороны дела, всё же замечу, во-первых, что общее число репрессированных в 1937—1938 годах ниже, возможно, вдвое и даже более того, чем это обычно утверждается. Во-вторых, действительно невинные жертвы 1937—1938 годов вряд ли составляют больше трети от общего числа репрессированных. Это тоже немало, но тому есть свои причины. Некоторые из них вскрылись во время следствия по делу Ежова, но об этом чуть позже.

Сама же репрессивная операция в условиях возможной близкой внешней агрессии против СССР была необходима. При этом наиболее активно проявившие себя социально опасные элементы (кулаки, бывшие белогвардейцы и белобандиты, участники карательных отрядов, полицейские, уголовники-рецидивисты и т.п.) состояли на оперативном учёте в местных органах ОГПУ—НКВД. Так что первый репрессивный удар пришёлся почти полностью на безусловно виновных — в пределах первоначально определённых «лимитов», цифры которых были взяты не с потолка, а по данным, повторяю, оперативного учёта.

Далее… Вопреки установившемуся мнению, во многих регионах арестованные осуждались не «на конвейере», а после следствия, длившегося иногда месяцами. В ходе следствия, вне сомнения, вскрывались дополнительные фигуранты, поэтому значительное число репрессированных и во второй волне было осуждено, в том числе к ВМН, не без оснований.

Однако на объективный процесс «зачистки» страны наложились сознательные провокационные действия той части руководства НКВД, которая имела отношение к заговорам и преследовала цели дискредитации Советской власти и Сталина. «Технология» таких действий хорошо видна из следующей части показаний Ежова от 4 августа 1939 года:

«…*Ответ*: Когда были исчерпаны в областях установленные для них так называемые «лимиты» по репрессии бывших кулаков, белогвардейцев, к.-р. духовенства и уголовников, мы — заговорщики и я… вновь поставили перед правительством вопрос о том, чтобы продлить массовые операции…

В доказательство целесообразности продолжения массовых операций мы приводили крайнюю засоренность этого рода элементами колхозов в деревне, фабрик и заводов в городах, подчеркивая заинтересованность и сочувствие к этой мере трудящихся города и деревни.

<...>

Вопрос: Вы что же, обманули правительство?

Ответ: Продолжить массовую операцию и увеличить контингент репрессируемых безусловно было необходимо.

Меру эту, однако, надо было растянуть в сроках и наладить действительный и правильный учёт с тем, чтобы, подготовившись, нанести удар по организующей, наиболее опасной верхушке контрреволюционных элементов...

...В этом смысле мы правительство, конечно, обманывали самым наглым образом...»

Ежов далее пояснял свои слова более конкретно, говоря и вот что:

«По словам Фриновского (*выезжавшего в Дальне-Восточный край. — С.К.*), продолженная нами массовая операция пришлась как нельзя кстати. Создав впечатление широкого разгрома антисоветских элементов в ДВК, ему удалось на деле удачно использовать массовую операцию для того, чтобы сохранить более руководящие и активные кадры контрреволюции и заговорщиков. Сосредоточив весь удар... на пассивных деклассированных элементах, Фриновский, с одной стороны, вызвал законное недовольство среди населения многих районов ДВК и, с другой стороны, сохранил организованные и активные кадры контрреволюции. Особенно он хвастал тем, что с формальной стороны к проведенной им операции никак не придерешься. Он погромил колчаковцев, каппелевцев и семеновцев (*то есть тех, кто служил в войсках Колчака, Каппеля и атамана Семёнова. — С.К.*), которые, однако, в большинстве своем были старики... Фриновский шутя так и называл операцию в ДВК — стариковской...»

Это не выдумано допрашивавшим в тот день Ежова страшим лейтенантом ГБ Эсауловым (позднее, в 1944—1947 гг. он был заместителем наркома НКГБ СССР), а записано им со слов самого Ежова. Собственно, Эсаулов по малости тогдашнего своего служебного положения не смог бы выдумать ничего похожего на протокол допроса Ежова от 4 августа 1939 года, даже если бы очень захотел.

Почему ранее вполне честно служившие Советской власти люди с какого-то момента пошли на измену? Ответ очевиден — не по изначальной ненависти к этой власти, как это было у «бывших», а исключительно по слабости гражданского духа и дефектности нравственных качеств. Говорят: «Коготок увяз, всей птичке пропасть». Вот и у них всё начиналось с «коготка».

На допросе 26 апреля 1939 года (его протокол ныне рассекречен) Ежов объяснил одну из непосредственных причин того, почему он был склонен пойти в ноябре 1938 года на решительные действия: «...окончательно понял, что партия мне не верит и приближается момент моего разоблачения». После того, как сорвались планы путча 7 ноября, Ежов решил лично подготовить террориста-смертника, и вот как он об этом рассказывал:

> «*Ответ*: Теперь я решил лично подготовить человека, способного на осуществление террористического акта.
>
> *Вопрос*: Кого же вы привлекали для этих целей?
>
> *Ответ*: ЛАЗЕБНОГО (*Р. 1902, арестован 29.04.39, расстрелян 22.01.40. — С.К.*), бывшего чекиста, начальника портового управления Наркомвода.
>
> Я знал, что на ЛАЗЕБНОГО имеются показания о его причастности к антисоветской работе, и решил использовать это обстоятельство для вербовки ЛАЗЕБНОГО.
>
> В одну из встреч в моем служебном кабинете в Наркомводе я сообщил ЛАЗЕБНОМУ: «Выхода у Вас нет, вам все равно погибать, но зато, пожертвовав собой, вы можете спасти большую группу людей». На соответствующие расспросы ЛАЗЕБНОГО я сообщил ему о том, что убийство СТАЛИНА спасет положение в стране. ЛАЗЕБНЫЙ дал свое согласие.
>
> *Вопрос*: Какое вы имели основание повести с ЛАЗЕБНЫМ столь откровенный разговор?
>
> *Ответ*: Вообще ЛАЗЕБНЫЙ за последнее время ходил как в воду опущенный, находился в состоянии безнадежности и не раз высказывал мысль о самоубийстве. Поэтому мое предложение он принял без колебаний. ЛАЗЕБНЫЙ согласился даже с тем, чтобы после осуществления террористического акта на месте преступления кончить самоубийством...»

Не верится? Но проводившие допрос Кобулов и Шварцман, хотя их сейчас и представляют «кровавыми мясниками Берии», уж во всяком случае талантами Фёдора Достоевского и Льва Толстого не обладали, как и старший следователь Сергиенко, который вёл протокол допроса.

Впрочем, это была уже конечная стадия падения Ежова. Об одной из промежуточных рассказал племянник Ежова Анатолий Бабулин на допросе 18 апреля 1939 года. Приведу лишь одно место из протокола:

«В конце ноября ЕЖОВ... окончательно опустился — стал пить запоем и развратничать... ЕЖОВ был сильно озлоблен снятием его с работы в Наркомвнуделе и в моём присутствии неоднократно ругал и поносил И.В. СТАЛИНА и В.М. МОЛОТОВА похабной уличной бранью...

Я припоминаю ещё такой факт. Когда в январе 1939 г. ЕЖОВУ решением СНК был объявлен выговор... — он ответил на это отборной руганью по адресу МОЛОТОВА,

В декабре 1938 г., когда была создана комиссия для сдачи дел Наркомвнудела, ЕЖОВ систематически уклонялся от участия в работе комиссии, звонил по телефону в ЦК и Л.П. БЕРИЯ, заявляя, что он болен... каждый раз, когда надо было выезжать на заседание комиссии, нервничал, ругался похабной бранью, оттягивал выезд и в конце концов оставался дома, отдавая всё свободное время пьянству и разврату с разными женщинами легкого поведения (*Бабулин назвал конкретно трёх. — С.К.*)...

ЕЖОВ...ходил по комнатам, пил и нецензурно ругался по адресу И.В. СТАЛИНА, В.М. МОЛОТОВА и Политбюро ЦК ВКП(б)...»

Было бы естественным, если бы невиновный человек, оскорблённый подозрениями и несправедливостью, в критической ситуации часами бродил бы по лесу, сидел бы на берегу с удочкой, гулял бы с дочкой, просто отсыпался бы за много лет недосыпа. А Ежов блудил, хотя, как говорят, перед смертью не надышишься.

Берия не был склонен к спиртному, зато любил литературу, живопись, музыку, рыбалку, уху, хорошую компанию, хотя всё это выпадало на долю Берии очень редко, а в годы войны он этого просто не мог себе позволить. На даче он мог часами резаться в волейбол по выходным. Ежов и на вершинах власти был склонен к пьянкам и «бабам». Да, на протяжении многих лет он много работал. Но при этом он любил себя в Державе, а не Державу в себе. У Сталина и Берии с этим всё обстояло «с точностью до наоборот» — их самым главным искренним увлечением было строительство новой могучей и свободной Державы.

Между прочим, если бы показания Бабулина были сфальсифицированы «в застенках Берии», то допрашивавший племянника Ежова капитан ГБ Влодзимирский (ещё один, по «мемориальным» уверениям, «мясник Берии», расстрелянный по «делу Берии» 23 декабря 1953 года), непременно включил бы в текст протокола заявление о том, что Ежов-де и тов. Берию крыл похабной бранью. Ан, нет. И это лишний раз доказывает подлинность показаний Бабулина.

17/IV-39

Наконец взяли Успенского[1]. Коба доволен. Попросил о награждении ребят, он сказал, давай представления, наградим[2].

Хорошо награждать. Хуже когда приходится раздалбывать. А приходится.

3/V-39

Наконец Коба решил навести порядок в Наркоминделе. Наша линия сработала[3]. Литвинова снимает к е...аной матери. На НКИД ставит Вячеслава[4], я отдаю

---

[1] А.И. Успенский, бывший нарком НКВД УССР, с середины ноября 1938 года перешел на нелегальное положение. В последнее время перед арестом он скрывался в Миассе в Челябинской области под фамилией Шмашсковского.

[2] За участие в розыске и аресте Успенского три сотрудника НКВД получили орден Красного Знамени, три — Красной Звезды, четыре — орден «Знак Почёта». Двадцать пять человек за участие в розыске Успенского были награждены знаками «Почётный чекист», внеочередным присвоением специального звания, боевым оружием и денежной премией.

[3] См. комментарий ниже.

[4] 5 мая 1939 года нарком иностранных дел «Максим» (Меер) «Максимович» (Мовшевич) Литвинов (Валлах) был заменён Вячеславом Михайловичем Молотовым, сохранившим также пост Председателя СНК СССР. Бывший премьер-министр Франции и личный друг Литвинова

туда Деканозова[1]. Жалко, Владимир мне нужен в Наркомвнуделе. Но Молотову он тоже нужен. И у меня теперь свой парень в Наркоминделе. Пригодится.

Литвинов себя полнстью (*Так в тексте. — С.К.*) изжил. А может и хуже, но он хитрый еврей, осторожный. Половина полпредов была в заговорах, а на Литвинова показаний нет. Коба его ценит, называет Папашей, а теперь кончился Папаша. Папаша да не наша.

Сейчас надо активизировать немецкую линию. И по линии Наркоминдела тоже активизировать. Коба прав, Мерекалов[2] не та фигура. Надо все провести через Астахова[3].

Остальные линии надо активизировать тоже, потому что сейчас важно знать, как складываются реально дела везде. Литвинов вел дружбу с Англией и Францией, с немцами гадил. Теперь будет смена курса, надо наладить отношения с немцами. Дело с ними иметь можно. Если мы с ними договоримся, то воевать с ними не придется, а поляки сами не сунутся.

С немцами дело иметь можно, я помню их по Баку. Нос дерут, но дело ведут более менее честно. Англичане, те другое дело. По виду джентельмен (*Так в*

Эдуард Эррио тогда публично заявил: «Ушёл последний великий друг коллективной безопасности». Что ж, этой «морковкой», подвешенной перед носом Литвинова, «демократический» Запад несколько лет небезуспешно направлял НКИД СССР в нужном для этого Запада направлении.

[1] Деканозов Владимир Георгиевич (1898—1953), многолетний соратник Л.П. Берии, знакомый с ним еще по подпольной работе в 1918 г. в Баку. Занимал руководящие посты в партийных органах и органах государственной безопасности, после назначения Л.П. Берии наркомом НКВД СССР вызван в Москву, со 2 декабря 1938 года комиссар ГБ 2-го ранга, принимал активное участие в реформировании НКВД СССР. 4 мая 1939 года был назначен заместителем наркома иностранных дел СССР. В 1953 году был арестован по «делу Берии» и 23 декабря 1953 г. расстрелян.

[2] Мерекалов Алексей Федорович, полномочный представитель (посол) СССР в Германии (см. комментарий ниже).

[3] Астахов Георгий Александрович, временный поверенный в делах СССР в Германии (см. комментарий ниже).

тексте. — С.К.) а на самом деле заср...нец, палец в рот не клади. Немцы честнее. Потом с немцами у нас крепко установлены отношения по Экономике, оборот большой. Нам идут машины, им зерно и нефть, им это надо. И нам надо.

Немцы ведут самостоятельную политику, а Англия оглядывается на Америку. Франция вообще не в счет. Коба правильно решил, что с немцами надо попробовать договориться. Рано нам воевать. А лучше вообще не воевать.

Комментарий Сергея Кремлёва.

Запись от 3 мая 1939 года, как и запись от 31 марта 1939 года, очень интересны. Они позволяют предполагать, что роль Берии в отстранении Литвинова и в повороте СССР в сторону разумной германской политики более велика, чем это сегодня представляется. Крайне интригует и упоминание Берией имени Георгия Астахова, нашего временного поверенного в делах в Германии в период подготовки Пакта от 23 августа 1939 года и до конца 1939 года.

Но вначале — кратко о тогдашней ситуации... В первое время после прихода нацистов к власти полпредом в Германии был Лев Хинчук. Затем его в 1934 году сменил Яков Суриц — еврей, у немцев, правда, аллергии не вызывавший по причине ума и такта. В 1937 году Сурица перевели в Париж, а в Берлине до весны 1938 года обязанности временного поверенного в делах исполнял советник Астахов. Лишь в апреле 1938 года в Германию назначается полноценный полпред — Алексей Федорович Мерекалов, фигура в нашей истории не проясённая, как и фигура самого Георгия Александровича Астахова.

Наши отношения с Германией к 1939 году характеризовались очень большим объёмом экономического сотрудничества и крайне плохими политическими отношениями. Для того чтобы максимально осложнить эти отношения, очень постарался Макс Литвинов-Валлах.

Новый полпред Мерекалов был не дипломатом, а заместителем наркома внешней торговли Микояна. То есть он не был «кадром» Литвинова, зато был человеком Микояна, всегда имевшего с немцами хорошие отношения.

Мерекалову о его назначении по прямому указанию Сталина сообщил Председатель Совнаркома Молотов, вызвав того к себе на дачу в воскресенье 12 апреля 1938 года.

Мерекалов отказывался — языка, мол, не знаю, обстановки в Германии не знаю, тут нужен опытный дипломат. Однако в понедельник его вызвали на заседание Политбюро, и Сталин уже лично заявил Мерекалову, что верит в успешное выполнение его задач в Германии. Однако любопытно то, что задач у Мерекалова долгое время не было — он мало выезжал из полпредства, ограничив свои контакты до минимума.

В своей книге «Кремлёвский визит фюрера» я уже писал, что, по моему убеждению, Сталин поставил перед почти бездействующим полпредом три задачи. Во-первых, присутствовать в Берлине, находясь в «дежурном» режиме. Во-вторых, быть достойным личного доверия Сталина. В-третьих, самим фактом своего «внешнеторгового» происхождения показывать немцам, что СССР заинтересован в экономических связях с рейхом, с одной стороны, а с другой, что Мерекалов — это фигура не «литвиновская».

Мерекалов сидел в Берлине, а европейская ситуация развивалась так, что всё более выявлялась глупость политики Литвинова. И только когда Сталин — очевидно, не без информации Берии о фактическом состоянии дел в тайной европейской политике и умонастроениях немцев — решил начать берлинские зондажи, пришло время Мерекалова.

17 апреля 1939 года он встретился со статс-секретарем МИД рейха Вайцзеккером. Собственно, это была лишь вторая их встреча (первая состоялась в аусамте 6 июля 1938 года перед вручением Мерекаловым верительных грамот). Формально основная тема разговора касалась вопроса второстепенного — улаживания проблемы поставок в СССР зениток, заказанных нами на заводах «Шкода» тогда, когда ещё существовала Чехословакия. Однако это было, как я полагаю, прикрытием для иной, главной, задачи, поставленной полпреду не Литвиновым, а Сталиным.

Так или иначе, полпред, с которым на дипломатическом

приеме 12 января 39-го года Гитлер демонстративно любезно беседовал несколько минут, теперь уже в аусамте спросил у Вайцзеккера прямо: «Что вы действительно думаете о германо-русских отношениях?»

Скорее всего, для того чтобы в нужное время задать этот вопрос, Мерекалов и был направлен в Германию.

Точнее, задать-то вопрос мог кто угодно. Но далеко не кому угодно Сталин мог поручить задать такой вопрос без опасения, что это станет известно тому, кому не надо.

На следующий день, 18 апреля 1939 года, Мерекалов отправил шифровку в НКИД, но это была тоже, как я понимаю, мера прикрытия. Зачем ему было отправлять в Москву 18 апреля шифровку с докладом о встрече 17 апреля, если уже 18 апреля Мерекалов уехал в Москву вместе с военным атташе? Нет, шифровку в НКИД Мерекалов направил явно «для отчета», а уехал он в Москву по вызову не Литвинова, а того, кто его в Берлин и направлял, то есть Сталина.

19 апреля был вызван в Москву и наш полпред в Лондоне Майский. Полпреды ехали на совещание в Политбюро, собираемое для обсуждения вопроса о реальности тройственного англо-франко-советского пакта «взаимопомощи». Это совещание, проходившее в Кремле 21 апреля 1939 года, кое-что расставило для Сталина на свои места, а заодно фактически поставило крест на Литвинове и его политике — 5 мая Литвинов был снят.

За два дня до этого, 3 мая 1939 года, было принято следующее Постановление Политбюро:

«Поручить тт. Берия (председатель), Маленкову, Деканозову и Чечулину навести порядок в аппарате НКИД, выяснить дефекты в его структуре, особенно в секретной его части, и ежедневно докладывать о результатах своей работы тт. Молотову и Сталину».

Скорее всего, это было не началом, а завершающей стадией разборок с «литвиновским» НКИД. За два дня (от 3 мая до 5 мая) принять те кардинальные решения, которые были приняты уже в ближайшие дни, было невозможно. Значит, до этого была проведена немалая работа, и проведена именно Берией и Деканозовым (Маленков должен был не столько разбираться с «литвиновскими» кадрами, сколько обеспечить новыми кадрами Молотова).

Однако Берия и Деканозов решали не с бухты-барахты. Не будучи дипломатами, они к тому времени вполне могли оценить уровень того или иного работника НКИД и качество работы самого Литвинова, потому что оба были неплохо осведомлены о **реальных** позициях тех или иных стран мира по отношению друг к другу и к СССР. Дело в том, что разведка НКВД имела в среде белой эмиграции прекрасных осведомителей. А руководство организованной белой эмиграции знало многое о тайных деталях текущей мировой политики и действиях дипломатов разных стран уже потому, что почти все бывшие высокопоставленные царские дипломаты и в эмиграции сохранили хорошие живые связи со своими коллегами из дипломатических ведомств Европы. Агентурные же сообщения из Парижа, Лондона, Софии, Праги и других европейских столиц регулярно укладывались на стол как Берии, так и Деканозову. Это была хотя и заочная, но хорошая школа практической дипломатии, а в результате Берия и Деканозов были осведомлены о сути происходящего даже, пожалуй, лучше «штатных» советских дипломатов, поскольку, в отличие от дипломатов, пользовались точными, а не дипломатически камуфлированными, сведениями из стана врага.

Назначение Молотова не означало автоматического поворота в сторону Германии, но вполне предполагало его. Мерекалов же после совещания в конце апреля в Берлин уже не вернулся, и его в качестве временного поверенного в делах заменил на самые жаркие (как в метеорологическом, так и политическом отношении) месяцы 1939 года Астахов. Для того «свободного полёта», который предстояло совершить теперь советскому представителю в Берлине, Астахов подходил очень хорошо.

Георгий Александрович Астахов, из казаков-дворян, знакомец Михаила Шолохова, родился в 1897 году в Киеве, а умер в заключении в 1942 году в Усть-Вымском исправительно-трудовом лагере. Фигура эта, с одной стороны, скорее прозрачная, но с другой, как я уже говорил, не проясненная. Прозрачен он в том отношении, что был несомненным идеалистом — это видно даже по его фотографиям. Уже после его ареста в 1940 году его жена Наталья писала в НКВД: «*Он принадлежит к породе чудаков, которые встречаются иногда среди людей науки; он и был бы, вероятно, незаурядным ученым по восточным вопросам, если бы все сложилось иначе. У него ясный, светлый ум, большая внутренняя дисциплинированность и, наряду с этим, какая-то несуразность, нескладность в повседневных делах…Астахов…исключительно честный, органически неспособный обмануть то доверие, которое ему оказывалось…*»

Жена спасала мужа и, пожалуй, несколько преувеличила его житейскую «несуразность». Во всяком случае, письма Астахова в НКИД и записи в его служебном дневнике обнаруживают очень трезвый ум. Однако Астахов действительно был противоречив. Будущий известный «невозвращенец» Григорий Беседовский, работавший в 20-е годы вместе с Астаховым в полпредстве в Японии, в своей книге, изданной после бегства на Запад, сообщает об Астахове интересные сведения:

«…он был чрезвычайно нервный человек, временами стоявший на грани нормальности. Он очень интересовался Японией, изучил японский язык… В своих взглядах на советскую дальневосточную политику Астахов… полностью разделял линию Коппа (*Копп Виктор Леонтьевич (1880—1930), известный революционер, в 1925—1927 гг. полпред в Японии. — С.К.*) и не стесняясь критиковал Карахана (*Караханян Лев Михайлович (1889—1937), известный революционер, в 1923—1927 гг. полпред в Китае. — С.К.*) и Политбюро».

Здесь просматривается натура, которая, может быть, и не способна обманывать, но вот обманываться и запутываться…

Впрочем, об этом — позднее.

После окончания гимназии в Новочеркасске в 1915 году Астахов учился на романо-германском факультете Московского университета, в 1917 году стал большевиком, принимал участие в Гражданской войне на Кавказе. Был редактором владикавказской газеты «Коммунист», затем — заведующим отделом печати в советском полпредстве в Тифлисе в меньшевистской Грузии. Вот тогда, «под крышей» у полпреда Кирова Астахов мог впервые познакомиться (и скорее всего познакомился) с молодым Берией, который был младше Астахова всего на два года.

Затем Астахов работал в Турции, в Японии, в Англии. В 1928 году он от имени СССР подписал в Сане советско-йеменский договор о дружбе и торговле — первый наш договор с арабской страной. СССР признавал независимость Йемена в те же дни, когда Англия широко практиковала бомбардировку йеменских городов и сёл.

В 1936—1936 годах Астахов был уполномоченным НКИД СССР в Закавказской Федерации. И вот уж тут-то он с первым секретарём Закавказского крайкома партии Л.П. Берией не познакомиться не мог никак. В 1936—1937 годах Астахов заведовал Отделом печати НКИД СССР, а потом уехал в Берлин советником полпредства.

Так вот, летом 1939 года именно он выполнил в Берлине тонкую подготовительную работу по взаимному разворачиванию СССР и Германии с встречных и потенциально боевых курсов на параллельный курс сотрудничества. Причём опубликованная переписка Астахова с Москвой и Москвы с Астаховым оставляет впечатление неполноты, зато создаёт ощущение того, что, кроме инструкций по линии НКИД, Астахов имел и другие инструкции — не противоречащие нкидовским инструкциям Молотова (фактически — Сталина), а дополняющие их. Дополнить же инструкции и информацию НКИД могло только одно ведомство — НКВД Берии. Конечно же, эти дополнительные инструкции тоже исходили от Сталина, но передавались они через Берию.

26 июля 1939 года состоялся знаменитый ужин в «эксклюзивном» ресторане «Эвест» Астахова и нового заместителя торгового представителя СССР Евгения Бабарина с заведующим восточноевропейской референтурой Отдела экономической политики аусамта (МИД) Германии Карлом Шнурре (фигурой, к слову, весьма незаурядной).

С этого момента события начали убыстряться и убыстряться.

2 августа 1939 года Политбюро рассмотрело вопрос о

составе делегации СССР для участия в переговорах с военными миссиями Англии и Франции в Москве (главой делегации был назначен К.Е. Ворошилов).

С 12 августа 1939 года эти заранее обречённые позицией Запада на неуспех переговоры начались, а 21 августа были прерваны.

И как раз со 2 по 12 августа 1939 года взаимный обмен телеграммами между Молотовым и Астаховым достиг пика интенсивности. Только опубликовано 11 таких телеграмм!

Так же интенсивно шёл в эти дни обмен мнениями между Молотовым (фактически — Сталиным) и московским послом рейха Шуленбургом. Шуленбурга торопил Риббентроп, а Риббентропа торопил Гитлер. Фюрер хотел обеспечить себе русский нейтралитет в его уже решённой войне с Польшей, которую надо было провести до осенних дождей и распутицы.

К 19 августа стороны пришли к единому мнению: необходим решительный взаимный политический разворот друг к другу, но ему должно предшествовать договорное обеспечение широкого экономического сотрудничества.

19 августа Астахова отозвали в Москву. В тот же день Бабарин и Шнурре подписали в Берлине советско-германское торгово-кредитное соглашение, а посол рейха в Москве Шуленбург передал Молотову германский проект советско-германского политического Пакта о ненападении.

Сталин не позволил Западу загребать жар европейских проблем русскими руками. 22 августа 1939 года в Москву прилетел министр иностранных дел рейха Риббентроп, а в ночь с 22 на 23 августа Молотов и Риббентроп в присутствии Сталина подписали знаменитый Пакт.

Астахов был талантливым человеком, но по всей своей натуре он не смог бы сыграть ту роль, которая теперь отводилась советскому представителю в Берлине. А роль эта после 23 августа была простой — идти строго по той линии, которая предписана Сталиным. Астахов же был интеллектуалом со свободным полётом мысли и чувств и поэтому был не очень-то предсказуем. Более того, Астахов мог теперь даже напортить — невольно. Поэтому в Берлине он больше не появился, а полпредом туда был назначен с 1 сентября 1939 года опять маловыразительный непрофессионал — Александр Шкварцев, которого осенью 1940 года сменил сам Деканозов.

К судьбе же Астахова и её переплетении с темой Берии мы ещё вернёмся.

23/VII-39

Время в Москве летит не как в Тбилиси. Уровень другой. Там меня только дело в шею толкало, а тут еще Коба толкает, кручусь и верчусь. Приходится делать все сразу. Сам удивляюсь, пока не устаю. Все интересно, и сам вижу, как все двигается. Много занимался по авиации, есть сдвиги по моторам хорошие. Но все равно бардака много. Думаю Каганович[1] не тянет, но Лазарь[2] прикрывает. Брат. Говорим семейственность, а уйти тяжело, если слабина есть. Вот Нино[3] у меня молодец. Ум есть и скромность есть. На люди не лезет и барыню из себя не строит. С Нино мне повезло, с ней спокойно.

В Европе пока спокойно, а в Монголии воюем[4]. А Пограничники воюют по всей границе и в Европе и в Азии. У нас мирного времени нет, все боевое. Доложили, что японцы готовят крупную провокацию на Посьетском направлении. У берегов Камчатки и Северного Сахалина начинается накопление японских кораблей, в том числе до пяти крейсеров.

Доложил Кобе.

Х...ево на турецкой границе. От турок можно ожидать всего. Сегодня нейтралитет, завтра могут перейти границу. Англичане дали туркам 60 миллионов кредита, турки довели армию почти до 1 миллиона. В стране беднота, это я знаю хорошо без докладов,

---

[1] М.М. Каганович, нарком авиационной промышленности, родной брат Л.М. Кагановича.

[2] Л.М. Каганович, выдающийся партийно-государственный деятель, член Политбюро с 1930 г.

[3] Нино Теймуразовна Берия-Гегечкори, жена Л.П. Берии.

[4] Военные действия в Монголии, постепенно переросшие в серьёзный вооружённый конфликт в районе реки Халхин-Гол, начались с 11 мая 1939 года.

сам могу докладывать. А у них миллион аскеров. Против кого? Если полезут, мы им дадим по зубам. А если под общий шум, когда другие полезут? По туркам надо работать.

Поляки устраивают на границе провокации, румыны тоже. А воевать не хотелось бы. Закручиваем большие дела по новому строительству. В Москве интереснее, тут работаешь в масштабе всего Союза ССР, уже видно результаты.

А вся с..ань активизируется по всем линиям[1]. Прямые агенты, троцкисты, правые, белогвардейцы и вообще. Николай (*Н.И.Ежов. — С.К.*) много вреда принес, но польза тоже была. Он хвалился, что погромил врагов здорово. Да, кого прикрывал, а кого и громил. Головку не трогал, теперь мы головку рубим. Помогает то, что им приходится активизироваться, а раз высунулся, тебя проще выявить.

С немцами налаживается. Но пока неясно.

Комментарий Сергея Кремлёва.

В качестве иллюстрации к ситуации на внутреннем антисоветском тайном фронте приведу извлечения из двух спецсообщений Л.П. Берии И.В. Сталину, относящихся к 1939 году.

1) Из спецсообщения НКВД № 1973/Б от 7 июня 1939 года:

«...8. В феврале 1939 года в гор. Сумы Полтавской области УССР ликвидирована антисоветская группа учащихся старших классов местной средней школы: Кныш Н.Ф. — 1922 года рождения, исключенный из ВЛКСМ за антисоветские проявления; Савчук, механически выбывший из ВЛКСМ (*Очевидно, по неуплате взносов. — С.К.*) и Абакумов Д.М. — 1918 года рождения, сын репрессированного врага народа.

Группа именовала себя «тайным обществом», приняла за основу своей антисоветской работы программу и

---

[1] См комментарий ниже.

устав партии «Народная воля», через военнослужащих предполагала приобрести оружие для террористических целей и обсуждала вопрос об устройстве подпольной типографии...

В результате следствия было установлено, что вдохновителями группы являлись: бывший заведующий библиотекой Сумского химтехникума украинский националист Кулиш (осужден) и бывш. народоволец, эсер Сердюк Н.Н. (арестован). (*Сами участники группы репрессированы не были. — С.К.*)

9. В декабре 1938 года в Тульчинской средней школе Винницкой области арестована антисоветская террористическая группа... из числа детей репрессированных родителей...

По плану этой группы, наиболее волевые и решительные ее участники должны были установить связь в Москве с кремлевской охраной, проникнуть в Кремль и совершить террористические акты против членов Политбюро.

10. В Немировском детдоме Винницкой области УССР... участники группы (*Пять 16—17-летних детей репрессированных родителей. — С.К.*)... терроризировали комсомольцев, ...издевались над детьми еврейской и украинской национальности, уничтожали портреты руководителей ВКП(б), рисовали на стенах фашистские свастики...»

Это была, так сказать, юношеская «проба пера» в антисоветских низах советского общества. Хотя... 17—18 лет — возраст уже не очень детский. Подвернись вовремя кто-то из этих «детишек» под руку не отставному эсеру, а кому-то из взрослых «дядь» из числа заговорщиков в руководстве НКВД, и, возможно, кому-то из «юных борцов» могли бы достаться лавры сербского студента Гаврилы Принципа, чей выстрел в Сараево в наследника австро-венгерского престола дал толчок Первой мировой войне.

Второй пример — уже из взрослой антигосударственной работы.

1) Из спецсообщения НКВД № 3456/Б от 10 августа 1939 года о выпуске недоброкачественной продукции на заводах-изготовителях взрывателей КТ для артиллерийских снарядов:

«...Одним из грубейших нарушений технологического процесса изготовления взрывателей являлось применение травления лапчатых предохранителей смесью азотной и серной кислот в целях подбора требуемого сопротивления, что вызвало обнаруженное в середине 1938 года массовое разрушение этих деталей. Разрушение лапчатого предохранителя делает взрыватели типа КТ опасными для хранения на складах, при перевозках и при досылке снаряда в канал орудия.

Ввиду этого в настоящее время с целью замены разрушенных предохранителей происходит переборка всех имеющихся в РККА взрывателей типа КТ в количестве 5 млн. штук...

Такая работа по замене и проверке предохранителей и взрывателей типа КТ и КТМ требует затраты более 45 млн. рублей и лишает Красную Армию комплектного выстрела.

О растрескивании лапчатых предохранителей при хранении в результате травления их кислотой еще в 1934 году было известно работникам промышленности и Артуправлению РККА, в частности Хасину[1], Запольскому[2] и Иванову[3].

По поступившим в 1934 году с Лысьвенского завода (г. Лысьва) материалам о растрескивании лапчатых предохранителей... никаких мер принято не было, и травление деталей КТ-1,2,3 продолжалось до 1936 года, а в взрывателях типа КТМ до 1939 года...»

Вот как это делалось на деле. А «мемориальные» деятели всё талдычат нам о «безвинных жертвах сталинско-бериевского террора»!

29/VII-39

Разбился Хользунов[4]. Муд...ки! В авиации такой бардак, что не поймешь (*Так в тексте. — С.К.*), когда халатность, а когда вредительство. Коба приказал расследовать. В авиации катастрофы считаем сотнями, за последние три года триста летчиков побилось до смерти. Говорят, что опыта мало. Так учите лучше,

---

[1] Х а с и н Ф р и д м а н Р у в и м о в и ч, военинженер 2-го ранга, в 1939 году начальник технического отдела 6-го главка Нкбоеприпасов.

[2] З а п о л ь с к и й С е р г е й А л е к с е е в и ч, военнослужащий, бывший начальник 10 сектора УБАА АУ РККА, бывший юнкер Михайловского артиллерийского училища, с 1917 по январь 1918 года прапорщик на румынском фронте

[3] И в а н о в Г е о р г и й А л е к с е е в и ч, военинженер 1-го ранга, в 1939 году старший военпред Златоустинского завода.

долбо...бы х...евы. Потом сами себя наказываете. Герой, а погиб как дурак.

Хоршо (*Так в тексте. — С.К.*) пошли дела с немцами. Астахов молодец. Работа как раз для него. Коба доволен[1].

Комментарий Сергея Кремлёва.

Запись от 29 июля 1939 года окончательно подтверждает, что Астахов был задействован в очень тонкой «берлинской» операции совместно Сталиным, Молотовым и Берией (скорее всего, в «оперативный штаб» Сталина по германскому вопросу входил тогда и Микоян).

Собственно, сегодня мы находим прямое подтверждение того, о чём упомянул Берия, в опубликованных (к сожалению, лишь в немногих извлечениях) в 1998 году письмах Г.А. Астахова, которые он направлял Берии, уже... сидя в тюрьме.

После подписания Пакта Астахов был не только полностью выведен из берлинских дел, но отправлен в долгосрочный отпуск, а 1 декабря 1939 года вообще уволен из НКИД с трудоустройством заведующим сектором Кавказа в Музее народов СССР. А 27 февраля 1940 года Астахов был арестован по обвинению в заговоре «правых» в НКИДе и шпионаже в пользу Польши. Началось следствие.

Я уже писал, что Астахов, скорее всего, не мог обманы-

---

[4] В конце июля 1939 года в авиационной катастрофе погиб Герой Советского Союза В.С. Хользунов, командующий воздушной АОН-1 (Армией особого назначения), и ещё несколько человек. Подготовка вылета самолета ДБ-3 велась поспешно и имела все признаки преступной халатности, а то и сознательного вредительства. В частности, после взлёта три бомбы ФАБ-50 взорвались в бомболюках из-за неправильной сборки взрывателей.

Хользунов, как и многие другие тогдашние авиационные командиры, не отличался требовательностью ни к себе, ни к подчинённым. Его расхлябанным поведением на Дальнем Востоке нарком обороны Ворошилов возмущался уже в июле 1938 года на заседании Военного Совета при наркоме обороны СССР. Тогда же Ворошилов упоминал о безобразной воздушной катастрофе на Дальнем Востоке при столкновении в воздухе ТБ-3 и «Дугласа» (погибли 15 человек, в том числе — крупные авиационные командиры Сорокин и Бряндинский).

[1] См. комментарий ниже.

вать, но мог обмануться. Он был натурой увлекающейся и нервной, порой — не от мира сего, и его можно было легко спровоцировать и, что называется, обвести вокруг пальца — если речь шла не о серьёзных государственных вопросах, а о его личных делах и чувствах. С другой стороны, Астахов мог мешать — не Сталину и Берии, а тем настоящим скрытым «правым» и троцкистам, которые ещё имелись и в НКИД, и в НКВД. Поэтому Астахова могли, что называется, перед Сталиным и Берией оговорить.

Так или иначе, в феврале 1940 года Астахов был арестован и помещён в тюрьму. Свою вину он отрицал и на следствии, и затем в суде. При этом есть основания полагать, что режим его содержания «палаческим» не был, хотя в его письмах Берии и заявлениях в ЦК имеются упоминания о жёстком психологическом прессинге и даже об одном избиении резиновой палкой в ночь с 14 на 15 мая 1940 года. Но следствие по делам о заговоре всегда скудно на «вещественные» доказательства, а Астахов и через почти три месяца после ареста не давал никаких показаний.

Против Астахова были какие-то серьёзные свидетельства. 1 апреля 1940 года он сам писал, что следователи говорят ему, что его преступность считается доказанной, что «скорее мир перевернётся, чем поколеблется эта уверенность», а 29 мая 1940 года — что ему говорят, что вопрос о его виновности был «безусловно решён ещё перед арестом…». Однако меры физического воздействия нормой в следствии по делу Астахова не стали. Тон его писем Берии весьма свободен, это не униженные просьбы сломленного человека, а спокойные размышления по теме.

29 мая 1940 года он пишет Берии: «*Позвольте обращаться к Вам не только как к Наркому, но и как… к человеку, под наблюдением которого… мне пришлось работать короткий отрезок времени. Все же Вы имеете обо мне какое-то наглядное представление, почерпнутое не только из неведомых мне доныне материалов…*»

Вряд ли это намёк на работу Астахова в Закавказье при Берии в 1935—1936 годах. Два, или хотя бы полтора года — отрезок времени не такой короткий. Так что, скорее всего, имеется в виду именно берлинский период с середины июня по середину августа 1939 года.

Впрочем, даже чисто умозрительно, без документальных свидетельств, можно было предполагать, что в подготовке нового курса СССР в отношении Германии в 1939 году Берия сыграл немалую роль. Именно через него шла достоверная агентурная информация из-за рубежа для Сталина и Молотова. Именно через Берию было наиболее надёжно предпринимать и деликатные оперативные действия в Берлине.

При этом было бы невероятным, если бы Берия или его доверенные эмиссары не имели тех или иных прямых контактов с Астаховым, с которым Берия был знаком, по крайней мере, с середины 30-х годов, если не с 1920 года. Но, как видим, Берия действительно курировал берлинскую работу Астахова летом 1939 года.

29 мая 1940 года Астахов писал: «...*Как доказано событиями — я обеспечил полную тайну переговоров с Германией 1939 г., решивших участь тех стран, в шпионаже на которых меня обвиняют. Прошу не упускать это из виду...*»

Астахов имел в виду, конечно, Польшу и, сам того, скорее всего, не сознавая, указал на одну из возможных причин его ареста. Его могли ловко «подставить» сами поляки — в отместку за ту важную роль, которую сыграл Астахов в подготовке Пакта от 23 августа 1939 года, решившего участь Польши.

Например, тот же 2-й отдел польского Генштаба, зная, что Астахов отозван, мог состряпать по сути фальсифицированные, но по реквизитам подлинные «компрометирующие» материалы на Астахова в расчёте на то, что их можно будет подбросить русским. При этом материалы, подготовленные ещё до начала германо-польской войны, могли попасть к нам после разгрома Польши как трофеи, что лишь повысило бы их «достоверность» в глазах НКВД.

Так или иначе, судьба Г.А.Астахова оказалась не только трагической, но и плохо объяснимой — если не принять версию о том, повторяю, что он был умело «подставлен» теми или иными враждебными СССР силами внутри или вне страны.

135

3/VIII-39

Вчера у Кобы решали по переговорам[1]. Информировал Кобу, Молотова и Ворошилова по всем вопросам.

Сказал все главное. Немцы ведут в Лондоне тайные переговоры с англичанами[2]. Инициатива исходит от англичан. Генерал Аронсайд[3] инспектировал польскую армию, англичане обещают поддержку. На самом деле ничего серьезного не дадут. Сами обещают и сами намекают Смигле[4] что Англия за Польшу воевать не будет. Видно считают, что мы будем. Вот вам х...й.

Англичане договорились с японцами. Вроде против Китая, а на самом деле против нас[5].

Поляки шушукаются с немцами. Немцы обещают Украину, но это так, на фу-фу. Гитлер хочет решить все по полякам в этом году. До дождей. Или поляки уступят, или будет война. Так что Гитлер будет торопиться. А нам торопиться некуда. Так что можно ожидать, что немцы пойдут нам на встречу (*Так в тексте. — С.К.*).

Поляки не пропустят на свою территорию ни при каких условиях. В Англии войск нет, французы про-

---

[1] 2 августа 1939 года Сталин с 19.50 до 20.55 совещался с Молотовым, Ворошиловым и Берией. Затем Берия ушёл, а в кабинет Сталина были приглашены члены советской делегации на тройственных переговорах: начальник Генерального штаба РККА командарм 1-го ранга Б.М. Шапошников, нарком ВМФ флагман флота 2-го ранга Н.Г. Кузнецов и заместитель начальника Генерального штаба РККА комкор И.В. Смородинов (пятый член делегации начальник ВВС РККА командарм 2-го ранга А.Д. Локтионов приглашён не был).

[2] В июле 1939 года чиновник по особым поручениям сотрудник ведомства по осуществлению четырёхлетнего плана Германии Х. Вольтат вёл в Лондоне переговоры с главным советником правительства Великобритании по вопросам промышленности Г. Вильсоном, лидером консерваторов Дж. Боллом и английским министром заморской торговли Р. Хадсоном.

[3] Точнее — У. Айронсайд, генеральный инспектор заокеанских Вооружённых сил Великобритании. 17—19 июля 1939 года он находился с официальным визитом в Польше.

[4] Фактический диктатор Польши маршал Эдвард Рыдз-Смиглы, генеральный инспектор Вооружённых сил Польши.

[5] См. комментарий ниже.

гнили. Вывод: переговоры надо вести чтобы все стало ясно, что Англия и Франция воевать не будут, а хотят загребать жар нашими руками. Но переговоры нужны, чтобы обработать немцев. Нам война не нужна, тем более война с немцами.

Вывод: переговоры вести до того момента, пока не будут готовы немцы. Усилить работу Астахова, но вести осторожно, чтобы Гитлер считал, что линию ведут они. Как только немцы примут наши экономические условия, идти на переговоры с ними, а этих старых пер...унов из Англии и Франции послать к еб...ной матери[1].

Сегодня Коба начал с меня, я рассказал все по берлинским делам, потом зашли Вячеслав и Ворошилов, поговорили вместе[2].

Комментарий Сергея Кремлёва.

К началу августа 1939 года ситуация для СССР обрисовалась уже с прозрачной ясностью.

В Европе англичане (явно по согласованию с США и при полной поддержке Франции) пытались спровоцировать СССР на войну против Германии в том случае, если Германия начнёт военные действия против Польши (а к тому шло). С этой целью Англия с весны 1939 года вела политические переговоры с СССР, встречая полную поддержку со стороны тогдашнего наркома иностранных дел СССР «Литвинова»-Валлаха, всё ещё носившегося со своей изначально мертворождённой, а потому политически идиотской идеей «коллективной безопасности».

В то же время, как уже отмечалось выше, летом 1939 года германский представитель Х. Вольтат вёл в Лондоне тайные переговоры с «серым кардиналом» английской политики Хорасом (Горацием) Вильсоном, лидером тори Дж. Боллом и министром Хадсоном. Это был тот самый Хадсон,

---

[1] Эта политика блестяще реализовалась в ближайшие полмесяца.

[2] 3 августа 1939 года Сталин принимал с 16.25 до 17.25 Берию и с 17.00 до 17.25 также Молотова и Ворошилова. То есть 35 минут Сталин беседовал с Берией наедине. Разговор был явно деликатным и в высшей мере конфиденциальным.

которому Литвинов в записке от 20 марта 1939 года пространно проповедовал о вреде табака, о пользе курения, о необходимости «коллективной безопасности» и т.п. В конце записки Литвинов заявлял: «В частности, мы всегда готовы были и теперь готовы к сотрудничеству с Великобританией (*Против Германии. — С.К.*)».

Хадсон в это время готовился к тайным переговорам с Вольтатом. Причём англичане придавали переговорам с немцами намного большее значение, чем ведущимся переговорам по политической линии с СССР и предстоящим тройственным военным переговорам в Москве. Потому-то лондонские переговоры и были тайными. И на них англичане, уверяющие русских, что они якобы готовы выступить с СССР и Францией на защиту Польши и, если надо, Румынии, провоцировали немцев против русских.

Фактически политика Литвинова провалилась, и он был заменён Молотовым. Было необходимо срочно выяснить возможность такого улучшения отношений с немцами, когда взаимный военный конфликт исключался бы.

В то же время надо было довести наши политические консультации и военные переговоры с англичанами и французами до логического конца, то есть до полного разоблачения провокаторской политики «демократического» Запада.

Так обстояли дела летом 1939 года на западном фланге СССР.

На восточном фланге, в Сибири и на Дальнем Востоке, всё было схоже. Там имели место антисоветские провокации англичан, подталкивающих к большой войне с СССР уже Японию. 22 июля 1939 года в Токио было подписано соглашение Ариты—Крэйги. Министр иностранных дел Японии Хатиро Арита и английский посол Р. Крейги договорились о том, что Британия признаёт создавшееся положение в Китае и «особые нужды» там японских Вооружённых сил и обязывается не поощрять какие-либо акты или действия, «мешающие японским вооружённым силам в Китае в удовлетворении этих нужд».

В это время был в разгаре советско-японский конфликт на Халхин-Голе. И соглашение Ариты—Крэйги было не чем иным, как заверением Англии, данным Японии, что бритты развязывают руки японцам в их экспансии в сторону СССР и гарантируют безопасность Японии от английских силовых действий, несмотря на предыдущие антианглийские действия Японии.

Характер намеченных на середину августа 1939 года тройственных англо-франко-советских военных переговоров в Москве был заранее определён тем, что со стороны СССР представительную делегацию возглавлял нарком обороны СССР и член Политбюро Ворошилов, а со стороны Англии и Франции — полуотставной адмирал Дракс и второстепенный генерал Думенк. Причём оба, в отличие от Ворошилова, не имели никаких серьёзных полномочий. Это выяснилось уже в первый же день переговоров — 12 августа 1939 года.

Вот ещё одна политическая деталь того лета: даже в условиях реальной угрозы нападения Германии поляки категорически отказывались пропустить на свою территорию советские войска для защиты Польши. Поляки отказывали даже в аэродромах!

Поэтому все действия СССР по прекращению этого политиканского балагана и нормализации отношений с Германией были не только оправданными, но и ***единственно*** целесообразными.

«Демократический» Запад хотел спровоцировать Германию на военный конфликт с Россией, а Японию — на расширение уже возникшего конфликта, и, соответственно, поставить Россию перед фактом войны на два фронта.

Однако Сталин решил иначе.

18/VIII-39

Кручусь на все стороны. Что надо:

1) Продолжить по Наркомату[1]. Надо

а) Усилить работу по линии Особого Бюро. По всем линиям, особенно по боеприпасам и по авиации

---

[1] Свою тезисную текущую программу деятельности в НКВД Берия за оставшиеся месяцы 1939 года, в 1940 году и первой половине 1941 года не только полностью выполнил, но даже расширил и перевыполнил. Так, например, 17 августа 1939 года он обратился к Сталину с письмом № 36030/б о необходимости пересмотра до 1 января 1940 года дел об административной высылке с освобождением из ссылки «неправильно высланных», с изъятием и уничтожением на всех освобождённых «сторожевых листков из кустовых адресных бюро».

б) работать по извращениям Ежова, особенно по пересмотру дел и высылке

в) усилить работу по Границе. Время скоро будет горячее. Надо крепко усилять. Отдельно по японцам.

г) усилить по Разведке, люди проверку в основном прошли, теперь можно работать. Особенно надо по Англии и Америке. Через них можно наблюдать немцев.

д) Не ослаблять линию по правым и по вскрытию врагов. Сидит еще по углам много

е) Шире вести работу по специальной связи. Дело нужное, надо для Наркомата и вообще.

ж) Усилить промышленные управления. Надо расширять структуру, приблизить к задачам. Будем много строить в центральных областях и в Сибири, и дальше.

Вроде главное все, а то можно всю азбуку перебрать.

Еще надо подбирать кадры. Кадры решают все, если ты их хорошо подобрал.

2) Надо самому лучше разобраться (*Так в тексте. — С.К.*) самому (*Так в тексте, дважды. — С.К.*) по сводкам по политическим делам в Европе и по положению у нас по Промышленности[1]. Тут много бар-

---

14 августа 1939 года Берия в письме № 3517/б сообщил о работе во 2-м Спецотделе НКВД СССР вольнонаёмного А.А. Винокурова над проектом оригинальной авиационной газовой турбины на 30 тысяч оборотов (проект в то время нереализуемый, но всё же!). Что характерно для Берии, он сообщает Сталину, что «т. Винокуров будет устроен на учебу на теплотехнический факультет Московского Энергетического Института им. В.М. Молотова». Это было стилем Берии — активно заботиться об образовании новой смены. Своему соратнику Павлу Судоплатову пообещал отправить его после войны на учёбу в военную академию в 1942 (!) году в Тбилиси, куда рвались немцы! И своё обещание не забыл.

Примеры можно продолжить. Берия и до назначения в НКВД был управленцем-«многостаночником». Работа в Москве быстро довела это его умение делать сразу много дел до совершенства.

[1] Интересные и нечастые для руководителя такого уровня умонастроения! Берия действительно умел учиться, ведь получить полноценное формальное образование ему просто не дали. Компенсировать этот недостаток он мог только самообразованием, и уж эту науку освоил хорошо. К тому же информационные материалы НКВД были великолепными «учебными пособиями».

дака и недоделок. Вредители само собой, но много просто разгильдяев и долбо...бов. Надо НКВД крепко взять под контроль.

3) Надо лично проверить состав охраны по Правительству и отдельно моей. Проверить как стреляют.

Дел много. Можно считать дело по немцам сделано. Дело теперь за Кобой и Вячеславом (*В.М. Молотов. — С.К.*). Напомнил Вячеславу и Владимиру (*В.Г. Деканозов. — С.К.*), что надо аккуратно вести себя с Хильгером[1]. Этот земский учитель умнее всего их посольства и знает Союз лучше чем мы.

27/VIII-39

Все данные за то, что немцы скоро начнут. Коба пока не решил, когда пойдем мы. Все равно надо готовиться потому что Наркомвнудельцам воевать теперь и воевать. Противопольское движение на Украине сильное. Теперь они в тех областях, что отойдут к нам, будут действовать против нас. Значит надо будет подавлять и обязательно все подозрительные антисоветские элементы высылать. На Украину пошлем

---

[1] Г у с т а в Х и л ь г е р (1886—2965), советник германского посольства в Москве. Фигура почти уникальная. Он родился в Москве, мать его была русской (сам Хильгер был тоже женат на русской). Окончил в Москве гимназию, был абсолютно двуязычен, фактически принадлежал двум культурам. Высшее техническое образование получил в Дармштадте, в 1910 году вернулся в Москву, летом 1918 года уехал в Германию, но уже в 1920 году вернулся и с 1923 года официально поступил на германскую дипломатическую службу. До самой войны Хильгер работал в московском посольстве как главный эксперт по всем русским вопросам.

Берия, встав во главе НКВД и уже с 1939 года уделявший особое внимание Германии, очень быстро разобрался в значении Хильгера. Интересная деталь! На одном из правительственных приёмов Берия пытался лично подпоить Хильгера, и тому, чтобы не утратить над собой контроль, пришлось апеллировать к Сталину. Скорее всего, Берия хотел лично убедиться, насколько Хильгер податлив на предмет возможной вербовки.

Серова[1]. Парень молодой, оперативного опыта мало, научится. Главное сможет сразу действовать по бандитам. А там посмотрим.

Надо будет перестраивать всю работу. Хорошо, что в основном я Наркомат успел почистить и на местах тоже. Тут не оглядываться надо а смотреть вперед. А если спина не прикрыта, далеко не уйдеш (*Так в тексте. — С.К.*), все будешь оглядываться.

Справка комментатора.

1 сентября 1939 года германские вооружённые силы перешли границу Польши. Началась пока ещё не мировая война, а всего лишь германо-польская война. Несмотря на то что Англия и Франция провоцировали Польшу на войну с немцами вместо достижения с ними разумного компромисса, конфликт между Германией и Польшей был потенциально локальным. Скажем, к тому времени Япония вела активные боевые действия в Китае, ряд региональных конфликтов и острых ситуаций был тоже чреват многосторонней, то есть мировой войной, однако историки берут за точку отсчёта Второй мировой войны почему-то именно 1 сентября 1939 года.

Более верно вести отсчёт от 3 сентября 1939 года, когда Германии объявили войну Англия, Франция, Австралия, Новая Зеландия и Индия (6 сентября к ним присоединился Южно-Африканский Союз, 10 сентября — Канада). То есть фактически конфликт глобализовала Британия, втянув в войну свои

---

[1] С е р о в И в а н А л е к с а н д р о в и ч (1905—1990), один из руководителей органов госбезопасности, в 1938 году окончил Военную академию РККА, с 09 февраля 1939 года начальник Главного управления Рабоче-Крестьянской милиции НКВД СССР, с 29 июля 39 года заместитель начальника ГУГБ НКВД СССР и начальник 2-го отдела ГУГБ (борьба с антисоветскими элементами). С 02 сентября 39 г. народный комиссар внутренних дел Украинской ССР.

доминионы, а также другая колониальная держава — Франция.

Того характера боевых действий, который они реально приобрели в первые же дни войны, не мог представить себе никто, и прежде всего сами немцы. К 1939 году вермахт не имел даже того боевого опыта, который получила РККА в конфликтах 1929 года на КВЖД, 1938 года у озера Хасан и в 1939 году в Монголии на Халхин-Голе. «Испанский» опыт имели обоюдно как немцы, так и мы, однако у нас дополнительно имелся хотя и специфический, и небольшой, однако реальный китайский опыт.

И вот необстрелянная германская армия буквально громила поляков. Судьба войны и Польши была решена в какую-то неделю с небольшим.

РККА выступила «на защиту жизни и имущества населения Западной Украины и Западной Белоруссии» 17 сентября 1939 года. Пределы продвижения наших войск были оговорены заранее в Москве, при подписании советско-германского Пакта о ненападении. Однако сама демаркационная линия фактически соответствовала давней линии Керзона, которая была предложена как русско-польская граница Верховным советом Антанты на конференции в Спа (Бельгия) в 1920 году — как этнически обоснованная. То есть СССР не аннексировал польские территории, а возвращал в свой состав исконно наши земли, отторгнутые от России по Рижскому договору 1921 года.

В конце сентября 1939 года Риббентроп прибыл в Москву во второй и, увы, последний раз — для подписания германо-советского договора о дружбе и границе. 28 сентября 1939 года договор был подписан, а 29 сентября опубликован в «Правде».

Новая ситуация была для СССР и выгодна, и опасна в том смысле, что теперь прибалтийские республики, в зону границ которых выходила Германия, могли принять протекторат Германии и слишком усилить Германию на северо-западном фланге СССР. Поэтому СССР закрепил свои позиции заключением договоров о взаимной помощи с Эстонией (28 сентября 1939 года), Латвией (5 октября 1939 года) и Литвой (10 октября 1939 года). Забегая вперёд, можно сказать, что это не был шаг к советизации Прибалтики. Решительные действия СССР по возврату Прибалтики в состав СССР летом 1940 года были обусловлены откровенно прогерманскими (и одновременно — прозападными) настроениями высших кругов во всех трёх республиках.

Показательна в этом отношении запись от 25 октября 1939 года в дневнике Генерального секретаря Исполкома Коминтерна Георгия Димитрова, который зафиксировал следующие слова Сталина: «Мы думаем, что в пактах взаимопомощи (Эстония, Латвия, Литва) нашли ту форму, которая позволит нам поставить в орбиту влияния Советского Союза ряд стран.

Но для этого нам надо выдержать, — строго соблюдать их внутренний режим и самостоятельность.

Мы не будем добиваться их советизирования.

Придет время, когда они сами это сделают!»

12 октября 1939 года Советское правительство предложило заключить договор о взаимной помощи также Финляндии, однако — уже на базе размена территориями так, чтобы граница была существенно отодвинута от Ленинграда (со старой советско-финской границы вторую нашу столицу могла обстреливать дальнобойная артиллерия).

Финны уклонились, сделав для СССР военный путь решения конфликта практически неизбежным. При этом Сталин понимал, что война с финнами и дружественные отношения с немцами ставит СССР в положение антагониста «демократического» Запада и США.

23/IX 39

Вернулся от Кобы[1] и вспомнил, что забыл о дружке[2], посоветоваться надо. Много за месяц мы закрутили. Пора разобраться, что к чему.

Так не пишешь, не пишешь, руки не доходят, крутишься и крутишься, поспать не успеешь, давай Лаврентий. Когда спать!

Хоршо (*Так в тексте. — С.К.*) уже люди подобраны, крепкая помощь по всем линиям.

Война началась можно считать, мировая. Уже Австралия об'явила войну Германии. Как дальше пойдет пока непонятно.

С Польшей получилось как думали. Коба все тянул, не хотел, чтобы был повод назвать нас агрессорами. Мне сказал, следите так, чтобы в Варшаве только подумали, а я уже знал. Как только правительство перебежало в Румынию[3], так и мы пошли. Бардака было много, но хорошо что так получилось. Если бы воевать всерьез, было бы плохо.

Никто не думал, что Польша так рухнет. Все, Поль-

---

[1] 23 сентября 1939 года Сталин принял в Кремле только двух: Молотова с 17.35 до 19.50 и Берию с 18.20 до 19.20. Круг вопросов вполне можно себе представить. Разговор в таком составе не мог не касаться развития европейской ситуации; предстоящего приезда в Москву Риббентропа; политики СССР на возвращённых территориях, включая их неизбежный репрессивный аспект; а также — настроений в Прибалтике и Финляндии.

[2] Безусловно имеется в виду «дружок»-дневник. Как следует из датировки записей, загруженность Берии всё возрастала, и он неделями не вспоминал о дневнике, не испытывая в нём потребности или не имея на него времени. Немного хронологии... С 1 по 30 сентября Сталин проводил совещания у себя ежедневно, пропустив лишь 24 сентября (очевидно, он в этот день отдыхал), а также — 28 и 29 сентября, когда он был занят с прибывшим в Москву Риббентропом. Так вот, несмотря на особо интенсивную работу НКВД с началом германо-польской войны, Берия принимал участие в совещаниях у Сталина 1—4, 6, 8, 12, 15—19, 21—23, 25 и 30 сентября.

[3] 16 сентября 1939 года польское правительство бежало в Румынию, и было там интернировано. Польша оказалась без правительства и это создало такую правовую ситуацию, когда СССР мог перейти советско-польскую границу без формального объявления войны Польше (объявлять было некому) и, соответственно, не совершать акт агрессии.

ши нет и может уже не будет, как было до империалистической войны. Посмотрим. А нам на заметку, что с немцами лучше до войны не доводить. Много крови будет, а зачем. Теперь можно без войны.

Будет много работы по прибалтам. И надо укреплять северные границы. Там можно ждать всякой поеб..ни от англичан. И финны могут. А до Ленинграда снаряд долетает. Коба уже распорядился провести операцию по Мурманску, но это оборона[1].

Надо думать о наступлении по нашей линии, Наркомвнудела. Надо поговорить с Всеволодом[2]. Главное сейчас Западная Украина.

3/XI 39

Мотался по операциям. Устал как собака и снова надо ехать. Ребята тоже устали, но держатся молодцом. Доложил Кобе. Надо представить эту группу к Наградам. И ещё одну. Не забыть сказать потом Серову[3]. А то он как себе, так дай, а надо и другим.

Комментарий Сергея Кремлёва.

Запись от 3 ноября 1939 года интригует не только краткостью, но и затемнённым смыслом. Можно лишь предполагать, что стоит за ней. Не исключено, что точное знание

---

[1] 16 сентября 1939 года было принято (с грифом «Строго секретно») Постановление Политбюро, которое в силу его краткости и выразительности приводится полностью:

«122 — О г. Мурманске.

1) Перевести г. Мурманск на режимное положение.

2) Провести эту меру постепенно, без шума и без того, чтобы излишне запугать людей.

Во всяком случае выслать из Мурманска не более 500—700 человек безусловно подозрительных людей, особенно финнов, эстонцев и других иностранцев. Остальным беспаспортным выдать паспорта и следить за тем, чтобы впредь Мурманск не засорялся антисоветскими элементами».

[2] В.Н. Меркулов в 1939 году первый заместитель наркома и начальник ГУГБ НКВД СССР.

[3] См. примечание к записи от 27 августа 1939 года.

могло бы дать изучение архивов НКВД, но, возможно, и это суть записи не прояснило бы, поскольку многие материалы по Берии после его смерти были уничтожены или сфабрикованы.

Судя по регистрационным записям в Журнале посещений кремлёвского кабинета Сталина, Берия не появлялся в этом кабинете в период со 2 октября по 3 ноября 1939 года. Скорее всего, Берия в это время в Москве отсутствовал и был по горло занят организацией специальных операций в Западной Украине и Западной Белоруссии. Объективно задач, требующих внимания лично наркома, было там много, в том числе:

— изучение на местах новой динамично изменяющейся ситуации,

— ликвидация и подавление вооружённого националистического подполья, как украинско-белорусского, так и польского,

— «зачистка» новых территорий от нежелательных элементов,

— создание там органов НКВД (от милиции до госбезопасности) и организация контрразведки,

— организация приема, учета и фильтрации польских военнопленных, беженцев и т.п.

Отдельной задачей было изучение ситуации с так называемыми осадниками — бывшими военнослужащими-поляками. С декабря 1920 года польское правительство массово поселяло вдоль границы с УССР и БССР антисоветски настроенных осадников, предоставляя им 25 гектаров земли, сельскохозяйственный инвентарь и возможность нанимать батраков из местного населения.

Осадники были не просто польскими кулаками! Это были активные и хорошо подготовленные враги Советской власти, способные эффективно вести с ней вооружённую борьбу. Поэтому их было необходимо в кратчайшие сроки переселить как можно дальше от новых границ СССР, и Л.П. Берия этой проблемой занимался. В феврале 1940 года он доложил Сталину о результатах операции по выселению из западных областей Украинской ССР и Белорусской ССР осадников и лесной стражи.

3 ноября Берия принял участие в совещании у Сталина в течение часа в узком составе: Сталин, Молотов. Ворошилов, Микоян, Жданов и Берия. Почти наверняка Берия говорил о положении на воссоединённых территориях, но не только — под конец совещания в кабинете появились нарком ВМФ Кузнецов и командующий Северным флотом Дрозд, и с этого момента, скорее всего, обсуждалась финская ситуация. Дело шло к войне с финнами, а им могли помочь англичане, так что вопрос обеспечения возможных морских операций был важен.

С 4 ноября по 14 ноября 1939 года Берия у Сталина снова не появлялся. Лишь 15 ноября он принял участие в совещании у Сталина вместе со Ждановым, Ворошиловым и другими, в том числе — с Куусиненом, деятелем финской компартии, Коминтерна и ВКП(б). Последнее говорит само за себя: подготовка к войне с финнами вступила в завершающую фазу, чем присутствие Куусинена и объяснялось.

Затем Берия был у Сталина 19, 21 и дважды 22 ноября. 22 ноября вначале заседали ночью в узком составе: Сталин, Молотов, Ворошилов, Берия, Куусинен, а вечером прошло большое совещание в составе 26 человек.

Затем прошли совещания у Сталина с участием Берии 24, 25, 27, 28 и 29 ноября.

Надо особо отметить, что Берии порой инкриминируют организацию обстрела советской территории якобы финской, а на самом деле советской, артиллерией в районе городка Майнила. Майнильский инцидент стал фактически casus belli (*Повод к войне. — С.К.*). Но этот обстрел произошёл в 15.45 25 ноября 1939 года, а Берия с 20.50 до 24.00 24 ноября и с 17.35 до 20.00 25 ноября сидел у Сталина.

Вряд ли Берия — если бы Сталин решил создать повод для войны так — передоверил проведение деликатной операции кому-то другому. Но он физически не мог быть 25-го числа на границе. И это лишний раз косвенно подтверждает, что обстрел спровоцировали сами финны. Они вели себя осенью 1939 года крайне безрассудно и нагло. Чтобы убедиться в этом, достаточно познакомиться с записями и фактологией московских переговоров Сталина с Паасикиви и Таннером в октябре-ноябре 1939 года.

30 ноября 1939 года начались военные действия в Финляндии. И Берия вновь «пропадает» с глаз Сталина до 10 декабря, появившись 10 декабря у Сталина посреди ночного совещания на 5 (пять!) минут.

Через день, опять в ночь с 11 на 12 декабря, Сталин принимает Берию уже **с глазу на глаз**, но разговор был недолгим — с 2.30 до 2.40. К тому времени советские войска прочно увязли в неудачах на финском фронте. Неизменно хорошо воевали только пограничники Берии. И, как я понимаю, Сталину надо было срочно понять — с чем мы столкнулись на этот раз, только лишь с извечной «расейской» расхлябанностью, или с отрыжкой тех или иных заговоров, прежде всего, заговора Тухачевского? Оперативно прояснить этот вопрос могло только ведомство Берии и лично сам Берия, который был опытным контрразведчиком. Возможно, он в этот период добрался и до Мурманска.

Какие-то длительные перемещения Л.П. Берии по территории СССР косвенно подтверждаются и записью в его дневнике от 14 декабря 1939 года.

С 12 декабря до конца года присутствие Берии на совещаниях у Сталина восстанавливается. Он принимает участие в них 14, 17, 19, 22, 25, 26, 28 и, наконец, 31 декабря 1939 года.

27/XI 39

Коба провел совещание. Сказал, завтра продолжим. Окончательно решается, как воевать с финнами. Мои ребята получили хорошие данные по финским укреплениям, Синицын[1] доложил прямо на совещании. Коба был доволен, я тоже. Утерли нос военной разведке.

---

[1] С и н и ц ы н Е л и с е й Т и х о н о в и ч (1909—1995), с 1939 по 1941 год резидент разведки НКВД, работал под легальным дипломатическим прикрытием в советском полпредстве в Хельсинки под фамилией Елисеев. Приехав из Хельсинки 27 ноября 1939 года, он присутствовал на вечернем совещании у Сталина 27 ноября 1939 г. с 19.35 до 20.40 (Берия — с 18.10 до конца совещания — 21.10).

Характерный для управленческого стиля Берии момент: он захватил с собой в Кремль того, кто обладал наибольшей полнотой оперативной информации и мог информировать Сталина без «испорченных телефонов». Берия не старался выпячивать свои заслуги, зато охотно подчёркивал заслуги подчинённых.

14/XII 39

Покатался я по железным дорогам. Полоса отчуждения больше похоже *(Так в тексте. — С.К.)* на полосу заселения. Сплошные шанхаи и нахаловки[1]. Бардак, надо сносить и переселять. Лазарь *(Л.М. Каганович, нарком путей сообщения. — С.К.)* поддерживает.

В Тбилиси ходатайствовали чтобы присвоить Закавказской Железной Дороге мое имя. Политбюро приняло Постановление, Коба поздравил[2].

Я говорю спасибо, но с железными дорогами бардак, нужны срочные меры. Коба говорит: «Везде нужны срочные меры». Но приняли решение по моей Записке с Лазарем[3].

Приятно, когда коллектив просит твое имя. Им больше отвественности *(Так в тексте. — С.К.)*, что не подведут товарища, и тебе больше ответственности, чтобы не подводил доверия. Город это не то. Вот Ни-

---

[1] К концу 1939 года в полосе, прилегающей к железным дорогам, во временных строениях (землянки, мазанки и т.п.), имевшихся в количестве 80 945, проживали 318 260 человек. Образовались целые посёлки с колоритными названиями «Шанхай», «Китайка», «Копай-город», «Тараканья горка», «Нахаловка» и др.

[2] 11 декабря 1939 года, по ходатайству железнодорожников Тбилисского железнодорожного узла, Закавказской железной дороге было присвоено имя Л.П. Берии.

[3] Скорее всего имеется в виду совместная докладная записка Л.П. Берии и Л.М. Кагановича от 1 декабря 1939 года о результатах работы комиссий НКВД и НКПС по проверке временных жилых строений в зонах, прилегающих к железным дорогам и выстроенных без разрешения властей. Инициатива исходила, скорее всего, от Берии. Цифры, приведённые в примечании 1, и названия временных посёлков взяты мной как раз из этой записки. Энергичный и конкретный стиль записки выдаёт активный интерес Берии к реальному решению проблемы, потому что в записке среди неотложных мер рекомендовалось «предложить руководителям хозяйственных предприятий и железных дорог оказать содействие материалами и технической помощью проживающим во временных жилых строениях рабочим и служащим…».

К слову, в конце 1939 года Берия добился ассигнования средств на строительство в 1940 году жилья для работников УНКВД по Ленинградской области, значительное количество которых, как это признавалось в записке В.М. Молотова, «находится в тяжелых жилищных условиях».

колаю дали город, а теперь сняли[1]. Город это не конкретно. А если Колхоз имени Берия или Институт имени Берия, то это другое. Теперь дорогие товарищи извольте работать или учиться так, чтобы мое имя не позорить, а то я откажусь.

В Киеве «Динамо» было имени Ежова. А ты к нему какое отношение имеешь? В Тбилиси «Динамо» имени Берия, так я его построил, ночами ходил по стройке.

С финнами пока воюем х...ево. Под трибунал надо отдавать муд...ков. Миндальничает Коба.

Устал я. Год как Нарком, а как жизнь прожил.

19/XII-39

Через день Кобе 60 лет[2]. Интересно, доживу я до этих лет[3]. Вроде должен, не курю, пью мало, физкультуру не забываю сколько можно. Нервничаю много, но пока ничего, не жалуюсь.

Посмотрим.

---

[1] В 1804 году в бассейне реки Кубани была основана станица Баталпашинская, переименованная в 1936 году в г. Сулимов в честь тогдашнего председателя СНК РСФСР Д.Е. Сулимова (1890—1937), в 1937 году репрессированного. 16 июля 1937 года столица Карачаево-Черкесской автономной области г. Сулимов была переименована в город Ежово-Черкесск. После ареста Ежова первую часть наименования убрали.

[2] Официальный день рождения И.В. Сталина — 21 декабря 1879 года.

[3] Л.П. Берия не дожил до своего 60-летия. Он родился 29 марта 1899 года, а даже по официальным данным, был расстрелян 23 декабря 1953 года, то есть на пятьдесят четвёртом году жизни.

1940 год

1/I-40

Новый Год начался. Первый раз встретил его в Кремле у Кобы[1]. Так матерились, даже Коба, что не заметили, как оказались в 1940 году. Армия обоср...лась и не хочет признать. Я их фактами, они упираются. Потом Коба не выдержал, сам стал ругаться, он так редко бывает. Клим побледнел, а Коба говорит, Лаврентий прав. Судить вас надо. Да где других возьмешь.

На войне бардак, а надо заканчивать дела по делу Николая[2]. И там надо и там надо. Думаю, главных мы почистили. Но как посмотришь на бардак на фронте, думаешь, а всех почистили или еще остались? Заср...нцы. Хреново, когда человек сам не знает, чего хочет. Потом кается, а что каятся (*Так в тексте. — С.К.*). Пожалеть, он все равно будет продолжать, от себя не уйдешь. Лучше сразу.

---

[1] В последний день 1939 года Сталин вначале провёл у себя совещание по вопросам экономического сотрудничества с Германией, которое окончилось около шести вечера. А в 22.20 у Сталина появился нарком обороны Ворошилов, и через десять минут подошли начальник Генерального штаба РККА Шапошников и заместитель начальника Оперативного управления Генштаба Василевский. В 23.25 31 декабря 1939 года в кабинет вошёл Берия и оставался там до 0 часов 10 минут 1 января 1940 года. Как видно из записи в дневнике, разговор состоялся горячий. После ухода Берии военные оставались у Сталина ещё 35 минут.

[2] 17 января 1940 года было принято Постановление Политбюро о предании суду Военной коллегии Верховного суда СССР 457 человек — «врагов ВКП(б) и Советской власти, активных участников контрреволюционной, право-троцкистской заговорщицкой и шпионской организации». Из них было решено приговорить к расстрелу по закону от 1 декабря 1934 года 346 человек, в том числе Ежова, Фриновского, Евдокимова.

Заканчиваем Положение об Архивах. Тоже большой бардак, пора навести порядок. Архив — это история. Потом придумать можно что хочешь, а хочешь правды, без архива не получишь. А у нас так: «А, бумажка». Нет, сегодня бумажка, а через сто лет документ. Беру архивы под себя и ставлю это дело крепко[1].

4/I-40

Ставим всерьез железнодорожное строительство в Наркомате. Подписал приказ об организации Главного Управления, все об'единяем в одно Управление. И до этого много строили, а теперь будем строить еще больше. Будем строить Вторые Пути и крепко оснащать. Станции само собой и надо будет нажать на Культбыт, на жилье и лечебные учреждения.

Будем строить новые гидростанции, расширим по каналам и водохранилищам. Надо принципиально перестроить ГУЛАГ, чтобы не было мешанины. Ты отвечаешь за это, и отвечай. А ты за то, так тоже отвечай. Без дураков. Сделал хорошо, наградим от

---

[1] Крайне интересная запись. Известны слова Берии о том, что без архивов нет истории, а без истории нет будущего. Организации архивного дела в СССР Берия придавал большое значение и, как мне представляется, он может считаться выдающимся реформатором не только советской разведки и пограничных войск СССР, но и архивного дела в СССР. Во всяком случае, то Постановление СНК СССР от 28.01.1940 года, которым утверждалось подписанное наркомом НКВД СССР Л.П. Берией Положение о Главном архивном управлении НКВД СССР, предусматривало комплексный и масштабный подход к делу. Приведу один только пункт е) из общего перечня задач ГАУ, оканчивающегося пунктом л):

«...е) организация научно-исследовательских вопросов, связанных с постановкой архивного дела, архивно-производственной техники и методов хранения архивных материалов; организация мероприятий по гигиене архивных материалов и реставрация архивных документов»

Комментарии здесь вряд ли необходимы, хотя можно и заметить, что Берия архивы сохранял, а его хулители — от Хрущёва до Горбачёва и ельциноидов включительно — архивы уничтожают, а то ещё, того хуже, фальсифицируют.

души. Не сделал, извини, у нас и тюрьма есть. Или просто пошел к еб...ной матери. Не путайся под ногами.

Комментарий Сергея Кремлёва.

4 января 1940 года Берия подписал приказ по НКВД СССР № 0014 «О реорганизации руководства железнодорожным строительством НКВД СССР», по которому создавалось Главное управление железнодорожного строительства НКВД СССР (затем — Главное управление лагерей железнодорожного строительства, ГУЛЖДС). Начальником нового ГУ был назначен корпусной инженер Н.А. Френкель.

Но это было лишь начало большой реформы экономической деятельности НКВД СССР. 19 августа 1940 года Л.П. Берия подписал приказ № 001019 «О переустройстве ГУЛАГа НКВД СССР». В рамках этой реформы в сентябре 1940 года было, в частности, образовано Главное управление гидротехнического строительства НКВД СССР (Главгидрострой) во главе с Я.Д. Рапопортом. А в 1941 году в структуре НКВД СССР имелись кроме ГУЛАГа, также ГУШОСДОР, ГУЛЖДС, Главгидрострой, Управление Особого строительства (Особстрой) и Дальстрой.

Приведу пункт 2 приказа НКВД СССР № 001159 от 13 сентября 1940 года об организации Главного управления гидротехнического строительства НКВД СССР:

«2. Возложить на ГЛАВГИДРОСТРОЙ НКВД руководство следующими строительствами: Волгострой, строительство Волго-Балтийского и Северо-Двинского водного пути, строительства ГЭС на р.р. Клязьме, Которосли, Костроме и Мсте, строительства № № 200 (*Строительство военно-морской базы в Лужской губе под Ленинградом. — С.К.*), 201 (*Дноуглубительные работы в нижнем течении р. Амур. — С.К.*) и 213 (*Строительство порта Находка в Приморском крае. — С.К.*), достройка Беломорского порта, а также работы, связанные с временной консервацией Куйбышевского и Соликамского гидроузлов».

Как видим, хотя строительная программа Главгидростроя НКВД СССР была впечатляющей, она охватывала лишь небольшую часть общегосударственных гидротехнических проектов, и иначе быть не могло. Заключённые в СССР действительно работали на стройках, а не клеили конверты, как, например, это делал в тюрьмах Её Величества посаженный туда советский разведчик Конон Молодый (Гордон Лонсдейл). Однако основу преобразования страны обеспечивал свободный труд, а не «рабский», как сейчас об этом рассказывают «продвинутые» «историки».

Также вопреки устоявшемуся мнению, в системе промышленных управлений НКВД работало много вольнонаёмных специалистов, а в звене специалистов с высшим и средним техническим образованием таких было большинство. Именно за счёт их высокой квалификации, хорошей (как правило) организации работ и высокой требовательности наркома, а не за счёт страха экономическая деятельность НКВД Берии была весьма успешной.

К слову, немного о смертности среди заключённых в 1940 году. Так, по Беломорско-Балтийскому ИТЛ она составила примерно 3,8%; по Амурскому железнодорожному ИТЛ — 2,23%; по Буреинскому ИТЛ — 2,39%, по Южному ИТЛ — 1,01 %.

Для сравнения сообщу, что даже по официальным оценкам смертность в РФ в 2007 году находилась на уровне 1,4%.

Без всякого ГУЛАГа.

Опять-таки для сравнения дам цифры смертности в некоторых странах мира на начало нового века: Чехия — 1,1%, Греция — 0,95%, Швеция — 0,9%, Япония — 0,75%, КНДР (якобы вымирающая по уверениям «демократов») — 0,55%.

9/I-40

Николай заболел крупозным воспалением легких, надо перевести в госпиталь в Бутырку[1]. Его надо обязательно довести до процесса, а то скажут, уморили специально, чтобы не болтал языком на суде. Не пой-

---

[1] 11 января 1940 года Берия сообщил Сталину о болезни Ежова («пульс — 140 в минуту, температура держится в пределах 39(»). 13 января Ежов был переведен в больницу Бутырской тюрьмы.

му я Николая. Ты же хорошо начинал, много работал. Тебя заметили, выдвинули. Потом подцепили тебя поляки, хорошо. Ты или пойди и признайся, а если боишься (*Так в тексте. — С.К.*), так шлепни себя, тоже выход, хоть и х...евый. Нет, я лучше пить начну. А потом немцы на бабе подцепили, а он думает, а все равно я уже полякам информацию даю, можно и немцам.

И так каждый, кого раскручиваем. Всех подцепили, а они думали, что обойдется. Думали хозяевами будут. Думали, а что, дело верное. Сталин ведет страну к гибели, кулака уничтожат, а сельское хозяйство не поднимут, начнется голод, забастовки. А мы тут как тут! Кобе по шапке и сами станем. Сволочи! Самый сволочной народ, если кто начинает шкурничать. Ты думаешь, что он свой, а он уже давно враг.

Вылечим Николая и можно готовить процесс[1]. Все уже ясно, а все концы все равно не вытянешь. Крепко сидят. Ничего, сидят, сидят, когда-то вылезут.

Николай льет слезы. Поздно слезы лить, друг ситный. Товарищ Сталин слезам не верит. Он верит только в то, что ты сделал.

---

[1] 17 января 1940 года принято Постановление Политбюро о предании суду большой группы, включая Ежова и Фриновского. 2 февраля 1940 года Берия беседовал с Ежовым, а 3 февраля 1940 года Ежова судили на закрытом судебном заседании Военной Коллегии Верховного суда СССР под председательством неизменного Василия Ульриха (1889—1951).

3 февраля Ежов выступал перед судом, а 4 февраля Ежов, Фриновский и другие были осуждены по закону от 1 декабря 1934 года, который предусматривал упрощённую процедуру судопроизводства, отсутствие апелляции и немедленное приведение приговора в исполнение.

6 февраля 1940 года Ежов был расстрелян. Фриновского расстреляли 8 февраля 1940 года.

Особого резонанса исчезновение Ежова из политической жизни страны не вызвало, и тому есть простое объяснение. Во-первых, масштабы репрессий 1937—1938 годов были не так велики, как это сегодня подают. Во-вторых, Ежов как нарком внутренних дел некоторую популярность в народе имел, однако она была дутой — его фигуру холуйски раздували разного рода «пиарщики» типа журналиста Михаила «Кольцова»-Фридлянда и художника-плакатчика Бориса «Ефимова»-Фридлянда.

Серов[1] и Цанава[2] заканчивают операцию по осадникам[3]. Скоро можно будет доложить Кобе. Когда враг открытый — проще. Его взял и куда надо. А когда скрытый, а его считаешь своим, плохо.

На фронте хреново.

«Процессы» были закрытыми, сообщения ни о них, ни о казни осуждённых не публиковались. И это тоже понятно. С одной стороны, те репрессии, которые были проведены НКВД Ежова, в основе своей были необходимы. С другой стороны, они действительно затронули немало невинных, что показал реабилитационный процесс 1939—1940 годов. Ежов был виновен в измене и заговоре, но политически широкая огласка его конца была нецелесообразна.

13/I-40

На фронте такой же бардак как и был. Что вверху, что внизу. Боец холодный голодный. Боеспособность низкая. Организации толком нет. Мне потоком идут донесения из Особых Отделов. Сразу докладываю Кобе. Он черный, не подходи. Клим то петушится, а то помалкивает. Я его давно предупреждал, вокруг подготовки Финской Операции было много болтовни. И так болтали, и по телефону, и в письмах. А вообще армей-

---

[1] С е р о в И в а н А л е к с а н д р о в и ч (1905—1990), один из руководителей органов госбезопасности, с 02 сентября 39 г. народный комиссар внутренних дел Украинской ССР. (См. также примечание 1 к записи от 27 августа 1939 года)

[2] Ц а н а в а (Д ж а н д ж а в а) Л а в р е н т и й Ф о м и ч (1900—1955), один из руководителей органов государственной безопасности, член ВКП(б) с 1920 года, один из давних помощников и соратников Л.П. Берии, с конца 1938 года нарком внутренних дел Белорусской ССР. В 1953 году арестован и в 1955 году умер во время следствия (возможно, покончил самоубийством).

[3] Об осадниках см. комментарий к записи от 3 ноября 1939 года. Всего подлежало выселению 146 375 человек (27 356 семей), из них 95 065 человек по УССР и 51 310 человек по БССР.

ская система связи не (*Так в тексте. — С.К.*) в пиз...у. Засекречивания нет. Ушами хлопали, теперь расплачиваемся. Дураки! Коба правильно говорит: «Победа без связи это полпобеды» Пока у нас ни полпобеды, ни х...я победы.

Но победа будет, куда деваться.

Кручусь по всем линиям.

Из Лондона англичане направляют к финнам поляков. Тоже еще то войско. А может за чужих будут воевать лучше чем за себя. У холуя всегда так[1].

С Куусиненом[2] ничего не получилось и не получится, даже если мы выправимся. Внутреннее положение у финнов крепкое. Вся агентура подтверждает. Тоже доложил Кобе. То Куусинен от него не выходил, а теперь вообще не появляется. Тоже деятель. Если ты сидишь в Москве, а не в подполье, так работай без дураков.

Я больше расчитываю (*Так в тексте. — С.К.*) на свои диверсионные группы. Ребята работают хорошо, пригодился испанский опыт. Коба говорит, хоть твои не подвели, спасибо.

---

[1] В январе 1940 года англичане и французы послали поляков, служивших в английской и французской армиях после разгрома Польши, как «пушечное мясо» в помощь финнам против советских войск.

[2] К у у с и н е н Отто Вильгельмович (1881—1964), советский партийно-государственный деятель, Герой Социалистического Труда (1961), фигура не прояснённая и тёмная. Финн, окончил Гельсингфорсский (Хельсинкский) университет. В 1905—1917 годах деятель соглашательского II Интернационала, соратник Бернштейна и Каутского, затем — крупный деятель III Коммунистического Интернационала, соратник Ленина, основатель Коммунистической партии Финляндии. В начале советско-финской войны был провозглашён главой и министром иностранных дел правительства «Финской Демократической Республики», от имени которого обратился к СССР «за помощью» и подписал «Договор о взаимопомощи и дружбе». Фактически «подставил» Сталина, дезориентировав его относительно возможности «левого» внутреннего взрыва Финляндии. С 1957 года, после окончательного хрущёвского антипартийного переворота, секретарь ЦК КПСС и член Президиума ЦК КПСС. Воспитатель и покровитель ещё одной не прояснённой фигуры — Ю.В. Андропова, а также многих будущих «прорабов перестройки».

Наконец с финнами пошло. Первую полосу обороны армия прорвала, теперь будет прорывать вторую[1]. Пока все хорошо. Зато в Европе х...ево. Единый фронт против нас они вряд ли выстроят, но такие мысли есть. Белогвардейцы рвутся помогать финнам, но и те боятся принимать, и Европа не хочет. Сейчас не хочет, завтра захочет. Надо спешить. Докладывал Кобе, что союзники готовят для финнов экспедиционный корпус. Пока дело у них с этим идет слабо, но лихая беда начало. Может заварится (*Так в тексте, возможно, надо «завариться»? — С.К.*) каша. В Лондоне начинают думать о бомбардировании Баку. Вот куда метят. Ну это им х...й. Не дадим. И не посмеют. Если дело пойдет так, это война, а у них война с немцами. Получится, мы с Гитлером союзники. А это для них конец.

С немцами хорошо бы договориться, но вряд ли. Коба опасается, и Гитлер вряд ли захочет. А что тогда? Война? Не хотелось бы.

Постепенно у меня налаживается обычная работа. Людей в основном подобрал. По Разведке надо держать сразу несколько линий как главные.

Восточная линия тоже нужна. Гоминдан (*Правильно «Гоминьдан». — С.К.*) окончательно рвет с Коммунистами и там тоже будет каша. Надо знать что к чему.

Поляки очухались и начинают организацию работы против нас[2]. Это кроме украинских националистов. Эти тоже активизируются.

---

[1] Прорыв первой полосы линии Маннергейма длился с 11 по 23 февраля, а второй — с 28 по 29 февраля 1940 года.

[2] Вот иллюстрация к этой записи. 26 февраля 1940 года при нелегальном переходе границы из Румынии в СССР были арестованы братья Юзеф и Станислав Жимерские — эмиссары эмигрантского правительства Сикорского (псевдоним для нелегалов «Стражница») в Париже. (После разгрома Франции «правительство» Сикорского перебралось в Лондон). Братья имели при себе шифрованную переписку, расшифровать которую удалось только к 11 марта 1940 года (ключом шифра

По Европе надо смотреть за англичанами в первую голову. И по Америке тоже. Там надо активизировать.

По немцам усилить разведку через границу. Пограничники дадут больше, чем из Берлина[1]. Надо проверять перекрестно. Коба не верит, что войны не будет, но думает, что немцы засели в Европе, им будет не до нас. Говорит, пусть капиталисты морду друг другу бьют, а мы посмотрим и армию укрепим.

Сейчас главное с финнами снова не обоср...ться, по-

оказалась поэма Адама Мицкевича «Дзяды»). Среди расшифрованных документов были, в частности, Инструкция «Союза вооружённой борьбы» № 1 для доверенных лиц, приказы Главного коменданта «Союза вооружённой борьбы» генерала Сосновского (псевдоним «Годземба») нелегалу полковнику Ленковскому в Львове и коменданту Белостокского округа № 2 от 29 декабря 1939 года и т.д.

Приведу два пункта из Инструкции «Союза вооружённой борьбы» № 1 для доверенных лиц:

«а) Обязательный политический и товарищеский бойкот оккупантов. Опыт до настоящего времени показывает, что польский народ с негодованием отвергает какой бы то ни было контакт с оккупантами, как немецкими, так и с большевистскими. Польские семьи, женщины, даже дети, должны отгородиться от грабителей каменной стеной равнодушия, презрения и ненависти...

в) Не противоречит интересам новой Польши то, что поляки будут служить в школьных, административных, торговых, промышленных, сельскохозяйственных, лесных, железнодорожных, почтовых и санитарных учреждениях, постольку поскольку такое положение даст им возможность совмещать выполнение условий работы с политическими обязательствами...»

По сути, пункт в) Инструкции санкционировал широкую подрывную нелегальную деятельность поляков — советских граждан, на территории СССР. Это при том, что если в немецком «Генерал-губернаторстве» поляки официально были гражданами второго, если не третьего сорта, то в СССР они пользовались всеми правами коренных граждан СССР.

Между прочим, нынешним литовцам, например, не мешало бы знать, что в своих приказах польские нелегалы расценивали передачу Вильнюса Советским Союзом Литве как «литовскую оккупацию».

[1] Разведка пограничных войск, созданная в её новом качестве Л.П. Берией, действительно обеспечила наиболее достоверное и в реальном масштабе времени вскрытие военных приготовлений Германии против СССР в 1941 году, что позволило Сталину уже к 18 июня 1941 года санкционировать приведение войск приграничных округов в боевую готовность.

том будет проще. Коба видит, что надо укрепить Армию и Промышленность. Есть еще вредительство и мы уже говорили с Кобой, надо подумать[1].

Комментарий Сергея Кремлёва.

Здесь, скорее всего, имеется в виду совершенствование и расширение деятельности Главного экономического управления НКВД СССР (ГЭУ). Это было одной их выдающихся идей Берии и Сталина, которые сделали новое ГУ НКВД фактически контрольной структурой для получения объективной информации о положении в народном хозяйстве СССР. Партийные и хозяйственные руководители могли замазывать и приукрашивать действительность, а ГЭУ обязано было давать (и давало!) подлинную картину. Одновременно ГЭУ должно было выявлять и нейтрализовать сознательное вредительство в экономике и плохую организацию работы. Соответственно, в ГЭУ имелись отделы по промышленности, по оборонной промышленности, по сельскому хозяйству, по Гознаку и аффинажным заводам, по авиационной промышленности и по топливной промышленности.

В отличие от ГУЛАГа и промышленных ГУ НКВД СССР, ГЭУ не вело хозяйственной деятельности, оно лишь контролировало её в масштабах всей страны. Безусловно, органы госбезопасности занимались этим всегда. Ещё 11 января 1923 года Коллегия ГПУ утвердила положение об Экономическом управлении ГПУ, задачами которого были, во-первых, «борьба с экономической контрреволюцией, экономическим шпионажем и преступлениями — должностными и хозяйственными», а во-вторых, «содействие экономическим Наркоматам в выявлении и устранении дефектов их работы».

Однако в ОГПУ и затем НКВД Ягоды эта сторона деятельности оказалась в загоне — Ягода был больше занят заговорами бонапартистского толка. Экономическое управление усохло до Экономического отдела (ЭКО) ГУГБ,

---

[1] См. комментарий ниже.

а с приходом в НКВД Ежова даже ЭКО ГУГБ был расформирован.

Берия уже при первой реформе НКВД в конце 1938 года сразу же ввёл в новую структуру наркомата не просто управление, а Главное управление — ГЭУ. И теперь работа ГЭУ в НКВД Берии выходила на новый, более совершенный уровень. Для этого штат ГЭУ комплектовался не «звероподобными палачами с наганом на поясе», как это изображают сегодня, а, с одной стороны, квалифицированными и, с другой стороны, вполне политически надёжными кадрами. Технические эксперты ГЭУ теперь были способны не только вскрывать вредительство, халатность, низкую профессиональную квалификацию или слабую технологическую дисциплину в экономике, но и выдавать компетентные рекомендации по исправлению и улучшению ситуации.

Берия и до этого, благодаря опыту партийно-государственной работы в Закавказье и Грузии, обладал широким экономическим кругозором и умел быстро овладевать новыми предметами его заботы. Думаю, однако, что руководство в качестве наркома деятельностью ГЭУ окончательно сформировало Л.П. Берию как блестящего знатока проблем народного хозяйства и обусловило быстрое его привлечение Сталиным уже к руководству общегосударственным социалистическим строительством в качестве заместителя Председателя Совета народных комиссаров (СНК) СССР.

16/II-40

Подписал приказ по Дальстрою[1]. Есть Постановление ЦК и Совнаркома и можно работу решительно перестроить. В прошлом году у меня руки не дошли, план по золоту мы не выполнили[2], а то что по концет-

---

[1] 16 февраля 1940 года Л.П. Берия подписал приказ НКВД № 069 «Об обеспечении плана золото- и оловодобычи по Дальстрою на 1940 год» на основе соответствующего Постановления ЦК ВКП(б) и СНК СССР от 10 февраля 1940 года. См. также запись от 5 марта 1939 года и примечания к ней.

[2] План 1939 года по золотодобыче был выполнен на 84% (66,3 т). В 1940 году было добыто 80 т золота.

рату (*Так в тексте, но это явно описка. — С.К.*) олова перевыполнили, это мало что значит. Абсолютный об'ем небольшой[1].

По золоту помешал большой паводок, но главное плохо организована работа и низкая механизация. И надо усилить геологоразведку. Все зависит как организуешь. Попросить тоже надо уметь. Надо не с протянутой рукой, а обоснуй. Тогда тебе и дать можно. Снабжение тоже надо организовать.

8/III-40

Войну скоро закончим, это ладно, выправились. Военный Театр был сложным, так что учеба была хорошая, пусть военные и Коба разбираются. Наше дело предателей ловить, а не линии обороны прорывать и в армии порядок наводить. На бардак указали, а там выправляйте.

А все равно моим пограничникам пришлось повоевать изрядно, я так Климу и сказал при Кобе[2]. Дело Погранвойск границу охранять, а они за пехоту в атаку ходили. Это не дело. Клим смотрел кисло[3]. А Коба

---

[1] План 1939 года по оловодобыче был выполнен на 102%. При этом в 1939 году было добыто 507 т олова, а в 1940 году — 1917 т.

[2] Поздним вечером 7 марта 1940 года Берия докладывал Сталину в присутствии только Молотова и Ворошилова (под конец разговора в кабинет Сталина подошли Шапошников и Василевский). Берия имел все основания быть недовольным линией командования РККА по отношению к пограничникам. Армейское командование, в оперативное подчинение которых перешли погранвойска в зоне боевых действий, вместо использования пограничников в разведке, боевом охранении и т.п., часто использовало их в наступлении как пехоту в силу высоких боевых качеств. При этом пограничники несли, конечно, большие потери.

[3] В дополнение к примечанию 2 сообщу, что 14 сентября 1939 года, то есть до начала боевых действий, совместной директивой наркома обороны Ворошилова и наркома внутренних дел Берии № 16662 было предусмотрено, что с их началом погранвойска входят в оперативное подчинение командования РККА до выхода частей РККА на рубеж 30—50 км в глубь финской территории.

К середине декабря многие части 9-й армии на этот рубеж вышли, однако **войсковые командиры по-прежнему требовали выделения для поддержки подразделений пограничных войск.** И кончилось тем, что

согласился. Я сказал, что за войну надо не только армию наградить. Наркомвнудел тоже повоевал. Сказал, готовьте, наградим[1].

Я уже старый человек, лысина уже, а не пойму. Почему люди не хотят работать, когда так много работы. Кто мешал Николаю работать, кто мешал Бухарину работать.

А почему вспомнились оба, сам не понял? А, они же оба Николаи Ивановичи[2]. Бухарин Анне[3] голову закрутил, старый еб...рь и вообще был бабником. Не пожалел девчонку, сволочь. Ну черт с тобой, сам себя не пожалел, но девочку зачем, она же тебе в дочки годится. Ну ладно, не устоял, а зачем ты в заговор полез. Все думают что умные, что куда там Коба, я сам себе не хуже Кобы. И тоже сбивают, так уже не детей, а постарше. Сколько тот же Николай Иванович мозгов свернул молодым работникам. А потом их стрелять приходится[4]. Тоже академик нашелся, бабочек собирал[5].

---

17 декабря 1939 года начальник штаба погранвойск НКВД Карельского округа полковник Киселев направил в штаб 9-й армии доклад, в котором тактично, но твердо напомнил армейским генералам, что дело погранвойск — охрана госграницы, а не прорыв сильно укрепленной обороны.

[1] 18 апреля 1940 года Берия направил Сталину записку с проектом Указа Президиума Верховного Совета СССР о награждении орденами 382 и медалями 375 наиболее отличившихся работников органов и войск НКВД.

[2] Из записи ясно, что под Николаем имеется в виду Н.И. Ежов.

[3] Третья (!) жена Бухарина — Анна Ларина-Бухарина (1913—1996) была моложе своего первого мужа, Николая Ивановича Бухарина (1888—1939), на 25 лет.

[4] Н.И. Бухарин считался (в общем-то безосновательно) ведущим теоретиком партии и был одним из основателей Института красной профессуры, где преподавал. Этот институт стал подлинным питомником молодых «леваков» в руководстве ВКП(б), почти полностью расстрелянных в 1937—1938 годах за вполне реальную антипартийную и антигосударственную деятельность.

[5] В 1929 году Н.И. Бухарин был избран членом Академии наук СССР. Действительно всю жизнь коллекционировал бабочек — вполне подходящее занятие для государственного деятеля возникающей на его глазах (но не очень-то при его участии) великой державы.

А Троцкий. Этот и сейчас головы мутит. Сколько из-за него людей под расстрел пошло. А пишет, что Сталин кровавый палач.

Война показала, что у нас до х...я долбоеб...в а героев и честных людей еще больше. Так если тебе власть дали, так ты опирайся на людей и сам будь человеком. Везде дела — только работай и работай. Было плохо, стало хорошо. Разве это плохо? Нет, ему надо чтобы он был главным, ему Коба не указ, мы сами можем. Евдокимов все уговаривал, кулака они уничтожат, а сельское хозяйство не поднимут. Говорил, надо сбросить Сталина.

А мы тебя, муд...ка х...ева сбросили, а село подняли. И страну подняли. Ну зачем они под ногами болтаются.

Власти хочется. Работать не умеют, языком болтают, а власть сдавать не хотят. И работать не хотят. А надо с утра до вечера, и ночь прихвати. Потому что дела много, а времени не хватает. Если бы все работали, то не было бы этого конфуза с финнами. Все было у нас сразу, одного не было, надежного руководства. Надо было готовиться, а они даже лыж не приготовили загодя.

Стрелять таких, так новые появятся. А что делать? Без новых людей не проживешь. Старое не переделаешь, надо на новое опираться.

Что то меня на философию потянуло, хватит.

15/III-40

Коба говорит, надо активно включать разведчиков в операции по политическому зондажу. Говорит, теперь снова началась эпоха империалистических конфликтов и надо использовать в нашу пользу все противоречия. Вот они уже воюют друг против друга, слабо пока, но пусть это тянется. А мы будем укрепляться. А там посмотрим.

Говорит, что с финнами не получилось, потому что финны долго жили под шведами и научились национальному единству. Поэтому и в революцию не получилось советизировать Финляндию, и сейчас. Ленин пошел на признание независимости Финляндии, а Прибалтике независимость немцы обеспечили штыком. Теперь там марионетки. Они нам улыбаются сквозь зубы, им ближе немцы и англичане. Или американцы.

Потом говорит «Нам надо подумать о Латвии, Эстонии и Литве. С ними проще, там уже наши войска. Пока трогать не надо, но надо держать руку на пульсе. Говорит, это Лаврентий по твоей линии. Мы должны знать чем они дышат и куда смотрят. Надо не пропустить момент, когда нам надо действовать решительно».

Вздохнул, говорит: «Вот Ильич был мастер. Точно выбрал момент и ударил. А нам наука».

Я напомнил, что они друг с другом шушукаются. Литовцы в Берлин ездили, их военные совещаются[1]. Он говорит «Я помню. Потому и говорю тебе, следите в оба. Чтобы мы имели точную картину».

Сижу думаю. Надо ориентировать Всеволода[2], Павла[3] и Фитина[4]. Пусть тоже думают и разрабатывают. Надо поговорить с Владимиром[5].

Немцы готовят весной наступление[6], а что им оста-

---

[1] См. комментарий после записи от 15 июня 1940 года.

[2] Начальник ГУГБ В.Н. Меркулов.

[3] Скорее всего, имеется в виду Павел Анатольевич Судоплатов (1907—1996), один из руководителей органов государственной безопасности и советской разведки, генерал-лейтенант (1945). Ликвидировал 23 мая 1938 года в Роттердаме прогерманского украинского националистического лидера Коновальца, разрабатывал операцию ликвидации Троцкого. В 1939—1941 годах — заместитель начальника отдела ГУГБ СССР.

[4] Ф и т и н П а в е л М и х а й л о в и ч (1907—1971), один из руководителей органов государственной безопасности и советской разведки, генерал-лейтенант (1945). В марте 1938 года по партийному набору переведён в органы НКВД СССР. С весны 1939 года начальник 5-го (разведывательного) отдела ГУГБ НКВД СССР.

[5] Скорее всего, имеется в виду заместитель наркома иностранных дел В.Г. Деканозов, выдвиженец Л.П. Берии.

[6] Имеется в виду будущее наступление вермахта весной 1940 года во Франции.

ется. Им надо что-то решать. Англичане собираются минировать прибрежную полосу вдоль Норвегии, так что Гитлеру надо шевелиться. Надо ждать событий. У нас пока тихо, но тоже есть подозрения. Из Польши залетел немецкий самолет. Вроде бы заблудился и неполадки в моторе. Может и так. Коба спрашивает: «как, отпускать?»

Я говорю, экипаж отпустить, а самолет пусть сначала изучат, может что пригодится. Они ж сказали, что неполадки, так мы отремонтируем, а потом отдадим. Так и решили.

Коба спрашивает: «Случайно или не случайно?» Василевский[1] говорит, случайность. А Коба говорит: «Если случайность имеет политическую окраску, к ней не мешает присмотреться». И на меня смотрит.

Надо учесть[2].

18/III-40

Не успели разобраться с одним самолетом[3], залетела целая группа[4]. Вчера докладывал Кобе один. При мне вызвал Клима и Молотова. Случай серьезнее, то возвращали экипаж, а теперь есть один труп и наверное будет второй. Коба встревожен и я не пойму. Они что, собираются воевать с нами? Они что, дураки? Вряд ли.

---

[1] Василевский Александр Михайлович (1895—1977), советский военачальник, Маршал Советского Союза (1943), в 1940 году заместитель начальника Оперативного управления Генштаба РККА.

[2] Вопрос о судьбе экипажа и самолёта, нарушившего государственную границу СССР, рассматривался Политбюро в ночь с 14 на 15 марта 1940 года.

[3] См. предыдущую запись от 15 марта 1940 года.

[4] 17 марта 1940 года в зоне Белостокского выступа на участке в районе Стренковизна границу нарушили 32 германских самолёта (бомбардировщики и разведчики). Они пролетели до г. Августова (ныне в Польше), сделали круг и ушли обратно. Пограничный наряд в районе деревни Щерба открыл по нарушителям ружейно-пулемётный огонь. Один самолёт был сбит и упал на нашей территории в 50 м от границы. Один пилот был убит, второй тяжело ранен. Это был уже двенадцатый с декабря 1939 года случай воздушного нарушения границы.

20/III-40

Все, есть и второй труп[1]. Масленников[2] докладывает, что возникали вопросы с передачей трупов и подписанием акта о нарушении. Потом пограничный комиссар извинился и устно заявил, что больше таких нарушений со стороны Германии не будет. А вчера снова 5 самолетов нарушили на украинском участке границы[3]. Хренотень какая-то. И просто через границу прут нарушители, и на белорусском участке, и на украинском. Это надо обдумать.

25/III-40

Только что от Кобы. Обсуждали положение. Немцы активно нарушают нашу границу и самое тревожное, постоянно нарушают самолетами. Непонятно. По нашим данным немцы не собираются прекратить войну с союзниками и союзники не собираются прекратить войну с немцами. Значит весной или летом 1940 года надо ожидать активных действий, с одной стороны, или и тех и тех. Тогда Гитлеру опасно начинать войну с нами. А ведут они себя враждебно.

Непонятно. Воевать на два фронта только дураки

---

[1] Второй пилот самолёта, сбитого 17 марта 1940 года, был доставлен в Августовский госпиталь и 18 марта 1940 года в 2.15 по московскому времени скончался.

[2] Масленников Иван Иванович (1900—1954), один из руководителей пограничных войск НКВД СССР и полководец, генерал армии, Герой Советского Союза. В 1932 году служил начальником отдела боевой подготовки Управления пограничной охраны НКВД Грузии. С 21 января 1939 года — первый заместитель наркома НКВД СССР, с началом войны — на фронте, командовал армиями, фронтами, герой битв за Москву и Кавказ.

[3] 19 марта 1940 года 5 германских самолётов нарушили границу в районе г. Ярослав на высоте 500 м. Поднятое в воздух с Львовского аэродрома звено истребителей самолётов в воздухе не обнаружило — к тому времени все они совершили вынужденные посадки на нашей территории в районе фольварков Кобыльница и Буковина. Все пилоты были унтер-офицерами, вооружены револьверами. Посадку объясняли потерей ориентировки в учебном полёте и полным расходованием горючего.

напрашиваются. А если они Западный фронт закроют, договорятся? И финнов подключат. И потом пойдут на нас. А если и англичане пойдут на нас. И турки. А японцы добавят?

Коба ломает голову. Я сказал Кобе, что по данным пограничной разведки концентрации войск пока нет. Коба говорит, весна только началась, могут к лету перебросить. Так что смотрите в оба. Ведите разведку и глаз не спускайте. И на японской границе тоже.

Я сказал, что на японской границе обычные инциденты, как всегда, по мелочи. Сказал, что думаю, что немцы залетают все же непреднамеренно, граница новая и для них местность новая, сверху белой краской границу не покрасишь, потому и залетают.

Сидели Коба, Клим, Молотов и я. Решили, что дальше огонь по самолетам нарушителям открывать не будем, будем заявлять протесты пограничным властям. Коба сказал, что если они нарушают так массово, то это они ищут провокации. А нам это ни к чему[1].

Потом подошли военные. Военные меня всегда выводят из себя. Не успели кончить войну, строят из себя стратегов. А что нос драть. Говорят, мы Войну выиграли. Вы её просc...ли, а уже потом выиграли. Раньше я с ними меньше дела имел, а за эти четыре месяца насмотрелся и наслушался. По картам ползают, товарищ Сталин, товарищ Сталин, а воевали х...ево.

Надо будет жестко приказать Всеволоду и Павлам[2], что с военной разведкой лишних шур-мур не вести. А то был как проходной двор, ИНО, Разведупр, те туда, эти сюда[3].

---

[1] 29 марта 1940 года был издан приказ НКВД СССР о том, что в случаях нарушения нашей границы со стороны германских самолётов огня не открывать, ограничиваясь составлением акта о нарушении границы и немедленно заявлять протест представителям германского командования по линии пограничной службы.

[2] См. примечания 1, 2 и 3 к записи от 15 марта 1940 года.

[3] Описание взаимоотношений ИНО ОГПУ—НКВД и Разведывательного управления Генштаба РККА в 20-е и 30-е годы весьма точное.

А даже укрепления разведать не смогли, наши ребята постарались, а Разведупр ворон ловил и сапоги чистил.

4/IV-40

Надо готовится к обмену пленными. У нас финнов примерно 800 человек. По данным Особых Отделов у нас попало в плен до 5000 человек[1]. Это много. Умники из Генштаба хотят размещать в казармах в Новгороде, без конвоя. А там места мало. Куда их? А как вести фильтрацию. То что финны их обрабатывали, это ясно. И хорошо если финны. Там все поработали, они что, дураки? Пропускать такой случай. Тут даже американцы могли пристроиться.

Фильтрацию надо провести как следует. Буду просить Кобу, чтобы по возврате наших пленных размещать в Южский лагерь НКВД под Вязники. Для фильтрации. Лагерь большой, поместятся все. Проверим, кто достоин, отпустим, кто замарался, придется поработать на Колыме[2].

---

[1] Точная цифра: 4904 красноармейца и 373 человека начальствующего состава, из них добровольно сдавшихся в плен — 72 человека и 166 человек — участники антисоветского добровольческого отряда. (К июлю 1940 года цифра несколько изменилась, в Южском лагере находилось 5175 красноармейцев и 293 человека начальствующего состава).

[2] Статистика репрессий по пленным оказалась следующей. Оперативно-чекистскими группами было выявлено и арестовано 665 человек, изобличённых в активной предательской работе, завербованных финской разведкой для работы в СССР или подозрительных по шпионажу. Из этого числа к концу июля 1940 года было закончено и передано прокурором МВО в Военную коллегию Верховного суда СССР следственных дел на 344 человека, из которых к расстрелу приговорили 232 человека (приговор был приведён в исполнение в отношении 158 человек). 4354 бывших военнопленных, подозрительных по обстоятельствам пленения и поведения в плену, решением Особого совещания НКВД СССР были осуждены к заключению в исправительно-трудовые лагеря на срок от 5 до 8 лет.

450 бывших военнопленных, попавшие в плен будучи ранеными, больными или обмороженными, были освобождены и переданы из НКВД в распоряжение наркомата обороны.

8/IV-40

Мы должны обеспечить новые линии ВЧ[1] в западные области на Украину и Белоруссию, а теперь еще надо на Выборг и к северу. Нужна надежная связь на Петрозаводск, в Сортвалу (*Так в тексте, надо «Сортавалу».* — *С.К.*). Будем тянуть, новые заботы, но так лучше. Новые заботы потому что новые территории. Чем плохо?

18/IV-40

Военные как были долбо...бами так и остались. Масленников доложил, что они так и не отменили январский приказ[2] и нас не известили. Мы тут стараемся немцев не провоцировать, а они оставляют свой приказ в силе. А мы это и не знаем.

Они что с немцами воевать захотели? Спасибо, уже с финнами повоевали. Если такие смелые, взяли бы и сами к немцам залетели в ответ пару раз. Пограничникам нельзя, а армия могла бы[3].

Японцы ведут обычные провокации, самолёты тоже залетают, но это не немцы. Немцы залетают постоянно. Каждый раз говорят, что заблудились. Большинство думаю правда. Но разведку тоже ведут, само собой.

Вообще на всей границе везде тревога. Венгры подбрасывают войска, литовцы тоже границу укрепляют. Даже финны идут на провокации.

---

[1] См. комментарий к записи от 26 июля 1940 года.

[2] 20 января 1940 года командование РККА издало приказ о немедленном открытия огня в случае нарушения самолётами государственной границы. Этот приказ был разработан на основе плана мероприятий, санкционированного начальником Оперативного отдела Генштаба РККА комбрига Василевского.

[3] Очень нестандартная мысль. Интересно, предлагал ли Л.П. Берия Сталину и армейцам нечто подобное?

В Европе тоже двинулось. Немцы из Норвегии не уйдут[1]. Хорошо то что они начали настоящую драку с англичанами, теперь на нас не пойдут.

26/IV-40

Коба поздравил с Указом[2], сказал, что Пограничников будет и дальше награждать, молодцы. Спрашивает, что, немцы все залетают? Я говорю, залетают. Уже и заплывают. Смеется: «Знаю»[3].

Говорит, это ничего когда одиночки залетают или заплывают по ошибке. Лишь бы по земле дивизиями не заходили. Потом спрашивает у Вячеслава: «Как товарищ Молотов, давно не жаловался товарищу Риббентропу на нарушения границы? Пора пожаловаться».

Спрашивает, как граница по всей протяженности? Доложил, что с Японией как всегда, на афганской границе постоянно боестолкновения с мелкими бандами, турки строят укрепления и тоже занимаются мелкими провокациями, на западной границе беспокоят

---

[1] 9 апреля 1940 года Германия вошла в Данию и Норвегию. Дания не оказала сопротивления и фактически сохранила все атрибуты независимости, включая дипломатические отношения с другими странами, в том числе с самой Германией и СССР. Норвегия, рассчитывая на Англию, начала боевые действия. 14 апреля 1940 года англо-французские войска начали высадку в Норвегии. Еще до вторжения немцев в Норвегию англичане начали минирование норвежских территориальных вод, использовавшихся немцами для транспортировки железной и никелевой руды из Швеции. Германская операция в Норвегии и Дании была тем самым операцией на опережение англичан, тоже намеревавшихся ввести войска в Норвегию и, возможно, в Данию и Голландию.

[2] 26 апреля 1940 года были опубликованы Указы Президиума Верховного Совета СССР о награждении пограничных частей НКВД (4, 5, 6-го полков НКВД и 73-го Ребольского пограничного отряда) орденом Красного Знамени и о присвоении звания Героя Советского Союза начальствующему и рядовому составу пограничных войск НКВД. По последнему Указу были награждены 13 человек, из них 4 красноармейцев, 7 лейтенантов и старших лейтенантов, один капитан и один батальонный комиссар. Как видим, в НКВД Берии не было принято протаскивать в наградные указы высоких начальников.

[3] 21 апреля 1940 года советскую морскую границу в Мурманском военном округе нарушили пять германских тральщиков. Они были обстреляны огнём погранзаставы, задержаны и приконвоированы в Мурманск.

повстанческие банды ОУН[1], литовцы ведут себя недружественно. А так как всегда, без особых происшествий.

Сказал: «Хорошо».

Потом добавил, мы тебе еще скоро заботы добавим, еще границы прирежем. Посмотрел на Вячеслава, спрашивает: Прирежем? Тот кивает.

Где прирежет? Понятно где[2].

5/V 40

Залупастый мужик Вознесенский[3]. Несет себя как мешок с говн...м. Я с ним редко сталкивался, но другие его тоже не любят. Коба ценит, а мне он не показался. Решали по новым аэродромам, Френкель[4] толково доложил, Коба задает вопросы, ребята отвечают. А этот сидит как индюк. А спросили, как Госплан отнесется если мы готовы усилить строительство, сразу засуетился. Говорит, это надо проработать.

Ну прорабатывай, а мы будем работать.

---

[1] ОУН — «Организация украинских националистов», создана из «Украинской военной организации» (УВО) с центром в Берлине. Первый руководитель — бывший австро-германский военнослужащий, полковник петлюровской армии Коновалец. После ликвидации Коновальца в 1938 году П. Судоплатовым главой ОУН стал полковник петлюровской армии Андрей Мельник (кличка в абвере «Консул-1»).
В 1940 году ОУН раскололась на «мельниковцев», во главе с Мельником, и «бандеровцев» во главе со Степаном Бандерой. Последний имел показательную фамилию — ещё в начале 60-х годов «бандерами» в украинских сёлах называли самых отпетых хулиганов и бандитов.

[2] Зная тогдашнюю ситуацию так, как её знал Берия, нетрудно было догадаться, что имеется в виду прежде всего литовско-германская граница, которая уже с 22 июня 1940 года стала охраняться советскими пограничниками

[3] Вознесенский Николай Александрович (1903—1950), с января 1938 года Председатель Госплана СССР. Фигура достаточно крупная, но очень неоднозначная. Расстрелян в 1950 году.
См. также послесловие публикатора.

[4] Френкель Нафталий Аронович (1883—1960), начальник Главного управления железнодорожного строительства НКВД СССР. ГУЖДС в 1940 году занималось также строительством новых аэродромов в западных областях СССР.

14/V 40

Одно к одному. Наши генералы стали форменными генералами[1], а немцы ударили[2]. Уже прорвали фронт, наступают дай бог нам зимой[3]. Там конечно легко, линии Манергейма (*Вернее, «Маннергейма».* — *С.К.*) нет, а линию Мажино[4] они обошли. Правильно, зачем кровь зря лить.

Коба заседает с маршалами и генералами. Меня пока не вызывает, у меня и так дела по горло. Никто не ожидал, что французы так быстро рухнут. По разведывательным данным было понятно, что обстановка там гнилая, интеллигенция без войны была готова сдаваться. Ну, ладно, эта ср...нь везде ср...нь.

Я уважаю тех, кто не холуй. А у французов половина холуев. А то и больше. Но армия вроде там подготовлена была вроде неплохо. Не поляки. А вышло, как поляки. И непонятно чем кончится.

Вермахт прет к Ла Маншу и к Парижу. В Англии во главе правительства теперь Черчиль (*Так в тексте.* — *С.К.*)[5]. Это усиление сторонников долгой войны. Пока не пойму, это для нас лучше или хуже. Если там будет война, нам проще. Но если война затянется, может и нас втянуть. А это плохо.

---

[1] 7 мая 1940 года вышел Указ Президиума Верховного Совета СССР об установлении генеральских и адмиральских званий для высшего начальствующего состава РККА и РККФ.

[2] 10 мая 1940 года началось давно ожидавшееся наступление Германии.

[3] Уже 13 мая фронт был прорван в районе реки Маас, 14 мая капитулировала Голландия, 17 мая был занят Брюссель. Начался первый этап агонии Франции, сопровождавшейся саботажем совместных действий командованием английского экспедиционного корпуса во Франции.

[4] Французская линия Мажино тянулась вдоль франко-германской границы до Бельгии. Вермахт не стал штурмовать линию Мажино, а просто обошёл её по территории Бельгии. Решение не только разумное, но и заранее союзниками ожидаемое.

[5] 10 мая 1940 года правительство Невилла Чемберлена подало в отставку и был сформирован «военный кабинет» ставленника космополитической элиты и креатуры США Уинстона Черчилля.

28/V 40

Порохом пахнет. Немцы Францию добьют, это уже ясно. Теперь их зона влияния вся Европа до нашей границы. Италия самостоятельной политики провести вряд ли может. С турками неясно.

Балканы считаются прорусскими, а на самом деле проанглийские. Коба на славян надеется, но зря. В Белграде любят русских, а сделают то, что Лондон скажет. Я англичан знаю хорошо. Влиять умеют.

Соколов[1] доложил, что с 28 мая наблюдается переброска венгерских войск к границе силами до 8000 в сутки с артиллерией и танками. Доложил Кобе, он сказал: «Следите, пока не до них. Венгры не сунутся».

За два дня 24 и 25 мая зарегистрировано 12 случаев нарушения границы германскими самолетами. Далеко не залетают, вряд ли разведка. Хотя сверху далеко видно, а погода хорошая.

Разработка завербованных пленных показывает интересные вещи. Финские офицеры разведки предлагали поехать на учебу в Америку. Так что финны обнаглели не просто так. Америке война нужна. Значит американскую линию по разведке надо усиливать и усиливать.

В Литве, Латвии и Эстонии власти усиливают фашистские националистические организации. Особенно в Литве, расчет на немцев. И друг с другом шушукаются, я направил сводку Вячеславу (*В.М. Молотову. — С.К.*), пусть тоже думает[2].

31/V 40

Был у Кобы по новым рудным разработкам на Севере. Потом поговорили по общему положению. По-

---

[1] Соколов Григорий Григорьевич (1904—1973), начальник Главного управления пограничных войск НКВД СССР. Фигура замолчанная. После начала войны — начальник охраны тыла Западного фронта, с сентября по октябрь 1941 года заместитель начальника Генерального штаба, командовал 26-й армией, которую и сформировал.

[2] См. комментарий после записи от 15 июня 1940 года.

просил рассказать обстоятельно. Доложил как есть, видно что успех немцев его крепко тревожит. Говорит, не думали, не думали.

Доложил по Литве, спрашивает: «А товарищ Молотов в курсе»? Говорю, что в курсе давно, Вячеслав подтвердил.

Жданов сказал, что в Прибалтике надо ситуацию решать, пока немцы заняты на западе. Говорит, что эстонцы тоже оживились, на что то надеятся (*Так в тексте. — С.К.*).

Сказал, что согласен с Ждановым. Все данные за то, что все они думают, что теперь немцы будут в Европе сила и на них рассчитывают. И друг с другом начинают вести общую линию. Проводят консультации.

Коба сказал, что будем этот вопрос обсуждать[1].

4/VI 40

Говорил с Кобой по докладной Френкеля[2]. Нафталя написал коротко и убедительно. Списки представил, буду докладывать Кобе. Хорошо представлять списки на награждение, а не на расстрел. А, к черту!

Построили много. За 7 лет больше 5000 километров путей, это не шутка. Буду просить Кобу хорошо наградить[3].

---

[1] См. комментарий после записи от 15 июня 1940 года.

[2] 4 июня 1940 года начальник Главного управления железнодорожного строительства НКВД СССР Н.А. Френкель представил наркому записку о строительстве новых железных дорог с приложением составленного по указанию наркома списков работников, «заслуживающих Правительственных наград».

[3] 20 июля 1940 года Указом Президиума Верховного Совета СССР «за успешное выполнение заданий Правительства по строительству вторых путей и новых железных дорог на Дальнем Востоке» было награждено 668 работников железнодорожного строительства. Орден Ленина получили 9 человек, Трудового Красного Знамени — 33 человека, «Знак Почёта» — 108 человек.

См. также запись от 4 января 1940 года. Берия не только умел организовать работу, но и поощрить за неё. Причём он ставил вопрос так, что награда — не только выражение признательности и заслуг, но и выражение надежды руководства на ещё лучшую работу в будущем.

Френкеля надо тоже представить[1].

Снова были разговоры по Литве. Смотрели по картам разграничение, если выходить на новую границу, надо знать куда выходить[2].

10/VI 40

Утвердили перевод Павла[3] в ГЭУ[4]. В Следственной Части он был не на месте. Оперативник слабый и следствие ведет вяло, напора нет. А в ГЭУ он будет на месте. Надежный парень, это уже смена.

15/VI 40

Коба принял окончательное решение по Литве и по Прибалтике[5]. Сказал, хочешь не хочешь, а надо советизировать. Сказал, что никто не думал, что немцы так сильны. Польшу побили, теперь Францию побили, англичан побили и сразу положение изменилось[6]. Ко-

---

[1] 20 июля 1940 года Н.А. Френкель в числе других получил орден Ленина.

[2] См. комментарий после записи от 15 июня 1940 года.

[3] Сопоставление дат и смысла записи показывает, что имеется в виду Павел Яковлевич Мешик (1910 — 23.12.53), будущий соратник Л.П. Берии по работе в НКВД СССР и затем в советском Атомном проекте. Учился в Самарском энергетическом институте, в 1932 году был переведен в органы ОГПУ и закончил образование в Высшей школе ОГПУ в 1933 году.

[4] 1 января 1939 года П.Я. Мешик приказом по НКВД был назначен помощником начальника Следственной части НКВД (её создание было одним из рациональных пунктов реформы Берии, проводимой в НКВД). 10 июня 1940 года Постановлением Политбюро ЦК ВКП(б) Мешик был утверждён в должности начальника 1-го отдела (промышленные и пищевые наркоматы) Главного экономического отдела НКВД СССР.

[5] См. комментарий ниже.

[6] К середине июня 1940 года разгром Франции и английского экспедиционного корпуса на континенте стал фактом. 4 июня завершилась эвакуация английских экспедиционных войск из-под Дюнкерка, 10 июня — из Норвегии.

12 июня Париж был объявлен «открытым городом», а 14 июня 1940 года немцы вступили в столицу Франции. Официальная капитуляция Франции была подписана 22 июня 1940 года.

гда мы им были нужны, немцы лимитрофы[1] уступили, а теперь могут их подзудить и можем Прибалтику потерять. А сейчас у нас пакты, войска там, поддержку населения мы получим хорошую, это не Финляндия.

Вячеслав (*В.М. Молотов. — С.К.*) провел большую подготовку, литовцы сдрейфили и остальные тоже. Так что все должно пройти хорошо. Это нам крепко поможет.

Мне снова много работы, особенно в Латвии и Эстонии осело много белогвардейцев и местной сволочи хватает. Оставлять нельзя, тоже надо будет переселять. Но тут надо делать аккуратно, не сразу. Тут такого сильного подполья как ОУН нет. ОУН и при поляках работало, там опыт большой. А тут националисты в правительстве сидят, они к подполью не приучены.

Так что вначале изучим, а потом решим.

Надо готовиться к приему литовской границы под охрану.

Комментарий Сергея Кремлёва.

К лету 1940 года ситуация в Прибалтике для СССР — при всём видимом нашем успехе здесь — осложнилась.

С одной стороны, со всеми тремя прибалтийскими республиками осенью 1939 года были заключены союзные пакты — договоры о взаимной помощи. На территории Литвы, Латвии и Эстонии создавались советские военные, военно-морские и военно-воздушные базы и размещались советские войска: до 25 000 человек в Эстонии, до 20 000 человек в Литве и до 25 000 человек в Латвии. То есть советское влияние в Прибалтике в конце 1939 года в считаные недели резко усилилось.

С другой стороны, уже в декабре 1939 года прошла секретная конференция прибалтийских министров иностран-

---

[1] Лимитрофы (от латинского *limitrofus* — «пограничный») — общее название государств так называемого санитарного кордона, образованного США, Англией и Францией вокруг СССР, то есть Литвы, Латвии, Эстонии, Польши и Финляндии.

ных дел, а в марте 1940 года — вторая. К 1940 году генеральные штабы армий прибалтийских государств разработали совместные оперативные планы. При этом было ясно, что военные действия против СССР прибалты могут открыть только совместно с Германией, потому что расчёт на финнов не оправдался.

Наиболее активна была Литва, имевшая с Германией общую границу. В конце февраля 1940 года в Берлин выезжал директор департамента государственной безопасности Министерства внутренних дел А. Повилайтис — эмиссар литовского диктатора Сметоны. Литовцы просили Гитлера о политической поддержке вплоть до установления над Литвой германского протектората.

Обо всём этом мы, конечно, знали.

Зато литовцы, к слову сказать, уже тогда не помнили, что по советско-литовскому пакту 1939 года СССР передал Литве город Вильно (Вильнюс) и Виленский край, который был аннексирован у Литвы Польшей в 20-е годы. А вот немцы в 1939 году отторгли (имея на то, правда, основания) у Литвы Мемель (Клайпеду) и Мемельскую область, переданную Литве англо-французской Антантой.

В ответ на просьбы Повилайтиса немцы были уклончивы и обещали подумать о поддержке Литвы осенью 1940 года — после завершения кампании на Западе. Однако зимой 1940 года сами немцы не рассчитывали на тот оглушительный и быстрый разгром Франции, который стал фактом к середине июня 1940 года. Теперь немцы могли действительно попытаться переломить прибалтийскую ситуацию в свою пользу — пока лимитрофные республики еще были юридически независимы. Формально лимитрофы могли расторгнуть пакты с СССР и одновременно «передать судьбы своих народов в руки фюрера германского народа» — как это сделал от имени чехов легитимно избранный чехами и словаками чехословацкий президент Гаха.

Вероятность такого развития событий была невелика, однако она существовала. Всё это Сталин и его «команда», включая Берию, понимали прекрасно. А прибалтийские прозападные и прогерманские круги вели себя всё более разнузданно. В Литве дошло до похищения и убийства советских военнослужащих. Буржуазные круги трёх республик шли ва-банк. Они прекрасно понимали, что для них есть один вариант спасения своих привилегий и капиталов — переход под руку Германии. А это могло произойти лишь при крайнем обострении советско-германских отношений вплоть до войны.

Провокационная политика прибалтийской элиты и огромные успехи немцев в Европе не оставляли СССР выбора. Точкой невозврата здесь стали, пожалуй, два события: вступление немцев в Париж 14 июня 1940 года и намеченная в Латвии и Эстонии на 15 июня антисоветская и прогерманская «Балтийская неделя».

14 июня нарком иностранных дел СССР В.М. Молотов направил полпредам СССР в Литве, Латвии, Эстонии и Финляндии циркуляр об отношении Советского правительства к ситуации.

Часть его приводится ниже:

> «После подписания Эстонией, Латвией и Литвой пактов взаимопомощи с СССР Балтийская Антанта, члены которой, Латвия и Эстония, были еще раньше связаны военным союзом против СССР, не только не ликвидировалась, но усилила враждебную СССР... деятельность, включив в военный союз и Литву...
>
> <...>
>
> Вообще, начиная с декабря 1939 года, Антанта развила исключительную, никогда в прошлом не наблюдавшуюся активность, причем во всех возможных направлениях — военном, политическом, экономическом, культурном, печати, туризма и пр. Все эти мероприятия, как в крупных, так и второстепенных областях, носили и носят на деле антисоветский характер.
>
> В Балтийской Антанте за последние месяцы усилились секретно от СССР согласованные меры военного характера... Эстония назначила военного атташе в Литву, а Литва в Эстонию. В ноябре —декабре 1939 года состоялись встречные поездки начштабов Литвы и Латвии... С февраля 1940 года в Таллине стал выходить печатный орган Балтийской Антанты — «Ревью Балтик» на английском, французском и немецком языках...» и т.д.

А на 15 июня прибалтийские власти наметили проведение «Балтийской недели» с явной антисоветской направленностью. Полиция начала аресты лояльных к СССР граждан.

Накануне, 14 июня 1940 года, Молотов беседовал с министром иностранных дел Литвы Урбшисом. Нынешним обитателям официального Кремля не мешало бы прочесть запись этой беседы, да и остальным их согражданам тоже — это хороший документ по русской геополитике. Молотов потребовал от Урбшиса создания нового, дружественного СССР литовского правительства. «Гордый» прибалт юлил как ошпаренный и на всё соглашался.

Та же линия была занята в отношении остальных двух лимитрофов.

15 июня 1940 года на советские требования согласилась Литва.

16 июня — Латвия.

17 июня — Эстония.

И «процесс пошёл».

Для контроля над выполнением новых обязательств прибалтийских правительств в Литву выехал заместитель Молотова Владимир Деканозов, в Латвию — заместитель Молотова Андрей Вышинский, а в Эстонию — секретарь ЦК ВКП(б) Андрей Жданов. В Вильнюсе, Риге и Таллине начался советский вариант «балтийской недели»: демонстрации трудящихся с требованием отставки буржуазных правительств.

Сразу же за демонстрациями последовали отставки старых «правительств» и формирование новых.

17 июня 1940 года в Литве было создано согласованное с Деканозовым правительство во главе с Ю. Палецкисом.

20 июня 1940 года в Латвии было создано согласованное с Вышинским правительство во главе с профессором А. Кирхенштейном.

21 июня 1940 года в Эстонии было создано согласованное с Ждановым правительство во главе с поэтом И. Варесом.

14 и 15 июля 1940 года прошли выборы в Народные Сеймы Литвы и Латвии и Государственную думу Эстонии.

21 июля вновь избранные прибалтийские парламенты провозгласили Советскую власть и обратились в Верховный Совет СССР с просьбой о принятии трёх республик в состав СССР.

На проходившей с 3 по 6 августа 1940 года седьмой сессии Верховного Совета СССР в Союз ССР были приняты Литовская, Латвийская и Эстонская ССР.

К слову, эта история может в принципе и повториться — если нынешняя РФ решит вновь провозгласить Советскую власть. А там — лиха беда начало.

Восстановление Советской власти в Прибалтике сразу разрядило возможную напряжённость. Конечно, Берлин радости по этому поводу не испытал. Но соблазн исчез, а это означало, что исчезла и возможность конфликта уже в 1940 году.

22/VI 40

Доложил Кобе, что границу заняли[1]. Все проходит спокойно. А там видно будет.

29/VI 40

Вчера у Кобы обсудили на Политбюро дела по Прибалтике. Доволен, говорит, теперь дело за новыми выборами и принимаем их в Союз.

---

[1] 22 июня 1940 года граница Литвы с Германией была принята под охрану пограничных войск НКВД СССР. Во временной инструкции по охране новой границы от 22 июня 1940 г., подписанной Начальником пограничных войск НКВД СССР генерал-лейтенантом Соколовым и Начальником Политуправления пограничных войск НКВД СССР дивизионным комиссаром Мироненко, говорилось:

«...Организовать надежную оборону подразделений и штабов. Составить планы обороны и отработать их с личным составом...

Обеспечить высокую боевую и политическую подготовку пограничников и быть готовыми к отражению возможного внезапного нападения фашистской Германии...»

Последняя фраза доказывает, между прочим, что Л.П. Берия ориентировал подчинённые *ему* (то есть пограничные) войска на возможное внезапное нападение Германии уже *за год* до войны.

Сказал, товарищ Берия, надо проработать с товарищем Молотовым то, что вас касается совместно.

С Бессарабией тоже прошло как по нотам[1]. Но работы прибавляется[2].

10/VII 40

Коба постоянно совещается с военными. Ясно, что в этом году войны не будет, но это ничего не значит, время можно считать уже военное. В Москве очереди, ничего не помогает, много спекулянтов. Надо передавать дела в Особое Совещание и выслать или в лагеря.

Клим вроде как не у дел, жаловался, что мало работы[3]. Но Коба обещает дать ему участок. Экономику он уже не потянет, ему теперь больше поработать как инспектору или агитатору. Народ его любит, он там подбодрит, там поругает, а будет польза. Но то уже дело Кобы.

Считаю, что сейчас дела у нас наладились. Нарко-

---

[1] 26 июня 1940 года Советский Союз направил Румынии ноту с требованием возвращения Бессарабии и передачи СССР Северной Буковины. 27 июня Румыния ответила согласием, а 28 июня советские войска начали вступление на территорию Бессарабии и Северной Буковины.

[2] В июне—августе 1940 года наркому НКВД СССР Л.П. Берии, центральному аппарату НКВД СССР и органам НКВД УССР и БССР пришлось много заниматься как уже старыми проблемами, связанными с присоединением Западной Украины и Западной Белоруссии, так и новыми проблемами, связанными с образованием трёх прибалтийских советских республик, а также возвратом в СССР Бессарабии и присоединением Северной Буковины.

Образовались встречные потоки — кто-то переселялся из СССР в Румынию, кто-то — из Румынии в СССР. При этом доходило даже до стрельбы на границе. Необходимо было организовать контрольно-пропускные пункты, обеспечить оперативно-чекистские мероприятия и чекистское сопровождение переселенческих процессов, надо было обеспечивать неизбежную «зачистку» новых территорий, создавать там инфраструктуры НКВД республик, а помимо этого, усиливать борьбу с националистическим подпольем, особенно в Западной Украине.

Отдельной проблемой была массовая репатриация немцев из Прибалтики в Германию.

[3] 5 мая 1940 года К.Е. Ворошилов был освобождён от поста наркома обороны СССР и назначен заместителем Председателя СНК СССР.

мат работает устойчиво, люди подобраны. По всем линиям если есть недоработки, от них никуда не денешься. Они всегда будут, лишь бы не тонуть.

Что главное лично для меня. Надо постоянно следить за немцами и ориентировать людей. Надо знать, будут немцы воевать или нет. Надо усиливать пограничную разведку и регулярно давать сводки Кобе, Вячеславу, Тимошенко[1], в Генеральный штаб и отдельно в Разведупр, для перекрестного анализа. Ненадёжная контора, но получается надо взаимодействовать.

Второе надо знать, договорятся немцы с англичанами или нет. Бывший король сидит в Мадриде[2] и ведет шуры муры с Гитлером. Может от нечего делать, а может через него идет зондаж. А может просто отвлекают нас, а действительные каналы другие. Надо вскрывать через тех, что есть и через Америку. Они все равно все согласовывают с Америкой, так что там информации много. Надо ориентировать Фитина.

17/VII 40

Мильштейн[3] подготовил сводку по Германии по данным закордонной агентуры. Немцы собираются строить укрепления вдоль всей нашей границы от Мемеля через Польшу до Словакии. Вроде будут мощнее линии Зигфрида. Получается, что немцы на войну с нами не пойдут, а отгородятся. Они от нас. Мы от

_____

[1] Тимошенко Семён Константинович (1895—1970), Маршал Советского Союза, с 5 мая 1941 года нарком обороны СССР.

[2] Бывший король Эдуард VIII, отрекшийся от престола в связи с женитьбой на дважды разведённой американке Симпсон, находился в это время не в Мадриде, а в Лиссабоне.

[3] Мильштейн Соломон Рафаилович (1899—1955), один из руководителей органов государственной безопасности и близкий сотрудник Л.П. Берии ещё по ГПУ Грузии и затем по ЦК КП(б) Грузии. В 1940 году начальник Главного транспортного управления НКВД СССР, с марта 1941 года — заместитель наркома лесной промышленности СССР, с началом войны — вновь в органах НКВД.

См. также комментарий к записи от 10 апреля 1941 года.

них. Так можно дружить. Но надо разобраться лучше. Пока одни данные противоречат другим. Может быть дезинформация. Больше всего у меня доверия пограничникам. Оттуда пока тоже идет разное.

Надо подумать о новом Наградном Звании и Знаке. ВЧК и ГПУ давно нет, а мы награждаем от их имени. Глупость, надо исправить[1].

21/VII 40

Вчера был разговор с Кобой. Сказал, что у него были Шахурин[2] и Яковлев[3], он интересовался, как идут дела у Петлякова[4] и Мясищева[5]. Нарком и зам оба их похвалили.

Потом спрашивает: «А как вы товарищ Берия считаете»? Я сказал, что согласен. Он спрашивает, а как

---

[1] Звание почётного чекиста было впервые учреждено в 1922 году. Затем появилось звание «Почётный работник ВЧК—ГПУ». Однако в 1934 году ОГПУ СССР было преобразовано в НКВД СССР, и теперь награждение чекистов очень ценимым ими почётным знаком происходило от лица уже несуществующего государственного органа. Этот анахронизм существовал в НКВД до прихода в него Л.П. Берии. У него до изменения положения руки тоже дошли не сразу, а оно и понятно. Но к осени 1940 года ситуация внутри наркомата обрела уже устойчивый кадровый характер, и Берия, как видим, решил наградную несуразность исправить.
См. также запись от 31 октября 1940 года и примечание к ней.

[2] Шахурин Алексей Иванович (1904—1975), в 1940—1945 годах нарком авиационной промышленности СССР, Герой Социалистического Труда (1941).

[3] Яковлев Александр Сергеевич (1906—1989), знаменитый авиаконструктор, шестикратный лауреат Сталинской премии (1941, 1942, 1943, 1946, 1947, 1948), дважды Герой Социалистического Труда (1940, 1957), в 1940—1946 гг. одновременно с руководством своим КБ занимал пост заместителя наркома авиационной промышленности СССР.

[4] Петляков Владимир Михайлович (1891—1942), советский авиаконструктор, работал в КБ Туполева. Главный конструктор выдающихся самолётов Пе-2 и Пе-8, лауреат Сталинской премии, дважды кавалер ордена Ленина. Погиб в 1942 году в авиакатастрофе. Арестовывался по «делу Туполева».

[5] Мясищев Владимир Михайлович (1902—1978), советский авиаконструктор, работал в КБ Туполева, затем руководил самостоятельным КБ, разработчик ряда выдающихся поршневых и реактивных самолётов, с 1956 года Генеральный конструктор МАП. Арестовывался по «делу Туполева».

мы их можем поощрить? Я говорю, освободить можно. Пусть спокойно работают.

Коба говорит, только осудили и уже освобождать[1]. Я говорю, а что, они возражать не будут.

Сказал, хорошо, готовьте представление, и проект Постановления. Снимем судимость. Пусть работают. Они еще много хорошего сделают.

24/VII 40

Образован Комитет Обороны[2]. Клим председатель, я как член. Заместитель Вознесенский[3]. Вроде все правильно, Вознесенский главный плановик, так что он получается от Промышленности. Но как он будет работать. Тут дело пойдет если мы все будем в одной упряжке. А Вознесенский нос дерет, только он умный. А раз умный, организуй. Клим нас вместе сбить не сможет. Дипломат.

Посмотрим[4].

26/VII 40

Товарищ Сталин поставил срочную задачу. К осени надо обеспечить Правительственной ВЧ-связью все авиационные заводы. Только что от него, сидели два часа один на один, потом пришел Шахурин[5], все

---

[1] См. комментарий к записи от 26 июля 1940 года.

[2] 24 июля 1940 года был образован Комитет обороны в составе: «тт. Ворошилов (председатель), Вознесенский (зам. пред.), Сталин, Тимошенко, Берия, Каганович Л.М., Кузнецов, Шапошников». Эффективным органом не стал.

[3] В о з н е с е н с к и й Н и к о л а й А л е к с е е в и ч (1903—1950), в 1940 году Председатель Госплана СССР и заместитель председателя Совета народных комиссаров СССР. Образование получил в Коммунистическом университете им. Я.М. Свердлова (1926) и в бухаринском Институте красной профессуры (1931). В промежутке между двумя образованиями — партийный аппаратчик в Донбассе. Затем — в плановых органах.

См. также послесловие публикатора.

[4] Сомнения Л.П. Берии оказались обоснованными. Эффективным рабочим органом Совет обороны не стал.

[5] Нарком авиационной промышленности СССР.

обговорили вместе. Строительство если надо за Шахуриным и он обещал крепко помочь. Я сказал «При товарище Сталине обещаешь, смотри».

Клянется. Рад что будет иметь такую связь со всеми заводами на местах.

Коба говорит «Цени, товарищ Шахурин. Мы еще не провели правительственную связь в Уфу и Казань. Обкомы просят, а мы пока отказываем. А на твои заводы в Уфе и Казани связь будет к осени. Будут отдельные станции»

Я говорю Шахурину: «Еще и с засекречиванием, сможешь говорить открыто». Даже не верит.

Поговорил с Ильинским[1], качает головой. Работы много. Шесть московских заводов и в ЦАГИ, это чепуха, сделаем быстро. Ленинград тоже сделаем быстро. А по Горькому, Саратову, Новосибирску, Иркутску и Воронежу — тяжело. А надо.

Коба говорит, это только начало. Нам надо иметь секретные нитки на все крупные заводы. И с шифровкой. Я говорю, уже половина линий имеет шифраторы, товарищ Сталин. И мы еще нажмем. Говорит: «Нажимайте»[2].

Мы много говорили. Спрашивает, как с вредительством в авиационной промышленности? Говорю, серьезных материалов нет. Тут мы почистили хорошо. Спрашивает, как Туполев[3]. Говорю, хорошо работает,

---

[1] И л ь и н с к и й М и х а и л И л ь и ч (1910—1941), специалист в области разработки, установки и засекречивания магистралей правительственной ВЧ-связи, в 1940 году начальник 8-го отделения высокочастотной (ВЧ) правительственной связи 2-го Спецотдела (оперативной техники) НКВД СССР, со 2 октября 1941 года — первый начальник Отдела правительственной связи НКВД СССР, погиб в 1941 году.

[2] См. комментарий ниже.

[3] Т у п о л е в А н д р е й Н и к о л а е в и ч (1888—1972), знаменитый советский авиаконструктор, генерал-полковник-инженер, академик (1953), трижды Герой Социалистического Труда (1945, 1957, 1972), четырежды лауреат Сталинской премии (1943, 1948, 1949, 1953).

тюрьма на пользу пошла. Был вредителем, стал руководителем[1].

Коба говорит, ну пусть еще исправляется. Вот Петляков[2] и Мясищев[3] работают как звери. Туполев их втянул, а так они честные люди[4].

Комментарий Сергея Кремлёва.

К этой записи необходим комментарий по двум темам.

Первая — роль Берии во внедрении в государственную жизнь СССР междугородной высокочастотной (ВЧ) правительственной связи, надёжно защищённой от подслушивания и перехвата. Официально этот вид связи ведёт своё начало с 1 июня 1931 года, когда в ОГПУ СССР было создано соответствующее подразделение, однако первая ВЧ-линия Москва — Харьков была организована уже в 1930 году.

Однако лишь с приходом в НКВД Л.П. Берии началось бурное развитие и внедрение ВЧ-связи. Безусловно, его приход совпал по времени с рядом серьёзных технических достижений в этой сфере, но именно энергия Берии и его умение понять потенциал ВЧ-связи дали ей новый импульс развития. Сразу же после назначения наркомом он распорядился провести тщательную проверку положения дел, и уже зимой 1939 года В.Н. Меркулов представил ему докладную записку, где отмечалось, что «ввиду бессистемной организации имеет место распыление технических сил, нерациональное использование материалов» и т.д. Бессистемность и Берия были вещами несовместными, и поэтому к концу 1939 года количество ВЧ-станций возросло до 78, а число абонентов увеличилось в полтора раза и составило 430 номеров. К июлю 1940 года имелось уже 103 линии связи, к 1 апреля 1941 года — 116 ВЧ-станций и 729 абонентов.

---

[1] См. комментарий ниже.

[2] В.М. Петляков. См. также примечание 3 к записи за 21 июля 1940 года и ниже приводимый комментарий.

[3] В.М. Мясищев. См. также примечание 4 к записи за 21 июля 1940 года и ниже приводимый комментарий.

[4] См. комментарий ниже.

Без сапог ходят только глупые и ленивые сапожники, а Берия ни глуп, ни ленив не был. Поэтому правительственная ВЧ-связь НКВД СССР широко обслуживала также сам НКВД СССР.

Берия периодически возвращался к теме ВЧ-связи и уделял ей постоянное внимание и во время войны. А те принципы подхода к организации закрытых линий связи, которые внедрил Л.П. Берия, не сданы в архив по сей день.

Что касается авиационной темы, затронутой и в записи от 21 июля 1940 года, то тут надо кратко сказать следующее.

21 октября 1937 года был арестован главный инженер и заместитель начальника Главного управления авиационной промышленности Наркомата тяжёлой промышленности СССР Андрей Николаевич Туполев.

Я не буду вдаваться в долгие разъяснения, а просто скажу, что Туполев был как минимум скрытым антисоветчиком, а как максимум — сознательным вредителем. Будучи главной фигурой в советском авиастроении, он к осени 1937 года завёл его фактически в тупик. Вывели нашу авиацию из тупика огромные усилия Сталина, Политбюро, работников Наркомавиапрома и... группы молодых конструкторов, прежде всего Ильюшина, Яковлева, Микояна, Гуревича, Лавочкина, Сухого и Ермолаева...

Кроме того, надо упомянуть Петлякова и Мясищева — двух бывших помощников Туполева, получивших после ареста Туполева самостоятельные КБ, но тоже — в условиях заключения, как и Туполев.

Дело в том, что оба были арестованы по делу Туполева (Петляков — 27 октября 1937 года, а Мясищев — 12 января 1938 года).

Сегодня «продвинутые» «историки» утверждают, что Берия помещал их в узилище, чтобы они лучше работали. Глупо, конечно! Тех же Ильюшина, Яковлева, Микояна, Гуревича, Лавочкина, Сухого, Ермолаева, Поликарпова, заместителя Туполева — Архангельского, моторостроителей Микулина, Швецова, Климова никто никуда не сажал, а они работали блестяще. К тому же «туполевцев» помещал в узилище

Ежов, и уже в 1938 году, ещё при Ежове, они работали над новыми конструкциями, хотя и в заключении. Берия сохранил это положение дел, потому что Туполев и его коллеги были виновны. Весной 1940 года они были осуждены, продолжая работать в заключении, но пользуясь достаточно большой свободой (иначе и быть не могло).

Петляков и Мясищев 29 мая 1940 года были осуждены на 10 лет каждый, а уже 25 июля 1940 года их освободили. Как видим — при содействии Л.П. Берии, который все более активно втягивался в авиационную проблематику. Впрочем, он имел отношение к ней ещё в бытность в Грузии, потому что в Тбилиси был дислоцирован, не без хлопот Лаврентия Павловича, серийный авиационный завод.

1/VIII 40

Информация Мильштейна[1] перекрывается донесениями Погранвойск. Немцы строят по границе огневые точки, отрывают окопы и противотанковые рвы, ставят проволоку. В Белорусии (*Так в тексте. — С.К.*) ставят ДОТы, в Украине (*Так в тексте. — С.К.*) возводят бетонированные сооружения на глубине 40 км от границы в районе Ярослава (напротив Львова). Буду докладывать Кобе.

6/VIII 40

На Дальнем Востоке почти постоянно провокации. На море тоже. Задерживаем японские шхуны в наших территориальных водах. В трехмильную зону заходят японские эсминцы типа «Камикадзе». Тоже провоцируют и мешают нашим рыбакам. Масленников[2] докладывает, за неделю августа убытки Озерновского рыбного комбината на Камчатке составили больше миллиона рублей. Надо докладывать Кобе. Сказал Масленникову, пусть готовит Обобщенную Сводку для Кобы и Политбюро.

---

[1] См. запись от 17 июля 1940 года и примечание 1 к ней.

[2] Заместитель наркома НКВД СССР по войскам, генерал-лейтенант.

12/VIII 40

Идет перекрестная информация с границы и от закордонной агентуры, что немцы готовят войну с нами. На восточной границе имеется до 40 дивизий. Это немного, но войска прибывают. Есть сведения, в район станции Тересполь ожидается прибытие 18 дивизий. Это вряд ли, в один район такая масса войск не войдет. Все равно надо взять на контроль.

Мы такое строительство развернули, положение в стране улучшается, а тут получается надо воевать. Не хотелось бы. Коба говорит, что эпоха войн неизбежна. Не знаю, с немцами можно не воевать. У них там не социализм, но чистого капитализма тоже нет. Государственный капитализм. И для народа делается много. По данным агентуры внутреннее положение в Германии не очень прочное. Сообщают, что если война с Англией затянется, может произойти революционный под'ем. Это вряд ли.

В германской части Польши немцы берут украинцев в армию, создают хорошие условия и настроения самые националистические. Говорят, что пойдут с великим рейхом освобождать Украину от Советов. А концентрация войск продолжается.

Думаю, в этом году они уже не пойдут в любом случае. Развернутых войск мало, дело к осени, а в дождь они не полезут. А на следующий год?

В Восточной Пруссии наблюдается оживленное движение войск. Зачем? Может они шебаршатся для вида? Мальчик кричал: «Волки, волки». Шутил. А когда волки пришли, к нему никто не прибежал. Думали шутит. Может и они так. То активизируют то затихают, а мы не поймем что к чему.

16/VIII 40

Коба вызвал меня и Вячеслава (*В.М. Молотова. — С.К.*). Показал статью в «Правду» о Троцком[1]. Начи-

---

[1] Это единственное упоминание в дневнике об операции НКВД по ликвидации Троцкого.

нается: «Телеграф принёс известие о смерти Троцкого». Смотрит на меня. Я говорю: «Все правильно. По сообщениям на него покушался его близкий последователь. Не помню имени[1], трудное[2]». Он говорит: «Ну, правильно. Иуде иудина смерть»[3].

Комментарий Сергея Кремлёва.

Как правило, Л.П. Берия вёл записи в дневнике весьма откровенно, однако показательно то, что, если бы произошло непредставимое, и фотокопия его дневника оказалась бы у потенциального противника, много ценной конкретной информации из дневника Берии тот не извлёк бы.

Похоже, здесь срабатывал профессиональный инстинкт — конкретные сведения (имена и псевдонимы закордонных агентов и резидентов, методы ведения разведки, планы конкретных операций, их результаты и т.п.) лучше всего держать в голове и не доверять бумаге, а если уж доверять, то — только хранящейся в служебном сейфе под многослойной охраной.

Как видим, даже в личном дневнике, даже наедине с ним, Берия ни словом не обмолвился о причастности руководства СССР к ликвидации Троцкого.

_____

[1] В статье в «Правде» упоминалось имя покушавшегося — Жак Мортан Ванденрайш.

[2] Любопытно, что второе имя «Ванденрайша» (Ванденрайна) — Мортан, является почти точной анаграммой подлинного имени советского агента, Героя Советского Союза Рамона Меркадера (1913—1978), который смертельно ранил Троцкого. Подлинная фамилия Меркадера фонетически также несколько схожа с обоими его псевдонимами прикрытия — Ванденрайн и Морнар (под последним он был вхож в дом Троцкого).

[3] Операция проводилась под руководством Л.П. Берии и П.А. Судоплатова. Непосредственным разработчиком и руководителем операции был соратник и сверстник Берии легендарный Наум Исаакович Эйтингон (1899—1981), генерал-майор. После ареста Берии он был арестован и провёл в тюрьме 12 лет.

Рамон Меркадер провёл в тюрьме 20 лет, приговорённый к заключению на этот срок мексиканским судом. Он отбыл срок полностью, 6 мая 1960 года был освобождён и через Кубу переправлен в СССР. В середине 70-х годов переехал на Кубу, где и умер. Похоронен на московском Кунцевском кладбище.

Точно так же, как в этом убедится читатель по мере дальнейшего знакомства с дневником, Берия ничего не пишет, например, об эффектных фигурах типа актрисы Ольги Чеховой или польского князя Радзивилла. Эти, и им подобные, то ли действительные, то ли — мифические агенты советской разведки густо заселяют мемуары бывших сотрудников советских спецслужб. Однако Берия не вспоминает о той же Чеховой ни разу, как ни разу не упоминает в дневнике и крупные радиоигры советской разведки с абвером во время войны — операции «Монастырь», «Бородино», и т.д. и т.п.

Бывший подчинённый и соратник Л.П. Берии генерал Павел Судоплатов в предисловии к своей книге «Разведка и Кремль», изданной в 1996 году ТОО «Гея», заявил:

> «Соблюдая военную присягу, я молчал, пока существовал Советский Союз. Когда деятельность советской разведки и ряд аспектов внешней политики СССР перестали быть секретными после известных событий 1991 года (*Это П.Я. Судоплатов так деликатно определяет буржуазную контрреволюцию Горбачёва—Ельцина—ЦРУ. — С.К.*) и все то, чему я верно служил, перестало существовать (*Ну-ну. — С.К.*), я не мог и не имел права (*Вот как? — С.К.*) дальше молчать. К сожалению, у меня не было иного выхода, как издать воспоминания первоначально на Западе, так как отечественные издатели намерены были их опубликовать только после консультации в (компетентных инстанциях...»

Но, простите, а как же иначе? Ведь Судоплатов и множество других бывших чекистов за последние два десятилетия вывалили на обозрение публики столько сведений о работе советских спецслужб, что можно лишь удивляться тому, почему они относили свои труды в издательства — за весьма скромные гонорары.

Думаю, они получили бы гораздо больше, если бы предложили вначале аннотации своих мемуаров, а затем — и полные рукописи той или иной западной спецслужбе. Их бы там оторвали с руками и ногами! Потому что очень уж информативной и ценной для практических целей вражеских спецслужб оказалась коллективная сдача многих тайн советской разведки (и, не забудем — также контрразведки!) её бывшими руководителями и сотрудниками.

Они, видите ли, молчали, «соблюдая военную присягу» до 1991 года. Они, оказывается, повторяли «Служу Советскому Союзу!» не по убеждению, а по служебному долгу. Предатели предали Советский Союз, и теперь служить ему для Судоплатова и прочих, сохраняя тайны Советского Союза, стало уже не обязательно.

Ну-ну...

А ведь по сей день находится немало людей, которые служили, сегодня служат и **будут** служить СОВЕТСКОМУ СОЮЗУ! Прошлому, настоящему и будущему!

Тому Советскому Союзу, которому верой и правдой всю жизнь служил Берия.

23/VIII 40

Просидел час у Кобы с Шолоховым. Коба срочно вызвал, сказал, что есть срочный разговор. Может ему и показалось, но надо расследовать[1]. Срочно поручаю Абакумову[2].

Потом остались одни, Коба спрашивает, как немцы. Говорю, данные противоречивые. Вроде окапываются, а вроде и готовят удар. Пока выясняем. Самолеты залетают, это уже стало нормой.

Спрашивает: «Далеко залетают?» Гворю (*Так в тексте. — С.К.*): «Да не очень». Он говорит: «Следите».

---

[1] Суть беседы установить не удалось. 23 августа 1940 года с 22.40 до 24.00 Сталин беседовал с Шолоховым в присутствии Молотова и, с 23.00 — также Берии. В 0.10 Берия ушёл, а в кабинет зашёл Микоян. В 1.30 24 августа Берия вновь зашёл в кабинет Сталина, откуда вышел в 2.15 вместе с Молотовым и Микояном.

[2] А б а к у м о в   В и к т о р   С е м ё н о в и ч (1908—1954), один из руководителей органов госбезопасности, генерал-полковник. С 5 декабря 1938 по 25 февраля 1941 г. — начальник УНКВД по Ростовской области. Впоследствии — заместитель наркома НКВД СССР, начальник ГУКР «Смерш» наркомата обороны СССР, министр ГБ СССР. 12 июля 1951 г. арестован, 19 декабря 1954 г. осуждён Военной коллегией Верховного суда СССР к расстрелу и в тот же день расстрелян.

30/VIII 40

Новые территории это хорошо. Но надо крепко чистить. Теперь по всем Наркоматам новые хлопоты. Только у одних приятные, а у Наркомвнудельцев приятных не бывает. Раз хлопоты, значит новая х...йня на шею. Надо чистить республики. Тут опыт есть, но возни много. Хорошо то, что Прибалтика неплохо агентурно разработана.

Надо крепко охранять новую Границу[1]. Много нарушений и больше серьезные. Не контрабанда и не в гости, а разведка. Как всегда много возни с ОУН. Работают и сами, и на немцев. Тяжело, местную обстановку они знают не хуже нас и даже лучше.

14/IX-40

Коба поручил непростое дело. Надо крепко подумать. Знаем только Вячеслав и Андрей. Я считаю, что это сделать надо. Андрей тоже. Коба колеблется, Вячеслав его отговаривает[2].

Комментарий Сергея Кремлёва.

Смысл этой записи достоверно расшифровать не удалось. Однако ниже я привожу некоторые точные исторические сведения, анализ которых позволяет высказать обоснованные предположения относительно того, что имелось в виду в записи в дневнике Л.П. Берии от 14 сентября 1940 года.

10 сентября 1940 года Сталин не принимал никого, но в самом начале суток — в десять минут первого ночи, он вызвал к себе трёх: в 0.10 появился Жданов, в 0.15 — Берия и в 0.20 — Молотов. Они были у Сталина до часа ночи, и затем весь день 11 сентября приёма у Сталина не было.

Лишь вечером 11 сентября 1940 года Сталин провёл ряд

---

[1] За короткий срок был образован Прибалтийский пограничный округ и 28 пограничных отрядов.

[2] См. комментарий ниже.

совещаний, в которых принимали участие также Молотов, Жданов и Берия. Но это были обычные текущие дела: строительство гидросооружений, металлургия, проблемы Закавказья и т.п.

12 сентября 1940 года Сталин вновь не принимал никого, и лишь в самом конце суток — в 23.35 — вызвал к себе вновь Жданова, Молотова и Берию, которые пробыли в кабинете всего 25 минут, после чего все трое ушли от Сталина ровно в 24.00.

13 сентября 1940 года Сталин не принимал никого. А 14 сентября (день, в который Берия сделал запись в дневнике) Сталин вначале пригласил к себе Жданова (пришёл в 19.50) и Молотова (пришёл в 20.00). С 20.30 до 21.40 в кабинете был Большаков, председатель Комитета по кинематографии при СНК СССР, а в 22.10 к Сталину, Молотову и Жданову присоединился Берия. Через 50 минут, в 23.00, Молотов, Жданов и Берия все вместе ушли.

15 сентября 1940 года Сталин в своём кабинете не принимал никого. Возможно, он в этот день (а также 13 сентября) вообще отсутствовал в Кремле. Но уже 16 сентября 1940 года Сталин вновь провёл ряд текущих совещаний, в том числе по работе Наркомата авиапромышленности, и жизнь потекла вроде бы как обычно.

Однако 21 сентября 1940 года Сталин провёл лишь одно совещание — с 18.55 до 20.00 у него были Молотов, Берия и два заместителя Молотова по НКИД — Вышинский и Деканозов (будущий посол СССР в Германии до 22 июня 1941 года).

Так вот, анализ всей этой хронологии позволяет предположить, что Сталин тогда очень серьёзно обдумывал все плюсы и минусы его возможной встречи с германским рейхсканцлером Гитлером и обсуждал этот вопрос в предельно узком кругу: его ближайший соратник Молотов, широко мыслящий идеолог Жданов и шеф НКВД Берия как неизбежный член компании.

Возможно, что в те дни, когда Сталин не вёл приёма в Кремле, он размышлял над проблемой в Кунцево. Возможно — вместе с Ждановым и Молотовым. Берию Сталин в этот узкий внешнеполитический «мозговой центр», конечно, не включал, считая его мощным управленцем, но не дипломатом и идеологом.

Достоверно известно, что Гитлер добивался встречи со Сталиным. Так, 28 марта 1940 года, то есть ещё до майского наступления вермахта на Западе, министр иностранных дел рейха фон Риббентроп подписал шифртелеграмму № 543 германскому послу в Москве фон Шуленбургу, где, кроме прочего, говорилось:

> «...я не расстался с мыслью о визите господина Молотова. Наоборот, мне хотелось бы сделать это уже в ближайшее время...Понятно без слов, что приглашение не ограничивается одним Молотовым. Если в Берлин приедет сам Сталин, это еще лучше послужит нашим собственным целям, а также нашим действительно близким отношениям с Россией. Фюрер, в частности, не только будет рад приветствовать Сталина в Берлине, но и проследит, чтобы он был принят в соответствии с его положением и значением, и фюрер окажет ему все почести, соответствующие данному случаю».

Итак, Гитлер был готов к личной встрече со Сталиным! Но был ли готов к ней Сталин? В шифровке Риббентропа об этом было сказано так:

> «Как Вы знаете, устное приглашение как Молотову, так и Сталину, было сделано мною в Москве и обоими было в принципе принято. В какой форме следует теперь повторить эти приглашения, решайте теперь сами...
> Приглашение господину Молотову выскажите более определенно, а приглашение господину Сталину сделайте от имени фюрера в менее определенных выражениях... Мы, конечно, должны избежать открытого отказа Сталина...»

30 марта 1940 года Шуленбург направил в Берлин ответную шифровку № 599, где докладывал:

> «Лично я твердо уверен, ... что Молотов, сознающий свою обязанность, посетит Берлин, как только время и обстоятельства покажутся советскому правительству благоприятными. После внимательного

изучения всех известных мне факторов я не могу, однако, скрывать, что считаю в настоящее время шансы на принятие приглашения ничтожными...»

Далее посол сообщал, что в ведущейся войне Германии с Западом Советский Союз полон решимости придерживаться нейтралитета и склонен избегать всего, что может вовлечь его в конфликт с западными державами. Шуленбург предупреждал Берлин:

«Советское правительство, вероятно, боится, что демонстрация существующих между Советским Союзом и Германией отношений, такая, как визит Молотова или самого Сталина в Берлин, может таить в себе риск разрыва дипломатических отношений или даже начала военных действий с западными державами».

Однако так было до разгрома Франции. А к осени 1940 года, в новой обстановке, Сталин мог серьёзно задуматься о возможности коренного разворота в сторону Германии. А также о том, стоит ли закреплять его личным визитом в Берлин.

Во всяком случае, есть основания предполагать, что выше приведённая реконструкция событий середины сентября 1940 года не так уж и не верна.

К сожалению, Сталин не решился на коренной разворот, и 17 октября 1940 года инициативу проявил Берлин. В этот день Шуленбург передал Молотову официальное приглашение прибыть в Берлин с визитом.

21 октября 1941 года Сталин ответил Риббентропу согласием на визит Молотова.

15/IX-40

Амаяк[1] передает из Берлина интересные обзоры. Очень полезно, я их полностью передаю Кобе и он их

---

[1] Кобулов Амаяк Захарович (1906 — 26.02.1955), один из руководителей органов госбезопасности, младший соратник Берии. В 1939 году был направлен в Берлин резидентом разведки под прикрытием поста 1-го советника полпредства СССР. Его дневниковые обзоры были весьма информативны с точки зрения описания атмосферы в Берлине. Считается, что он лишь дезинформировал руководство СССР, не заметив приближающейся войны, однако это далеко не так, а просчёты Кобулова как резидента во многом объяснялись причинами, от него не зависевшими. В 1953 году А. Кобулов, как и его родной брат Б. Кобулов, был арестован по «делу Берии». Расстрелян в 1955 году.

тоже читает. Вот тоже человек из новой смены. Очень вырос.

Прислал отчет о беседе с профессором Нидермаером (*Точно: Оскар фон Нидермайер. — С.К.*)[1]. Очень интересно. Этого профессора мы хорошо знаем. Сотрудник генерала Секта и долго жил у нас. Справлялся о Радеке и Гиршфельде[2]. Сейчас он профессор Берлинского университета по военным делам и полковник для особых поручений при начальнике штаба верховного командования Кейтеле. Говорит, что сторонник советско-германского сближения.

Самое важное.

Нидермаер хвалился, что немцы до войны разведали в Англии все цели и бомбят точно, а англичане не знают расположения важных военных об'ектов и 50% бомб падает на невоенные об'екты. Вывод: они ведут такую разведку и у нас, надо усилить оперативно-чекистское обслуживание по всем об'ектам доступным для бомбежки.

Считает, что будущее за Америкой — это одна часть, Германией и СССР — это вторая часть. Придет время их столкновения.

Остерегал нас от угрозы бомбежек Баку англичанами. Говорит, что хватит десятка бомб. Ну это мы и сами знаем. Но надо учесть тоже.

Говорит, что национал-социализм враг буржуазии и друг рабочих. А бюргер их мало трогает.

Интересно.

---

[1] Нидермайер Оскар барон фон (1885—1948), немецкий разведчик и геополитик, в 1924—1930 годах был одним из тех германских военных, которые непосредственно организовывали сотрудничество рейхсвера и РККА, находясь в СССР.

[2] Гиршфельд А. В. (1897—?), генеральный консул СССР к Кёнигсберге (1935—1938) и Гамбурге (1938), в 1938—1944 гг. старший научный сотрудник Института истории АН СССР.

25/IX-40

Начинаем работу по железной дороге Коноша — Котлас для соединения Горьковской и Северной железных дорог. Надо построить за год. Работы много, почти 400 км. Надо сказать Френкелю[1], чтобы крепко нажал на внедрение премиальной системы и усиленного питания рекордистам, отличникам и ударникам.

На украинском участке границы доходит до прямых боестолкновений с бандами националистов. Идут в Германию, из Германии. Руководители подполья получили приказ переходить в Германию и следовать в Берлин.

В ночное время усиленное передвижение воинских эшелонов. Что-то они шебуршат. Говорил с Тимошенко[2], он согласен, что это не может быть передислокацией перед нападением. В этом году уже поздно и у них в Польше мало войск.

5/X-40

Коба совещается с военными по планам военного строительства. Гладко было на бумаге. Очень они отгораживаются, хорошего взаимодействия нет. Говорил с Масленниковым[3] и Соколовым[4]. Они докладывают, что на местах у пограничников взаимодействие с командованием приграничных частей есть. А уже в Округах не очень. Военные смотрят на Пограничные Войска как на второй сорт. И Финляндия не доказала[5]. Самое хреновое, что не сломаешь и Кобе не докажешь. А воевать вместе[6].

Комментарий Сергея Кремлёва.

Сетования Л.П. Берии на высокомерное отношение высшего командования РККА к войскам НКВД были обоснованными. Перед войной командование РККА не рассмат-

---

[1] Начальник ГУ железнодорожного строительства НКВД СССР.

[2] Нарком обороны СССР.

[3] Заместитель наркома НКВД СССР по войскам.

[4] Начальник Главного управления пограничных войск НКВД СССР.

ривало пограничные войска НКВД как серьёзную военную силу, которую надо всемерно учитывать в стратегическом плане развития Вооружённых сил. Думаю, играла свою роль и некоторая психологическая отчуждённость командных кадров двух ведомств, особенно с учётом того, что командные кадры пограничников более формировались внутри пограничной службы, а не службы в РККА.

Высокомерие армейцев аттестовало их не лучшим образом — по части эффективной боевой подготовки войск, прежде всего — одиночной, РККА было чему поучиться у войск НКВД. На границе, особенно в 30-е годы, мирного времени не было, и поэтому боевая закалка среднего красноармейца из погранвойск НКВД была несравнимо выше, чем у среднего красноармейца в РККА.

Уже первые дни войны доказали, что только пограничные части НКВД по всей линии советско-германской границы проявили практически абсолютную боевую устойчивость и сыграли в ходе приграничного сражения стратегическую роль.

12/X-40

Как и предполагалось, немцы ввели войска в Румынию для охраны нефтепромыслов. В Румынии устанавливается военная диктатура, но слабая[1]. У румын всегда бардак, я это хорошо помню по 1917 году[2]. Для нас это новые задачи по разведке и охране Границы. Теперь будет больше провокаций. Хреново.

---

[5] Во время советско-финской войны погранвойска НКВД передавались по согласованию в оперативное подчинение армейского командования только в пределах приграничной зоны боевых действий. Однако, поскольку пограничники — в отличие от армейцев — зарекомендовали себя блестяще, командование соединений РККА всеми правдами и неправдами удерживало в своём распоряжении пограничников даже при продвижении на территорию Финляндии до глубины 50 и более километров.

[6] См. комментарий ниже.

[1] 4 сентября 1941 года в Румынии фактически установилась фашистская диктатура генерала Иона Антонеску при формальном сохранении власти короля Михая I.

[2] Берия находился в Бессарабии в 1917 году как техник-практикант.

18/X-40

Оперативная обстановка на границе спокойней не становится. Только хуже. Наблюдается концентрация войск, закордонная агентура тоже сообщает о переброске войск на восточную границу. Усиливается переброска агентов германских разведорганов. В пограничной полосе Германии концетрируются (*Так в тексте. — С.К.*) польские военнопленные и украинские националисты.

Посмотрим что будет дальше. Но то что они ведут активную разведку приграничной полосы и вглубь, это факт. Постоянно обращаю внимание Кобы. Говорит: «Смотрите в оба, провокаций не допускайте и не поддавайтесь». Это понятно, мы на том всегда были научены. На Границе лучшие кадры. Гордость!

23/X-40

Вячеслав поедет к Гитлеру[1]. Коба решил так, но думаю зря. Надо было самому ехать. Вячеслав не фигура. Коба видит как орел, все сразу и высоко. А Вячеслав как профессор. Знает много, а на действия слаб. Как он там справится? Но Коба решил так.

Неладно в Оборонных Наркоматах. Прошел ряд крупных аварий и есть все еще серьезное вредительство. По Наркомату Боеприпасов продукцию бракуют пачками[2]. План этого года выполнен за 9 месяцев мень-

---

[1] См. комментарий к записи от 14 сентября 1940 года.

[2] Только одна цифра. В 1939 и 1940 годах из-за «неотработанной (?) технологии» на заводах № 5 и 53 наркомата боеприпасов был забракован 171 миллион штук капсюлей «Шкасс».

На XVIII партийной конференции (15—20 февраля 1941 г.) наркома Ивана Павловича Сергеева (1897—1942) предупредили, что если он не наладит работу, то может быть выведен из ЦК и снят. Не в коня корм. В итоге 3 марта 1941 года Сергеева сняли и перевели на преподавание в Военную академию Генштаба, а 30 мая 1941 года арестовали. 13 февраля 1942 года его по приговору Особого совещания НКВД СССР расстреляли. В 1955 году хрущёвцы реабилитировали одного из тех, кто в 1941 году ставил под удар снабжение армии боеприпасами.

ше чем на 70 процентов, а надо не меньше 75. В Наркомате Вооружений тоже бардак[1].

Что, потом аврал? Авралят, а потом продукцию в брак миллионами. Это что халатность? Может халатность, а больше похоже на вредительство. Война могла быть уже в этом году. А чем воевать? Долбое..ы!

Заканчиваем фильтрацию поляков, скоро представим результаты Кобе[2]. Общий вывод: из поляков можно формировать отдельную военную часть до дивизии. Командный состав можно подобрать, даже генералы говорят, что считают врагами немцев и будут воевать вместе с нами. А какие из них вояки. Они за нас воевать не будут.

---

[1] Наркомом вооружений был тогда будущий соратник Берии по Атомному проекту Б.Л. Ванников (1897—1962). Весьма вероятно, Ванников и Берия познакомились ещё во время Гражданской войны в Баку или Тифлисе. Однако особой теплоты между ними вроде бы не наблюдалось, хотя Берия Ванникова ценил.

В начале июня 1941 года Ванников тоже был снят, как не справившийся с работой и арестован (позднее он признавал справедливость этой меры), но уже 25 июля 1941 года был освобождён и назначен вначале заместителем наркома боеприпасов П.Н. Горемыкина, а с 16 февраля 1942 года — наркомом.

Сопоставляя судьбы Сергеева и Ванникова, можно понять, что репрессивная политика Сталина на высших этажах управления была отнюдь не огульной и в целом адекватной ситуации и прегрешениям провинившихся.

[2] 2 ноября 1940 года в сообщении на имя И.В. Сталина № 4713/Б нарком НКВД Л.П. Берия доложил о результатах работы с военнопленными поляками и чехами. Любопытным является то, что слова «немцы», «для борьбы с Германией», «польская военная часть», «чешские военные части» и т.п. были вписаны в машинописный текст от руки. От руки же была вписана единственная из всех упоминавшихся в тексте фамилий — фамилия чешского полковника Свободы, тогда находившегося за границей. Последняя фраза сообщения извещала: «СВОБОДА нами из-за границы вызван».

То есть Сталин уже тогда задумывался о привлечении поляков к совместным военным действиям против Германии в случае войны. Реально это вылилось в организацию армии Андерса (см. записи в дневнике за 1942 год и за 1943 год). Но что интересно: если в то время, когда СССР и Германия не воевали, воевать против Германии на стороне СССР хотели чуть ли не все пленные поляки, включая генералов, то в ходе начавшейся войны сформированная Советским Союзом армия Андерса предпочла уйти в Иран к англичанам. Лишь полковник Берлинг, упомянутый в сообщении Л.П. Берии от 2 января 1940 г., остался в СССР и сформировал 1-ю дивизию Войска польского.

31/X-40

Учредили Знак «Заслуженный работник НКВД»[1]. Это крепко поможет в работе. Дело не пустяк, как кто-то думает. Чекисты довольны[2].

10/XI-40

Вячеслав поедет к Гитлеру[3]. Совещаются Коба, Жданов и он. Сидят у Кобы на ближней. Интересно, какие инструкции дает Коба. Закордонная агентура информирует противоречиво. Все может быть. Если немцы колеблются, то и данные будут то так то так. Разведка Погранвойск дает сведения больше за войну. Войска накапливаются, это точно. Вопрос зачем накапливаются. Есть части приедут, побудут и уедут, это похоже на отдых. Но большинство оседает и устраивается.

Вопрос зачем? Это теперь становится главным вопросом. Прозевать мы не имеем права. В армии много бардака. Так и не учатся. Даю Кобе сводки Особых Отделов, Тимошенко косится. А чего косится. Мои ребята дают проверенную информацию, врать не приучены.

В авиации как был бардак, так и остался.

Особые Отделы докладывают, что идут разговоры, что качество самолетов х...евое. Как сказать. Где х...евое, а где нет. Где технологическая дисциплина есть, там порядок. Не можете дать повышенный план так зачем перед товарищем Сталиным хвалиться.

---

[1] См. запись от 17 июля 1940 года.

[2] 31 октября 1940 года Политбюро ЦК ВКП(б) утвердило Положение о знаке «Заслуженный работник НКВД». Характерным для Берии было включение в «Положение...» пункта 4-го:

«4. Награжденные знаком «Заслуженный работник НКВД» имеют право на преимущественное получение жилплощади в домах НКВД».

Если быть точным, то в проекте Берии было далее сказано: «...и оплачивают занимаемую ими в домах НКВД жилплощадь со скидкой 50%». Однако эту часть пункта 4 Сталин при подписании вычеркнул.

[3] С 12 по 14 ноября 1940 года В.М. Молотов вёл переговоры в Берлине с рейхсканцлером Германии Адольфом Гитлером и рейхсминистром иностранных дел Германии Иоахимом фон Риббентропом.

Надо разбираться. Тут не так просто, тут вредительством пахнет. Или преступной халатностью.

24/XI-40

Два года как я Нарком. Поработал, не стыдно. Если завтра война, НКВД не подведет. Не знаю как армия. Золота на рукавах много, а как насчет другого — посмотрим.

Вячеслав ничего хорошего из Берлина не привез. Гитлер ему не показался, странно. Он очень не дурак, таких успехов у дураков не бывает. Это у нас дуракам везет а там их не уважают.

Повторяются дела по вредительству. Есть по пороховым заводам, по Наркомату Боеприпасов и по линии правых. Количество уменьшается, зато по качеству они растут. Может на следующий год война, им надо масштаб увеличить. А если вредить крупно, легче выявить. Выявили крупных жуков. Ребята работают много.

Тут кулаком не сработаешь, нужна техническая экспертиза. Ничего, справляются. Надо будет группу представить к Орденам.

13/XII-40

Коба много занимается авиацией и мне по линии Наркомата тоже. В авиационной промышленности был большой прорыв. Туполев и Михаил Каганович подоср..ли крепко. Теперь выправляем, но время не ждет. Одно хорошо в Авиапроме дело с вредительством стоит хорошо, почти нет. Факты имеем, но не так как по боеприпасам и вооружению.

Думал, почему так? И ребятам задачу поставил. Сейчас понял. Авиационные Кадры большинство новые, уже Советские. Молодые, наша Смена. Это уже плоть от плоти Советской Власти. Зачем им вредить, они сами будут выводить вредителей на чистую воду.

А в старых отраслях нам приходится использовать старых спецов еще из старой армии. Пороховики, артиллеристы — там много даже старых офицеров. Кто работает, а кто на запад смотрит. И вербовать их легче по настроениям и по старым связям. Вроде почистили, а все равно не до конца. А время к войне, им приходится задания выполнять, и просто со зла вредят. На этом мы их и прищучиваем.

Посмотришь на работу моих ребят по строительству, завидуешь. Хорошее дело. А почитаешь протоколы допросов по вредителям, сам бы шлепнул. Если бы все работали как надо, как бы мы поднялись. Кадры решают все, только где их на все возьмешь.

Хреново.

13/XII-40

Здесь зима, мороз. Поехать бы домой. Там тепло, горы. Воздух другой и солнце светит по другому. А что делать. Жизнь не переиграешь. Коба это Коба. Другого такого нет. И не будет. Так что будем работать в Москве. Домой в отпуск будем ездить. Если дадут.

20/XII-40

Будем развивать производство гелия. Гелиевый завод можно считать сдали[1]. Там же будем строить сажевые заводы[1]. Коба говорит, сажа нужна позарез. Гелий тоже. Если война, то главное будет сажа[1]. Надо нажать.

По всем границам тревожно. По всей германской границе везде доклады о новых войсках. Может укрывают от английских бомбежек, но непохоже. Начинают строить бетонные *(Так в тексте. — С.К.)* аэродромы. С нового года надо давать Кобе регулярные сводки по германской границе отдельно. Вместе с венгерской и румынской.

На южной границе бандгруппы, ну, это мелочь. Больше контрабанда, политики мало.

---

[1] См. комментарий ниже.

В ДВК[1] как всегда, но стало хуже. Погранполоса в Маньчжурии заселяется японцами резервистами. За год почти 100 провокационных действий. Численность японских войск против Приморья до 200 000 человек. Казарменный фонд позволяет довести до 17 пехотных дивизий (450 000).

Белоэмигранты активизируются, японцы их активно поддерживают. Могут крепко нагадить. Есть серьезные враги, есть похоже просто дураки. Стаханов[2] докладывает, что в Харбине функционирует «Союз русских мушкетеров имени князя Никиты»[3]. Надо будет Мыкыте[4] сказать для смеха, что в Харбине беляки организовали союз его имени.

Комментарий Сергея Кремлёва.

Гелий — это редкий благородный газ, незаменимый в ряде технических областей, в частности, при производстве электронной техники. Важность его видна уже из того, что Постановлением ЦИК и СНК СССР от 5 сентября 1924 года была введена государственная монополия на гелий. При этом все зарубежные гелиевые проекты даже в 30-е годы считались секретными.

В 1926 году в СССР были открыты промышленные (как

---

[1] Дальневосточный край.

[2] С т а х а н о в Николай Павлович (1901—1977), один из руководителей пограничных войск, генерал-лейтенант. В 1939—1942 гг. начальник пограничных войск НКВД Приморского округа.

[3] Точнее — «Союз мушкетеров имени князя Никиты»

[4] Х р у щ ё в Никита Сергеевич (1894—1971), с 1938 года 1-й секретарь ЦК КП(б) Украины, с 22 марта 1939 г. — член Политбюро ЦК ВКП(б). «Мыкытой» его называл Сталин. Как видим, Берия тоже называл его так, по крайней мере в дневнике. С 30-х годов его и Хрущёва связывали достаточно дружеские отношения. Огромная загрузка членов сталинского руководства не благоприятствовала возникновению и развитию подлинной дружбы в том случае, если члены Политбюро не были знакомы с давних пор (как, например, Сталин и Молотов). Однако, как и внутри любой другой деловой «команды», в Политбюро кто-то был кому-то ближе, кто-то — дальше. Как известно, Берия и Хрущёв взаимно друг над другом по-приятельски подшучивали, и запись в дневнике это подтверждает.

выяснилось позднее, при широкой разведке на газы) запасы гелиесодержащих газов в бассейне реки Ухта (Коми АССР).

К октябрю 1935 года была выбрана площадка для строительства гелиевого завода на правом берегу реки Ижмы в 1 километре от северной окраины деревни Крутой Ухтинского района. Ижемский завод должен был работать на базе Седьельского газового месторождения, производя 50 тысяч кубометров газа в год.

Побочным продуктом гелиевого производства являлась техническая сажа — тоже нужный в экономике продукт. Более 90% производимой сажи потребляет резиновая и, прежде всего, шинная промышленность, потому что введение сажи в резину значительно повышает сопротивление к разрыву и истираемость. Ясно, как нужна была сажа в условиях войны.

9 октября 1938 года вышло постановление Экономического совета при СНК СССР о строительстве Ижемского гелиевого завода с окончанием стройки и вводом завода в эксплуатацию в 1940 году. Вел строительство Газстрой Ухтоижемлага НКВД СССР.

20 декабря 1940 года было принято Постановление СНК СССР и ЦК ВКП(б) о строительстве в районе Верхней Ижмы также сажевых заводов.

23/XII-40

Коба провел совещание по нефти. Собрал всех, было почти 50 человек. Посмотрел, говорит: «Жаль, Губкина[1] нехватает». Да, нехватает *(Так в тексте. — С.К.).* От Кобы ушли, я всех еще раз собрал по старой памяти, поговорили дополнительно. По нефти будем активизировать по всем линиям. Разведка, добыча и переработка.

Коба уже говорил мне, готовься, Лаврентий, будешь куратором по нефти и еще добавим. Я сказал

---

[1] Губкин Иван Михайлович (1871—1939), выдающийся учёный-геолог, основатель советской нефтяной геологии, академик (1929), председатель Совета по изучению производительных сил Академии наук СССР. Член РКП(б) с 1921 года.

«Спасибо. Раз надо, буду. Я нефть хорошо знаю». Он говорит, потому и гружу на тебя.

А что? Потяну! Я и больше потяну.

25/XII-40

Подписал приказ по Печорскому лагерю. Большакова будем судить и к еб...ной матери расстрелять сволочь. Лагерь это не дом отдыха. Но ты же сволочь с людьми дело имеешь. Их и так много мрет, что делать, работа тяжелая, а они преступники. Но ты же за них отвечаешь. Ты и людей в гроб гонишь, сволочь, и план срываешь. Дважды преступник.

Сказал Френкелю, езжай и разбирайся с Горбачевым[1].

Комментарий Сергея Кремлёва.

По сей день клеветники-«историки» и недобросовестные журналисты пытаются сделать из Л.П. Берии садиста, то есть человека с психопатологическими наклонностями к жестокости и к мучению живых существ. К слову замечу, что Берия не любил охоту (он предпочитал рыбалку). Безусловно, не всякий охотник склонен к садизму, но уж садист не может охоту не любить, особенно если у него для этого есть все возможности.

Но это — к слову. Ниже я кратко сообщу о том, что в ноябре 1940 года Берия получил сведения о тяжёлом положении в Печорском железнодорожном лагере и 25 ноября туда была направлена комиссия для выяснения причин. Она установила преступные действия со стороны начальника Печорлага Большакова, его заместителя Голдмана, начальника контрольно-планового отдела Кайревича и начальника санитарного отдела Новосадовой. Все они были арестованы и преданы суду.

25 декабря 1940 года Берия подписал приказ НКВД № 001606, который начинался так:

---

[1] См. комментарий ниже.

> «В результате преступного отношения к бытовому устройству и трудовому использованию заключенных со стороны руководства Печорского железнодорожного лагеря среди заключенных лагеря имеет место значительная заболеваемость и смертность.
>
> Начальник лагеря Большаков и начальник оперативно-чекистского отдела лагеря Югов своевременно не информировали НКВД СССР о тяжелом положении лагеря и не приняли необходимых мер к ликвидации создавшегося положения...»

Смертность была действительно высокой — за 1940 год на 37 706 прибывших умерло 3664 человека.

Приказом Берии в Печорлаг сроком на два месяца командировалась бригада под руководством начальника Политотдела ГУЛАГа капитана ГБ М.Е. Горбачева. В бригаду входили начальник Санитарного отдела ГУЛАГа Д.М. Лойдин, начальник Политотдела ГУЖДС НКВД СССР капитан ГБ И.А. Голованов и четыре следователя. Начальник ГУ железнодорожного строительства НКВД СССР Н.А. Френкель отзывался со стройки № 107 в Печорлаг для принятия срочных мер.

Берия не был бы Берией, если бы ограничился в приказе общими словами. Он был конкретен: немедленно завезти всем наличным автотранспортом достаточное количество продовольствия, вещевого довольствия, белья и медикаментов на участки Кожва — Синья из Усть-Усы и в Абезь из Адзьвы-Вом при немедленной доставке в Печорлаг «150 тонн свежего мяса, 15 тонн сливочного масла, 15 вагонов квашеной капусты, 30 тонн дрожжей и достаточное количество овощей для больных заключенных».

В приказе предписывалось: «Ввести для всех ослабленных заключенных усиленные нормы питания, разрешить израсходовать на эти цели дополнительно 2500 тысяч рублей...» Было приказано доставить Печорлагу необходимое количество медикаментов, медицинского оборудования из Ухтомижелага и Севжелдорлага из расчёта на три месяца на 10 000 человек (при численности на 1.10.40 г. 25 486 человек).

Было приказано немедленно развернуть жилищно-бытовое и лечебно-санитарное строительство и в двухдекадный срок отгрузить Печорлагу 20 бараков на 4000 человек.

Приказ Берии не был, как кто-то может подумать, работой «на публику» — приказ был, естественно, совершенно секретным и касался лишь тех, кого касался.

14 января 1941 года Г.П. Большаков был арестован, 15 августа 1942 года осуждён Особым совещанием НКВД СССР к ВМН «за участие в антисоветской организации и вредительство» и 12 сентября 1942 года расстрелян.

Следствие шло долго, так что формулировка приговора «за участие в антисоветской организации и вредительство» вряд ли была формальной и, надо полагать, отражала суть дела.

Вот как поступал «садист» Берия.

Мне же остаётся сообщить, что «невинная жертва бериевского произвола» Г.П. Большаков был посмертно реабилитирован «катастроечными» «гуманистами» 17 мая 1989 года.

27/XII-40

Поступили последние данные от закордонной агентуры Мильштейна[1]. В районе Варшавы немцы строят пять новых аэродромов. Бетонированные дорожки для отвода самолетов с полосы в лес. Горючее хранится в подземных бензобаках на бетонном основании. Емкость по 50 000 литров каждый. Основательно делают.

Два новых военных аэродрома в районе литовской границы. На двух станциях число путей расширяется до 14 для создания базы бронепоездов. Это надо взять на контроль. Бронепоездами они воевать могут только с нами. Через Ла-Манш они не поедут.

На железнодорожной линии Седлец — Плятерово развитие станций. Тоже значит для быстрого приема войск.

В Польше ходят слухи, что немцы будут создавать польскую армию с переодетыми немецкими офицерами.

Хреново. С Новым Годом тебя, Лаврентий!

---

[1] См. примечание 1 к записи от 17 июля 1940 года

1941 год

3/I-41

Время было, почитал, что написал «дружку» за два года. Польза есть. И выговоришься, а время пришло, почитал, вспомнил, увидел, что не так.

Так что буду писать и дальше. Пусть не каждый день, а когда получится или захочется.

С Кобой уже разговоры были, а сейчас будем решать практически. Наркомат надо разделить[1]. Коба спрашивает: «Меркулов справится»?

Я говорю, да. Дело мы наладили, агентуру и резидентов поверили, аппарат Разведки подобрали и проверили. По к-р (*Контрреволюционному. — С.К.*) подполью успехи большие, теперь нужны тщательные разработки по имеющимся материалам. Люди работают хорошо, справятся. А у меня и так обязанностей по горло.

Так что Наркоматы разделяем.

Это хрошо (*Так в тексте. — С.К.*) и крепко мне поможет. Мне интересно больше в Народное Хозяйство влезть, тут на 1941 год у нас большие надежды. Если не война.

Война может быть. Только по Белорусскому округу много нарушений воздушной границы и продолжается. Наблюдается явная концентрация войск в погранполосе Германии. Новые части прибывают и прибывают. Посмотрим как будет весной, но вряд ли что изменится.

Румыны тоже готовятся, провели мобилизацию,

---

[1] См. записи от 30 января и от 3 февраля 1941 года.

есть нарушения воздушной границы их самолетами. Приграничное население призывного возраста из Румынии бежит к нам. Ну, ладно. Пусть бежит.

С границы докладывают, что немцы проявляют показную вежливость. Вежливость это хорошо. А что показная, это плохо.

Работы в этом году будет еще больше. Только какой? То ли мирной, то ли военной. Точно знаю одно, если к осени войны не будет, попрошусь у Кобы в отпуск хоть на пару недель. Тянет домой, по Тбилиси пройти хочется. На горы посмотреть.

7/I-41

Подготовили Указ по Дальстрою. Награждаем больше 400 человек[1]. 10 человек — Орден Ленина. Большое дело. Золота дали 80 000 килограммов, а в этом году должны дать 84 000 килограммов и олова надо дотянуть до 5000 тонн, тогда будем молодцы[2]. Молодец Цареградский[3], я не ошибся, геологоразведку поставил хорошо. За один год почти 10 новых приисков. И рудные месторождения по олову новые открыл. Уголь ищет. Все бы так.

---

[1] 11 января 1941 года за успешное выполнение планов производства по Дальстрою было награждено 414 работников Дальстроя и НКВД СССР, из них 10 — орденом Ленина, 48 — орденом Трудового Красного Знамени, 62 — орденом «Знак Почёта», 94 — медалью «За трудовую доблесть» и 200 — медалью «За трудовое отличие».

[2] Цареградский Валентин Александрович, геолог. В тридцать три года, с 25 ноября 1940 года — начальник Геолого-разведочного управления Дальстроя НКВД СССР, впоследствии — генерал-майор инженерно-технической службы. 11 января 1941 года награждён орденом Ленина, 17 января 1943 года — орденом Трудового Красного Знамени, 20 января 1944 года удостоен звания Героя Социалистического Труда. Сталинская премия 1946 года за открытие и исследование новых месторождений золота на северо-востоке СССР в 1943—1944 годах.

[3] Реально в 1941 году было добыто 3226 тонн олова, в 1942 году — 3500 тонн. План по добыче золота в 1941 году был тоже недовыполнен, было добыто 75 770 килограммов химически чистого золота. Причина недовыполнения вполне очевидна — начавшаяся война. Если бы не она, скорее всего, план 1941 года был бы не только выполнен, но и перевыполнен.

18/I-41

Вчера представил Кобе и в Политбюро сводную записку по обследованию мобилизационной готовности на железных дорогах. Коба даже посерел. Потом взорвался. Кричал, когда это кончится? Я не могу за каждым смотреть.

Лазарь моргал, оправдывался, Вознесенский сидел как не его касается, а его тоже касается.

Я им уже говорил, сказал, что не готовите сами обследование, у меня Мильштейн обследует, он все до точки доведет. И довел.

Комментарий Сергея Кремлёва.

На мой взгляд, одно обследование мобилизационной готовности железных дорог страны, предпринятое НКВД по указанию лично Л.П. Берии, убедительно доказывает, что уж кто-кто, а Берия уже в начале 1941 года не только вполне ожидал войны уже в 1941 году, и не просто не скрывал это своё убеждение от Сталина. Берия внятно предупреждал о необходимости готовиться к возможной близкой войне всех своих коллег по высшему управлению государством.

Записку НКВД СССР Сталину, Молотову и Кагановичу за подписью наркома Берии от 17 января 1941 года хотелось бы привести полностью, но я приведу из неё, к сожалению, как всегда извлечения:

> «По материалам НКВД СССР, в деле мобилизационной подготовки железнодорожного транспорта имеется ряд серьезных ненормальностей.
>
> Приказ НКПС № сс-70/Ц1 о составлении Военно-мобилизационным управлением к 1 декабря 1940 года мобилизационного плана желдортранспорта СССР не выполнен. Таким образом в настоящее время НКПС не имеет мобилизационного плана перевозок...
>
> ...Между НКПС и НКО до сих пор нет должной договоренности по вопросу о плане воинских перевозок...
>
> По настоянию (!? — С.К.) НКПС, в июне 1940 г. Генштаб РККА представил в НКПС грубо ориентировочные размеры погрузки, выгрузки и размеры движения по

участкам дорог, на основе которых НКПС разработал временный вариант мобплана...

Это временный план воинских перевозок является нереальным.

В плане перевозок не указан код подвижного состава, размеры погрузки превышают на 100 тыс. вагонов (*!! — С.К.*) размеры выгрузки, не предусмотрены перевозки по Литовской, Латвийской и Кишиневской дорогам[1].

По Львовской, Ковельской и Брестской дорогам предусмотрено произвести 75% погрузки в вагоны узкой колеи и 25% в вагоны широкой колеи, в то время как эти дороги почти полностью перешиты на широкую колею[2].

До сих пор не составлен централизованный план народно-хозяйственных перевозок на первый месяц войны. Союзные наркоматы не представили в НКПС заявок на грузы, подлежащие перевозке в первый месяц войны...»

Это были общие вводные констатации, но далее следовало описание конкретных недочётов и провалов, например:

«...Минский узел имеет недостаточное развитие: короткие и слабые пути и горловины, не обеспечен водоснабжением, ввиду этого узел в направлении от Москвы может пропустить только 42 пары поездов, тогда как перегоны этой линии обеспечивают пропуск 96 пар поездов...

...Между тем 1286 млн. рублей, отпущенных Правительством на 1940 г. по специальной смете НКПС на усиление пропускной способности узлов и перегонов... освоено только на 726,7 млн. рублей (56,8%).

...На строительстве № 56 в западных областях Украины не выполнено ни одного задания Правительства и НКПС по вводу в действие железнодорожных линий и отдельных перегонов.

Начальник строительства Скрипкин в течение 1940 г., игнорируя указание НКПС, распылил средства и тем самым не обеспечил окончание в срок наиболее решаю-

---

[1] То есть чиновники (или вредители?) из НКПС игнорировали факт появление новых территорий СССР, а чиновники (или вредители?) из Генштаба это спокойно проглотили.

[2] То есть чиновники (или вредители?) из НКПС игнорировали также факт переоснащения путевого хозяйства железных дорог на новых территориях СССР, а чиновники (или вредители?) из Генштаба и это спокойно проглотили.

щих участков строительства. Между тем Скрипкин неоднократно информировал НКПС об успешном ходе строительства...

...В мобилизационном запасе дорог вместо требуемых по плану 30 700 вагонов имеется только 18 000.

План размещения запаса вагонов по дорогам составлен таким образом, что районы сосредоточения порожняка не совпадают с районами массовых воинских погрузок. Вследствие этого в ряде пунктов в первые дни мобилизации воинские перевозки будут находиться под угрозой срыва...

...В нормах мобилизационного запаса не предусмотрено имущество, необходимое для восстановления деповского хозяйства и электростанций...» и т.д.

Подписали записку народный комиссар внутренних дел Союза ССР Л. Берия и начальник Главного транспортного управления НКВД СССР Мильштейн.

Нужны ли здесь дополнительные комментарии?

22/I-41

Из Берлина идут поганые сведения. Надо проверять, но похоже на правду. Геринг ведет зондаж берлинских американцев, чтобы договориться с Америкой и Англией. А за счет кого?

Сообщают, что Геринг отдал приказ организовать полеты над нашей территорией на большой высоте для фотосъемок и точных карт. Надо проверять, но уже сейчас надо доложить Кобе и Молотову[1].

Передали письмо от Астахова[2]. Пишет, что хочет

---

[1] Эта запись в дневнике также ясно показывает, что Л.П. Берия — вопреки возводимой на него ныне напраслине — уже в начале 1941 года сознавал, что возникает опасность конфликта с Германией в текущем году и сразу же информировал об этом Сталина. Такая позиция Берии убедительно подтверждается большим массивом ныне рассекреченных документов.

[2] Очень интересное свидетельство того, что фигура бывшего временного поверенного в делах СССР в Германии в 1939 году Г.А. Астахова (см. комментарий к записи от 29 июля 1939 года) входила в сферу внимания Л.П. Берии и в 1941 году. Очевидно, имеется в виду письмо Астахова от 7 января 1941 года, где Астахов писал:

«...Мне хотелось бы написать т. Сталину — не для ламентаций и полемики со следствием, но для освещения некоторых моментов

216

написать товарищу Сталину по германским делам. Пусть пишет. Похоже, с ним напутали. Держится он крепко, но показания на него тоже крепкие. Может подставили. Пока сказал пусть пишет, а там посмотрим, что с ним делать. Надо поговорить с Кобой[1].

29/I-41

Вчера был разговор у Кобы. Поговорили крепко и откровенно, на грузинском. Дела оказывается хреновые, а Коба пока разговаривал, даже помолодел. Что значит свой язык. Молодость она и есть молодость. На русском он редко горячится и спорит мало. Или говорит спокойно, или сказал как отрезал. А вчера спорил, доказывал. Как молодой[2].

30/I-41

Получил Звание Генерального Комиссара Государственной Безопасности СССР. Коба сказал, что предшественники у тебя подкачали, двух первых Гене-

---

моей дипломатической работы (особенно за последний период в Германии) с копией вам. Есть ряд моментов, которые надо зафиксировать даже вне зависимости от вопроса о моем деле...»

[1] Судьба Г.А. Астахова, несмотря на его, скорее всего, невиновность, оказалась всё же трагической. Уже после начала войны, 9 июля 1941 года, его приговорили к 15 годам лагерей, и 14 февраля 1942 года он скончался в Усть-Вымском ИТЛ в Коми АССР. Возможно, здесь сыграло свою роль то, что нарастающий поток дел в связи с всё более очевидной угрозой войны к лету 1941 года, а затем окончательно круглосуточная загрузка И.В. Сталина и Л.П. Берии с началом войны, не позволили им вернуться к судьбе Астахова. Он просто мог выпасть из их памяти. Лишь те, кто «мнит себя стратегом, видя бой со стороны» (Шота Руставели), могут осудить за это И.В. Сталина —Председателя Государственного Комитета Обороны, и Л.П. Берию — наиболее деятельного члена ГКО.

[2] Смысл записи расшифровать не удалось. С уверенностью можно утверждать одно. Запись в дневнике Л.П. Берии подтверждает, что 28 января 1941 года разговор в сталинском кабинете между его хозяином и двумя гостями, появившимися в кабинете в 23.30 и удалившимися в 0.10 29 января 1941 года, шёл на грузинском языке. Дело в том, что 28 января Сталин принял только двух человек. Это были Берия и некий Никуридзе (личность не установленная). Возможно, это был гость из Грузии с объективной информацией о положении дел там.

ральных Комиссаров[1] пришлось шлепнуть так ты Лаврентий не подкачай.

Сказал, не подкачаю, потому что Государственную Безопасность отдаю Меркулову[2]. Он засмеялся, говорит, ты хитрый.

Проэкт Указа готов, представляю товарищу Сталину на Политбюро. Кандидатуры по новым Наркомам[3] тоже почти все готовы. Большинство оставим тех, кто и был на НКВД или УНКВД. Но кого-то я продвинул. Мешик[4] пойдет на Украину. Спокойный парень, надежный. Кобулича[5] отдаю Меркуличу в НКГБ, Богдан справится.

3/II-41

Представил Кобе проэкт Решения ЦК и Указа о разделении на два Наркомата[6]. Сегодня утвердили проэкт, все! Особые Отделы тоже выводим к военным[7].

Теперь я Нарком можно сказать с сокращенными

---

[1] Имеются в виду Г.Г. Ягода и Н.И. Ежов.

[2] См. запись от 3 февраля 1941 года.

[3] Имеются в виду наркомы республиканских НКВД и НКГБ.

[4] Мешик Павел Яковлевич, впоследствии один из соратников Л.П. Берии, в том числе по Атомному проекту, 23 декабря 1953 года расстрелян по «делу Берии». В 1941 году работал начальником 1 отдела Главного экономического управления НКВД СССР и после разделения наркоматов был назначен наркомом ГБ Украинской ССР.

[5] Кобулов Богдан Захарович, сотрудник Л.П. Берии ещё по Кавказу, 8 февраля 1941 года был утверждён заместителем наркома ГБ СССР В.Н. Меркулова.

[6] 3 февраля 1941 года Политбюро ЦК ВКП(б) утвердило проекты Указов Президиума Верховного Совета СССР о разделении Народного комиссариата внутренних дел СССР на два наркомата: Народный комиссариат внутренних дел СССР и Народный комиссариат государственной безопасности СССР, а также проекты указов ПВС СССР о назначении наркомом НКВД СССР Л.П. Берии и наркомом НКГБ СССР В.Н. Меркулова.

[7] Практически одновременно с выделением из НКВД органов государственной безопасности в отдельный НКГБ Постановлением ЦК и СНК от 8 февраля 1941 года Особый отдел НКВД СССР был передан в ведение наркомата обороны СССР и наркомата Военно-морского флота СССР.

штатами, но дел только прибавилось[1]. Заместитель Предсовнаркома это сильно. Значит, Коба верит в меня и ценит. К тому шло, это понятно. Но все равно приятно. Ответственность большая и работать надо будет крепко.

Посмотрим.

Комментарий Сергея Кремлёва.

С 3 февраля 1941 года государственное положение Л.П. Берии принципиально возросло. С одной стороны, он оставался наркомом одного из важнейших наркоматов, но при этом вошёл в число заместителей Молотова по Совнаркому.

Разделение НКВД на НКВД и НКГБ было мерой разумной, поскольку в уже отчётливо предвоенное время один человек не мог — в относительно нормальном, во всяком случае режиме — охватить такой огромный объем деятельности. Если, конечно, работать, а не осуществлять, так сказать, общее вмешательство в дела подчинённых. Но Берия органически так работать не мог.

Однако, освободившись от существенной части своих обязанностей, Берия тут же был дополнительно «нагружен» новой работой в народном хозяйстве СССР. С 3 февраля он был также назначен заместителем Председателя Совета народных комиссаров СССР Молотова.

Первым заместителем СНК СССР был в то время Н.А. Вознесенский (1903—1950), одновременно — Председатель Госплана СССР.

Заместителями Председателя СНК СССР к моменту назначения Л.П. Берии были также А.И. Микоян (1895—1978), А.Я. Вышинский (1883—1954), А.Н. Косыгин (1904—1980), В.А. Малышев (1902—1957), М.Г. Первухин (1904—1978), К.Е. Ворошилов (1881—1969) и Л.З. Мехлис (1889—1953).

Одновременно с Л.П. Берией 3 февраля 1941 года зампред Совнаркома СССР был назначен М.З. Сабуров (1900—1977).

---

[1] 3 февраля 1941 года Л.П. Берия был назначен заместителем Председателя Совета народных комиссаров СССР.

Вышинский и Ворошилов не были связаны с экономикой и крупных самостоятельных величин из себя не представляли, хотя Ворошилов и был членом Политбюро.

Косыгин, Малышев, Первухин и Сабуров были фактически чистыми хозяйственниками, и хотя их государственная компетенция была высокой, это были фигуры типично второго ряда, не способные к масштабной самостоятельной государственной деятельности и тем более к реформаторству.

Мехлис, даром что Сталин его ценил, был фигурой хотя и не бесполезной и не бездарной, но всё же специфической. И тоже без большого полёта мысли.

Анастас Микоян входил в высшее партийно-государственное руководство давно, но самостоятельного значения не имел.

В представленной в ЦК и СНК секретной информации Госплана СССР о предварительных результатах выполнения плана развития хозяйства СССР за 1940 год сообщалось, что ряд наркоматов не выполнил плановых заданий. Собственно, план выполнили только наркоматы авиационной промышленности, вооружения, наркоматы текстильной, лёгкой и пищевой промышленности и наркомат заготовок.

Наркомат угольной промышленности выполнил план на 98%; нефтяной промышленности — на 91; электростанций — на 96; чёрной металлургии — на 94; цветной металлургии — на 91, химической промышленности — на 84, тяжёлого машиностроения — на 99; среднего машиностроения — на 95; общего машиностроения — на 91; судостроительной промышленности — на 89; боеприпасов — на 93; электропромышленности — на 92; промышленности стройматериалов — на 84; лесной промышленности — на 84; бумажной и целлюлозной промышленности — на 80; мясной и молочной промышленности — на 91; рыбной промышленности — на 84%.

И вот с 1941 года Берия начинает курировать работу угольной и нефтяной промышленности, черной и цветной металлургии, а также химической промышленности и электростанций.

Кроме того, 10 марта 1941 года Берия рекомендует Сталину и Молотову назначить наркомом лесной промышленности начальника Главного транспортного управления НКВД С.Р. Мильштейна. Сталин ответил так: «*Предлагаю назначить Мильштейна первым замом при ИОН (Исполняющий обязанности наркома. — С.К.) Салтыкове, посмотреть месяца три-четыре, дать за это время войти в дело Мильштейну, и лишь после этого ставить вопрос о наркомстве Мильштейна. И. Сталин*».

Возможно, Мильштейн и стал бы наркомом, но через три с небольшим месяца началась война, и Берия вернул старого испытанного соратника во вновь объединённый НКВД.

Что же до нового предвоенного назначения Л.П. Берии, то сам факт того, что ему поручили курировать наиболее важные отрасли экономики, оказавшиеся в «прорыве», говорит о том, что уже к 1941 году Сталин убедился в высоком управленческом потенциале нового члена своей личной «команды».

В отличие от многих других Берия его и далее не разочаровывал и никогда не подводил.

12/II-41

Приходится усиливать румынскую границу. Участились провокации. В пограничной полосе наблюдаются немцы, но стреляют только румыны.

По всей германской границе новое прибытие войск. Значит концентрация войск продолжается. Если они доведут хотя бы до 200 дивизий и соотвественное (*Так в тексте. — С.К.*) количество танковых дивизий, это можно считать война. Или очень близко.

Справка публикатора.

С 15 по 20 февраля 1941 года в Москве прошла XVIII конференция ВКП(б), обсудившая задачи партийных организаций в области промышленности, транспорта и план развития народного хозяйства СССР на 1941 год, а также вопросы «обновления центральных органов ВКП(б)». По первому вопросу доклад делал Н.А. Вознесенский.

По второму вопросу на Пленуме ЦК прошли до-выборы в Центральный Комитет и Центральную Ревизионную Комиссию. В центральные органы была избрана новая достаточно большая группа военачальников. В дополнение к членам ЦК маршалам Будённому, Ворошилову, Кулику, Тимошенко, наркому ВМФ Кузнецову, генералам Штерну и Щаденко, к кандидатам в члены ЦК Коневу, Мерецкову, Шапошникову и другим, новыми кандидатами в члены ЦК стали генералы Г.К. Жуков, М.П. Кирпонос, И.В. Тюленев, адмирал И.С. Юмашев, а членами ЦРК — генерал Ф.И. Голиков и адмиралы В.Ф. Трибуц и Ф.С. Октябрьский.

22 февраля 1941 года прошла VIII сессия Верховного Совета СССР.

25/II-41

Говорил с Мыкытой[1]. Спрашиваю, как Мешик[2]. Говорит, что работает хорошо. Всем сразу понравилось, что язык знает. Говорю, он там у вас националистом не заделается? Смеется, говорит: «чого нема того нема» (Укр. *«чего нет, того нет».* — С.К.). Спрашиваю, по Серову[3] не жалеешь? Жмется. Видно, что с Иваном было проще. А Павел человек крепкий, он свою линию проведет и не поддастся.

Говорили у Кобы по аварийности в авиации. У него это сейчас главная головная боль. Как больше самолетов дать и как меньше их гробить. Рычагов[4] валит на

---

[1] Н.С. Хрущёв.

[2] П.Я. Мешик, с 8 февраля 1941 года нарком государственной безопасности УССР.

[3] И.А. Серов, до 8 февраля 1941 года нарком внутренних дел СССР, с 8 февраля 1941 года — первый заместитель наркома ГБ СССР В.Н. Меркулова.

[4] Р ы ч а г о в П а в е л В а с и л ь е в и ч, начальник Главного управления ВВС РККА, с февраля 1941 года также заместитель наркома обороны СССР.

Шахурина[1], Шахурин на Рычагова, но я знаю, что у летчиков бардак был и остался бардак.

И не вижу я, чтобы оба крепко за дело болели. Шахурин работает много, но для него главное чтобы перед Кобой отчитаться. Товарищ Сталин — это товарищ Сталин. Но ты перед делом отчитайся в первую голову.

А Рычагов похоже без царя в голове. У тебя подчиненные бьются, а ты в Москве задницу отсиживаешь. Ты же летчик, нынче здесь, а вечером уже там. Сел, полетел, с неба на голову прилетел за 1000 км. Прилетел, разобрался, дальше полетел. А они больше водку уважают, чем дело. Я если бы умел летать, ох как поработал бы. Коба самолетом летать не разрешает, а было бы удобно.

Поговорил с Пономаренко[2], обещает помочь моим пограничникам. Говорит, дело общее, а время тревожное.

Тоже непонятно. Сам же говорит, что время тревожное, а у Кобы больше успокаивал, что у нас порох сухой, товарищ Сталин.

Мыкыта тоже в ту же дуду дует. А сводки с границы х...евые.

3/III-41

Смотришь, смотришь, все равно просмотришь. ВЧ осталось за Всеволодом. Это не дело, надо вернуть ко мне. Это дело надо развивать и нажимать, у Всеволода так не получится. У него своих забот хватит. А ВЧ мне и самому нужна[3].

---

[1] Шахурин Алексей Иванович, нарком авиационой промышленности СССР.

[2] Пономаренко Пантелеймон Кондратьевич (1902—1984), 1-й секретарь ЦК КП(б) Белоруссии.

[3] При разделении НКВД в феврале 1941 года на два наркомата отделение правительственной ВЧ-связи вначале осталось в НКГБ (в 4-м отделе оперативной техники), но уже через месяц совместным приказом НКВД/НКГБ № 00332/0066 от 26 марта 1941 года это отделение вновь вернулось в состав НКВД.

Мыкыта все еще сидит в Москве. Не пойму. У него что, на Украине дела нет? Там надо день и ночь, огромное хозяйство. И подполье там самое сильное, крепко вредят. Я ему так и сказал, мы с ОУН еще помучаемся. От открытой пятой колонны мы Украину почистили, а подполье сидит. И банды ходят. А он в Москве. И все у Кобы.

Набивается в гости. Говорю, друг Никита Сергеевич я дом ночью не всегда вижу. Наркомат делим делим, все не доделим. Я сейчас не нарком, а полтора наркома. Два глаза на НКВД, один глаз на НКГБ. А еще на Совнарком надо. Скоро глаза лопнут.

Он говорит, у тебя ж люди, кадры решают все. Говорю, они решают, если ты кадрами руководишь.

Подколол, говорю: «а ты, товарищ дорогой, от кадров сбежал, в Москве прохлаждаешься». Рукой махнул. Говорит, справятся, мне надо у товарища Сталина важные вопросы решить.

Ну решай. А мне доделить надо. Вроде и дела, выделить ГУГБ. А на самом деле тут получается новая структура. Тут не стулья поделить, тут надо всю работу перестроить. За два года увидели, что хорошо, что надо убрать, что куда передать. Но получается лучше. И мне будет легче[1].

Комментарий Сергея Кремлёва

Очень интересное, а прежде всего — верное, рассуждение. И на нём стоит остановиться подробнее...

Структурную основу отдельного наркомата государственной безопасности СССР составило прежде всего, естественно, Главное управление государственной безопасности НКВД СССР. Его начальник В.Н. Меркулов и стал наркомом НКГБ. Однако разделение на два наркомата проходило отнюдь не механически и потребовало от Берии много сил и времени.

---

[1] См. комментарий ниже.

Фактически Берия и его помощники подготовили к февралю 1941 года и в течение зимы и весны 1941 года провели новую реформу НКВД. В процессе организации двух наркоматов она только развилась и углубилась.

Если первая реформа Берии 1939 года была призвана прежде всего очистить авгиевы конюшни НКВД Ягоды—Ежова, то вторая реформа 1941 года имела главной целью оптимизацию деятельности наркомата внутренних дел и советской спецслужбы. Со времени начала реформаторских действий Берии прошло более двух лет, кадры были перебраны, отобраны и воспитаны. Теперь можно было подумать о том, как работать ещё эффективнее.

Ведомство внутренних дел — необходимый элемент управления любым обществом. Достаточно напомнить о таких функциях, как охрана общественного порядка, пожарная охрана, запись актов гражданского состояния и т.п.

НКВД СССР вело также большую народно-хозяйственную деятельность через свои промышленные управления.

За НКВД оставалась охрана государственной границы и разведка сопредельной приграничной полосы и ряд других важных функций.

У НКГБ был ряд своих, чисто специфических, задач, но часть его функций не могла не переплетаться с функциями НКВД. Новая структура и порядок взаимодействия двух наркоматов должны были учитывать и это.

Разделив наркоматы, Берия ещё раз реорганизовал НКВД.

Так, 28 февраля 1941 года был издан приказ НКВД № 00232 «Об организации Первого специального отдела НКВД СССР». Многочисленные и многообразные задачи нового отдела (в нём было 15 отделений) были определены подробно, точно и комплексно — у Берии иначе никогда не бывало. Назову лишь одну: «Осуществление централизованного алфавитного и дактилоскопического учёта преступников, арестовываемых органами НКГБ, НКВД, 3-х управлений НКО и НКВМФ, прокуратуры и суда, содержащихся в тюрьмах, исправительно-трудовых лагерях, колониях, камерах предварительного заключения и других местах заключения НКВД и НКГБ».

17 апреля 1941 года нарком НКВД Л.П. Берия утвердил «Положение об Управлении оперативных войск НКВД СССР». Это тоже был важный момент.

К слову, в предыдущих комментариях я, кажется, забыл подчеркнуть, что приказом НКВД № 001013 от 17 августа 1940 года в составе НКВД СССР было образовано Главное управление политпропаганды войск НКВД СССР во главе с дивизионным комиссаром П.Н. Мироненко. В НКВД образца Ягоды и образца Ежова на эту сторону дела особого внимания не обращали, как и на оптимизацию структуры НКВД. Оно и понятно! Если даже не принимать в расчёт заговорщицкие дела и политические интриги и амбиции, надо заметить, что люди Ягоды и Ежова, как и они сами, были в лучшем случае небесталанными дилетантами от управления. А Берия и воспитанные им кадры были блестящими, уверенными в себе и хваткими, с быстрой реакцией, профессионалами-управленцами.

Возвращаясь же к новому Управлению оперативных войск НКВД СССР, образованному за два месяца до начала войны, сообщу из его задач, обозначенных буквами от а) до ж), первые две:

«а) организация, руководство и контроль службы и боевой подготовки войск;

б) руководство боевыми операциями войск...»

Фальсификаторы истории утверждают, что Берия блокировал любую информацию о близящейся войне (позднее мы увидим, что он поступал прямо противоположно, информируя Сталина об угрозе войны всю первую половину 1941 года), однако две первые задачи Управления оперативных войск НКВД СССР показывают, что Берия как раз ориентировал подчинённые ему войска на реальную близкую войну, которую войска НКВД должны были встретить на высоком организационном уровне и встретить достойно.

Они её так и встретили! А созданное Берией перед войной Управление оперативных войск НКВД СССР очень помогло в деле формирования в кратчайшие сроки тех 15 полнокровных чекистских дивизий НКВД, которые сыграли стратегическую роль летом и осенью 1941 года.

15/III-41

Вроде и свои люди, и все известно, но дележ есть дележ. Время отнял много. Теперь разбираюсь с Промышленными Наркоматами. Тевосяна[1] знаю давно, с Ломако[2] и Сединым[3] знакомлюсь. Теперь с наркомами надо знакомится как заново. Люди вроде знающие, Тевосян вообще фигура. Седин не очень показался. А Ломако парень деятельный. Главное специалист, высшее образование по профилю, работал директором Кольчугинского завода. Нарком с июля 1940 г. так что он еще не полностью вошел в курс дела, ничего, подтянет.

Летков[4] тоже хороший парень и тоже специалист. Ответственный человек.

С остальными разбираюсь.

Что нам мешает, это незавершенка. Хватаются за все сразу, а потом не могут в срок построить и начинается волынка. С этим надо кончать, я так всем и сказал. Точный график! Не можешь, скажи. Я тебе помогу чем могу и чем не могу, но ответственность на тебе. Ты специалист, тебе отвечать.

У Седина заместитель молодой парень, фамилия смешная Байбако[5]. Мне сказали, байбаками зовут лен-

---

[1] Тевосян Иван Фёдорович (Тевадросович) (1901—1958), крупный государственный деятель. В 1918—1920 годах на подпольной работе в Баку, в 1919—1921 гг. секретарь Бакинского горкома партии. С мая 1940 года — нарком (министр) чёрной металлургии СССР, с июня 1949 года заместитель Председателя Совета министров СССР.

[2] Ломако Пётр Фадеевич (1904—1990), государственный деятель, с 9 июля 1940 г. нарком цветной металлургии СССР.

[3] Седин Иван Корнеевич (1906—1972), с 3 июля 1940 г. по 30 ноября 1944 г. нарком нефтяной промышленности СССР.

[4] Летков Андрей Иванович (1903—1942). С 17 апреля 1940 года нарком электростанций СССР. В 1942 году погиб при исполнении служебных обязанностей при аварии на электростанции.

[5] Байбаков (Байбако) Николай Константинович (1911—2008), государственный деятель, с 1940 года заместитель наркома нефтяной промышленности, с 30 ноября 1944 г. нарком нефтяной промышленности СССР. Уроженец селения Сабунчи Бакинской губернии. В 1932 году окончил Азербайджанский индустриальный институт, работал в Баку на нефтепромысле.

тяев. Но этот парень работящий. Учился в Баку, почти земляк. И родом оттуда. Тридцать лет, а парень с перспективой. Будет хорошо работать, будем выдвигать дальше.

19/III-41

В этом году начинаем массово строить тяжелые танки. Наркомату надо выделить рабочую силу ГУЛАГа для строительства мощностей на Кировском заводе. 3000 человек. Коба поставил задачу до конца года выпустить на Кировском заводе 1 тыс. танков «Клим Ворошилов» (КВ). Хороший танк. Я сказал Кобе, «Клим Ворошилов» хороший танк, а если сделать танк «Иосиф Сталин» будет еще лучше. Он посмотрел, говорит: «Может еще и сделаем. Но это уже для наступления»[1].

22/III-41

Снова занимаюсь авиационными делами. Самолеты и моторы. С моторами получается лучше. У конструкторов самолетов было больше вредительства, а конструкторы моторов почти все надежны. Может поэтому с моторами лучше. Но аварийность идет не просто от плохого качества. Тут глубже.

Весна, скоро день рождения. Домой бы попасть, мать увидеть[2].

Комментарий Сергея Кремлёва.

Того, что у других людей называется личной жизнью, Берия давно не имел. Ежесуточная круговерть дел и обязанностей была так интенсивна, что на себя времени уже не оставалось. Впрочем, так тогда жили почти все крупные государственные фигуры в СССР Сталина, начиная с самого

---

[1] Интересная запись. Во второй половине войны на вооружение Красной Армии действительно поступил тяжёлый танк «Иосиф Сталин» («ИС-2»), применявшийся как танк прорыва.

[2] См. комментарий ниже.

Сталина. Сталин любил мать, однако не смог поехать на её похороны. У Берии получилось иначе — на его похороны не смогла приехать мать.

Мы мало знаем о взаимоотношениях взрослого Берии со своей матерью, но меня резанула по сердцу фраза из записки недолговечного (с апреля по сентябрь 1953 года) 1-го секретаря ЦК КП Грузии Мирцхулавы Хрущёву от 25 августа 1953 года:

> «...Мать Берия — Берия Марта, глубоко верующая женщина, посещает церкви и молится за своего сына — врага народа».

Мать Берии (1872—?), пенсионерка, была выселена в июле 1954 года из Тбилиси, где проживала в отдельной квартире, в Гульрипшский район Абхазской АССР. Всего после осуждения Л.П. Берии в Красноярский край, Свердловскую область и Казахстан было выселено около тридцати его родственников, включая вдову Нино, сына Серго, родную сестру, двоюродных сестёр, племянников и т.д.

30/III-41

У Кобы сейчас бываю редко. Вызовет, вопрос задаст, а то просто позвонит. Когда вопросы по Наркомату, когда по Промышленным Наркоматам, а сейчас много занимаемся авиаторами. Дела там хреновые. По количеству производства самолетов мы идем неплохо, а качество не обеспечивают. И много людей бьется.

Комиссия от НКО работала в Московском округе. Теперь Коба поручил провести еще раз проверку Всеволоду и мне. Сказал, срок неделя. Сказал, многое ясно, вы проверьте для контроля[1].

9/IV-41

Был крупный разговор по бардаку в авиации. Тимошенко хотел замазать, только тут не замажешь.

---

[1] См. следующую запись и комментарий к ней.

Пьянки как были так и есть, а учат плохо. Самолеты бракованные есть, не спорю. Но ты их облетай, проверь. А главное людей научи. Может война на носу, а у них такой бардак.

Рычагова сняли за дело[1]. А Пумпура[2] вообще расстреливать надо.

Комментарий Сергея Кремлёва.

9 апреля 1941 года Политбюро приняло Постановление «Об авариях и катастрофах в авиации Красной Армии». Сегодня «продвинутые» «историки» объясняют чрезвычайно высокую аварийность в ВВС РККА перед войной исключительно «форсированным производством самолётов». Однако это глупости уже потому, что даже во время войны аварийность в ВВС хотя и была высокой, но — не такой высокой в процентном отношении, как перед войной. А ведь тогда и уровень кадров в авиационной промышленности упал, и производство самолётов было действительно форсировано до предела и сверх предела, и обучение лётчиков шло предельно ускоренно.

Нет, причины в неблагополучии в ВВС в первой половине 1941 года были всё же иными, начиная с прямого предательства в руководстве ВВС.

Так, в мае 1941 года был арестован заместитель начальника вооружения и снабжения Главного управления ВВС КА дивизионный инженер Иван Филимонович Сакриер (1900—1941) по обвинению в подрывной и шпионской работе. В 1941 году Берия его расстрелял. Позднее хрущёвцы его реабилитировали, однако Сакриер действительно был связан с германской разведкой. А он ведь занимал важные по-

---

[1] 9 апреля 1941 года начальник ВВС КА и заместитель наркома обороны СССР П.В. Рычагов (1911—1941) был снят со своих постов «как недисциплинированный и не справившийся с обязанностями руководителя ВВС». Он был направлен на учёбу в Военную академию Генштаба РККА, но после начала войны арестован и позднее расстрелян.

[2] П.И. Пумпур, командующий ВВС Московского военного округа, генерал-лейтенант.

сты в РККА — в Главном артиллерийском управлении, в Управлении ВВС!

С другой стороны, повсеместно процветали вульгарная халатность и безответственность. На заседании Политбюро 9 апреля 1941 года вскрылись чудовищные вещи. Впрочем, пусть читатель судит сам.

В марте 1941 года в столичном, Московском, военном округе под носом у будущих «невинных жертв сталинско-бериевского террора» генералов Смушкевича и Рычагова, а также ещё одной «жертвы» — командующего ВВС МВО генерал-лейтенанта Пумпура (все три бывшие Герои Советского Союза и все три хрущёвцами реабилитированы), 23% лётчиков вообще не летали на боевых самолётах. В частях 24-й дивизии ПВО не было проведено ни одного учения, не было объявлено ни одной тревоги с вылетом истребителей. За три месяца до войны!

Инспекция наркомата обороны обнаружила, что почти все части ВВС МВО не боеспособны, пулемёты не пристреляны, бомбодержатели не отрегулированы, боевая готовность по тревогам не отработана. Из-за низкой выучки число только погибших лётчиков исчислялось десятками.

Рычагова, Смушкевича, Сакриера и еще нескольких авиационных генералов расстреляли по решению Особого совещания 28 октября 1941 года. Следствие по делу Пумпура длилось до февраля 1942 года, когда он по указанию Сталина решением Особого совещания НКВД СССР был приговорён к расстрелу.

В современных источниках (причём вполне антисоветских и лояльных к Рычагову) мне попались глухие сведения о том, что в июне 1941 года Рычагов по поручению Сталина провёл секретное инспектирование советско-германской границы. Если это так, то это означает, что ещё перед самой войной Сталин полностью доверял Рычагову политически и верил в его патриотизм. Тем не менее Рычагов был арестован уже 24 июня 1941 года. А вот уже это означает, что он сознательно дезинформировал Сталина о положении на границе и был арестован как прямой предатель. Грустно, но, увы, не исключено.

В ВВС было также очень развито пьянство. Всепогодной авиации тогда не была, да и летать в сложных метеоуслови-ях трудно и опасно. Поэтому когда погода была нелётной, лётчики просто убивали время на земле, а скуку скрашива-ли пьянкой. И это становилось нормой. Тот же Чкалов алко-голем, увы, злоупотреблял. Вполне можно было организо-вать наземную учёбу и занять личный состав — даже той же строевой подготовкой (очень надо сказать дисциплини-рующий элемент армейской службы). Однако как раз этим авиационные командиры занимались спустя рукава или во-обще не занимались. Зато, например, в 1938 году коман-дующий ВВС Белорусского военного округа К.М. Гусев мог посадить за стол прилетевшего в округ инспектора ВВС А.К. Серова, Героя Советского Союза и приятеля Гусева, и «гудеть» с ним до бесчувствия.

На заседании Военного Совета при наркоме обороны СССР 21 ноября 1938 года член Военного совета Белорус-ского Особого военного округа И.В. Рогов прямо заявлял:

«...Пьянство в округе развито довольно богато, осо-бенно оно развито в Военно-воздушных силах. Вот здесь сидят два авиационных начальника: и т. Денисов, Герой Советского Союза, и т. Гусев. Бригада т. Денисова отли-чается пьянством в округе и, пожалуй, может занять первое место... Тов Гусеву... было затруднительно вести борьбу с пьянством, поскольку он сам однажды показал дурной пример, напившись с полковником Серовым «в дым», что называется. Этого не должно быть, потому что если сами командующие начнут пьянствовать, то, что же, спрашивается, можно требовать с их подчинённых».

Так было, конечно, не во всех авиационных соединениях и частях, но сложное положение, в котором оказались со-ветские ВВС в первые дни войны, во многом на совести значительной части высших авиационных командиров. Тот же командующий ВВС Западного Особого военного округа генерал Копец настолько беспечно «готовился» к войне, что если бы не застрелился с началом боевых действий, то был бы заслуженно предан суду вместе с бывшим командую-щим ЗапОВО Павловым и, как и Павлов, расстрелян.

Немцы занимают Югославию и Грецию[1]. И тут у них успех. Я к внешним делам человек посторонний, мне даже переписку из НКИД не адресуют. Но я тоже соображаю. А сейчас что-то не соображаю. Не пойму.

Мы со своим пактом с сербами обос...лись. Только подписали, а Гитлер пошел на Югославию. Зачем Коба пошел на этот пакт, непонятно. Сербы оглядываются на англичан, переворот устроили англичане, а мы при чем? Можно было что-то делать до того, пока немцы не втянули Югославию в тройственный пакт. Тогда можно было рассчитывать на что-то. А зачем сейчас? Вот и получили фукс[2], только наоборот. Еще непонятно, чем это для нас кончится. Немцы оценивают наш пакт с югославами по разному, но Гитлер разозлился.

Зачем нам это. Нам только войны нехватало (*Так в тексте. — С.К.*). А так можно и дойти. Не пойму.

Я всегда шел за Кобой и буду идти за Кобой. Мы все в Политбюро толковые ребята, а Коба гений. Сколько людей сгорело на том, что думали, что они сами умные, а Коба дурак и не туда ведет. Отсюда шли оппозиции, группы, заговоры и вся та петрушка, что проявилась у Тухачевского, у Зиновьева, Рыкова, Бухарина и всей сволочи. Нет, у всех кишка тонка, только Коба всегда был прав. А когда ошибется, сам же поправится.

Против Кобы нельзя. Народ ему верит, понял, что товарищ Сталин всегда делает правильно. А если мы не понимаем и бурчим, то нам же хуже. Время прошло, видно что товарищ Сталин прав. Так было и так будет.

---

[1] 5 апреля 1941 года был подписан советско-югославский договор о дружбе и ненападении. 6 апреля 1941 года Германия начала вторжение в Югославию и Грецию. 17 апреля 1940 года капитулировала Югославия, 23 апреля — Греция.

[2] Ф у к с — в бильярде случайно, неожиданно выигранный шар. Отсюда и выражение — «выиграть фуксом».

Не хотели индустриализации, не хотели коллективизации, сколько крови пролито, сколько было сопротивления. А сколько выли: «Коба ведет к гибели. Коба — посредственность. Коба уперся, а надо гибко».

А чем кончилось! За десять лет другая Страна. И Экономика другая, и люди. Кадры решают все. Но кадры надо было создать. Создали, воспитали. А Коба вел и будет вести. Еще десять лет так будем идти, и никто не поверит, что двадцать лет назад в лаптях ходили и голод был и забастовки. Это если войны не будет. Война сейчас может быть только с немцами, а зачем? Нам война не зачем. Так зачем мы их этим пактом дразним. Все равно они сербов побьют, а нам что?

Не пойму Кобу. Но надо идти за Кобой[1]. Правда у него и будет у него, даже если война будет. А война может быть. И по линии Всеволода[2] идет информация, и по линии разведки Соколова[3]. На границе не спокойно.

Комментарий Сергея Кремлёва.

Надо сразу сказать, что знакомство с записью в дневнике Л.П. Берии от 10 апреля 1941 года задело мою «больную мозоль» — тему советско-югославского договора от 5 апреля 1941 года. Этот шаг Сталина для меня абсолютно непостижим. Единственный раз в своей политической жизни Сталин поступил не просто опрометчиво, но откровенно глупо.

Сомнения же Берии стали для меня лишним подтверждением того, что Берия умел политически мыслить вполне самостоятельно. Другое дело, что как раз в силу этого Берия сознательно, даже наедине с собой, не допускал и мысли о том, что можно вести линию, отличную от сталинской, — какой бы они ни была.

---

[1] См. комментарий ниже.

[2] Нарком ГБ СССР Всеволод Меркулов, в ведении которого с 3 февраля 1941 года была внешняя разведка НКГБ СССР.

[3] Начальник Главного управления погранвойск НКВД СССР.

Но это не исключало, как видим, внутренних колебаний и сомнений Л.П. Берии по ключевому — на мой взгляд — моменту советско-германских отношений перед войной. Неверная оценка этого момента Сталиным и вытекающее из неё неумное поведение СССР по отношению к проблеме Балкан окончательно подтолкнули Гитлера к решению воевать с Россией.

Суть тут вот в чём. Для Гитлера, ведущего войну с Англией, не желающей покончить дело миром, к 1941 году жизненно важным стал фактор времени. Он понимал, что ещё год-два, и в Европу вновь, как и четверть века назад, придёт Америка, чтобы разгромить Германию и стать верховным судьёй и окончательным хозяином Европы.

С другой стороны, для Гитлера жизненно важной была румынская нефть — единственный надёжный источник поставок в Германию.

Если бы Англия заняла Балканы, она получила бы возможность эффективно бомбить нефтепромыслы Плоешти.

Допустить этого Гитлер не мог. Значит — он не мог допустить англичан на Балканы. А англичане как раз туда и нацелились. Вот немного хронологии…

В декабре 1939 года началось английское наступление в Северной Африке. 15 января 1941 года началось английское наступление в Восточной Африке, 22 января англичане заняли Тобрук. 7 марта 1941 года англичане начали высадку войск в Греции, а остров Крит был занят английскими войсками ещё 1 ноября 1939 года.

27 сентября 1939 года Германия, Италия и Япония заключили Тройственный пакт. В СССР, уже после войны, его подавали как направленный против СССР, хотя Тройственный пакт был направлен на нейтрализацию США и противодействие Англии. То, что этот пакт не имел антирусского характера, лучше всего доказывается тем, что в ноябре 1940 года Гитлер в беседе с Молотовым предлагал нам присоединиться к Тройственному пакту.

Негибкая политика СССР привела к тому, что Тройственный пакт постепенно стал приобретать не очень-то дружественный по отношению к СССР характер за счёт того, что после неудачи берлинских переговоров Молотова к Тройственному пакту 20—24 ноября 1939 года присоединились

Венгрия, Румыния и Словакия. Особенно две первые страны относились к СССР более чем прохладно.

1 марта 1941 года к Тройственному пакту присоединилась Болгария, и немецкие войска вошли на территорию Болгарии. А 25 марта 1941 года под нажимом Германии Тройственный пакт подписала в Вене также Югославия.

Почти сразу же, 27 марта, в Белграде произошёл государственный переворот, инспирированный Англией, и у власти оказалось проанглийское правительство Симовича. Югославия фактически вышла из Тройственного пакта (хотя югославский министр иностранных дел Нинчич и заявил, что новое правительство признаёт венский протокол). А у Англии появилась возможность обеспечить себе удобную площадку для организации налётов на румынские нефтепромыслы.

Заключение в этих условиях Пакта о дружбе с Югославией было для СССР, мягко говоря, нецелесообразным. Ещё в конце марта 1941 года югославским представителям в Москве давали понять, что Москва не желает ввязываться в балканские проблемы, однако 5 апреля Сталин руками Молотова всё же подписал с Югославией договор — за день до начала вторжения вермахта в Югославию.

Зачем это им было сделано, я понять не могу. Причём даже название договора было почти карикатурным: «О дружбе и ненападении». О каком взаимном нападении можно было говорить? И хороша дружба, при которой договариваются о ненападении друг на друга.

Замечу, что королевство Югославия было одним из наиболее стойких антисоветских государств Европы. В Югославии осело много эмигрантов-белогвардейцев, Югославия всегда была готова поддержать антисоветскую позицию англо-французов. В 1931 году в статье «Югославия», опубликованной в 65-м томе первого издания Большой советской энциклопедии, говорилось:

«*По отношению к СССР Югославия всегда занимала ярко враждебные позиции. Основная часть остатков врангелевской армии нашла приют в Югославии, где они были использованы для службы в пограничной страже. Врангелевские отряды все время проходят военное обучение и в любой момент могут быть использованы для формирования белой армии».*

Югославия была чуть ли не последним (а скорее всего — последним, если не считать Ватикан) европейским государством, установившим официальные дипломатические отношения с СССР! Они были взаимно установлены лишь 25 июня 1940 (сорокового!) года.

При этом, как уже было сказано, 27 марта 1941 года в Белграде произошёл инспирированный английской разведкой государственный переворот, имеющий целью отвернуть Югославию от мирного курса в отношениях с Германией.

В Югославию готовились вступать английские войска, и этим было предрешено вторжение в Югославию Германии. Соответственно, заключение Советским Союзом Пакта с политически обанкротившейся Югославией накануне операции Германии против Югославии было объективно неумным и недружественным шагом по отношению к Германии.

Гитлера этот шаг Сталина ошеломил именно своей очевидной нерациональностью. Но, как видим, Берия тоже не мог понять здесь Сталина.

Не могу его понять и я. Югославский «фукс наоборот» я расцениваю как одну из хотя и очень немногочисленных, но роковых ошибок Сталина. Собственно, во внешней политике это была, пожалуй, вторая и последняя крупнейшая ошибка Сталина за всё время его руководства страной (первой стала недооценка возможности исключительно мирного развития советско-германских отношений после 23 августа 1939 года).

Ранее Сталин уже проявлял активность в части Югославии. По некоторым данным, он предпринимал усилия по организации такого государственного переворота в Югославии, когда к власти там пришли бы лояльные к новой России армейские офицеры. Так, в Югославию вроде бы ещё в 1938 году направлялись тайные эмиссары из разведки НКВД. В 1941 году туда вроде бы ездил с тайной миссией один из руководителей Разведывательного управления Генштаба РККА Михаил Абрамович Мильштейн (1910—1992).

Подчеркну, что не надо путать этого Мильштейна с бериевским соратником Соломоном Рафаиловичем Мильштейном (1899—1955).

Михаил Мильштейн из военной разведки, сотрудник Разведупра с 1933 года, уроженец города Ачинска Красноярского края, спокойно дожил до перестроечных времён, считался (уж не знаю, насколько заслуженно) одним из асов разведки и с 1966 года имел звание генерал-лейтенанта.

Соломон Мильштейн, уроженец Вильно, с мая 1925 года работал в армейских Особых отделах, а с января 1927 года стал секретарём ГПУ Грузии, то есть подчинённым Л.П. Берии. Толковый работник был Берией замечен, и когда в 1931 году Берия стал 1-м секретарём КП(б) Грузии, он забрал Мильштейна к себе в ЦК, а в декабре 1938 года перевёл его в НКВД СССР. Долгая карьера бериевского Мильштейна окончилась сразу после ареста Лаврентия Павловича. 30 июня 1953 года Соломон Мильштейн был арестован, 30 октября 1954 года приговорён к расстрелу и 14 января 1955 года расстрелян.

Впрочем, известный советский генерал от разведки Павел Судоплатов в своих мемуарах утверждает, что по линии НКВД также предпринимались действия по организации переворота в Югославии в марте 1941 года. Он пишет: «С нашей стороны в этой акции участвовал Алахвердов». Однако мемуары Судоплатова, хотя во многих своих частях и аутентичны реальности, во многих своих частях, мягко говоря, не очень ей соответствуют. Насколько мне известно, первое издание книги Судоплатова (да ещё и при участии его сына экономиста, а также некоего Джеральда Шектера и его жены Леоны) вышло в 1994 году в США и Франции. Можно лишь догадываться, что в этой книге принадлежало перу Павла Судоплатова, что — Анатолия Судоплатова, а что было результатом «семейного подряда» закордонных супругов (и, возможно, каких-то уж совсем безвестных их «соавторов»).

Нередко неточности в «мемуарах» Судоплатова видны невооружённым глазом. В частности, имея в виду «югославские» коллизии 1941 года, можно отметить ту странность, что опытнейший чекист, живая история НКВД, запамятовал, что в марте 1941 года из НКВД уже выделился НКГБ, включая ГУГБ и его 1-е (разведывательное) управление. То есть все внешние акции разведки шли через Меркулова, а не Берию. Безусловно, они по-прежнему работали в теснейшем контакте, однако у Берии хватало своих забот, в том числе по Совнаркому, где он с 3 февраля 1941 года стал заместителем Молотова. А Меркулов свои донесения направлял непосредственно Сталину и, надо полагать, получал задания непосредственно от него, с ним согласовывая действия внешней разведки теперь уже НКГБ СССР.

Так что не знаю, имел ли отношение НКГБ Меркулова к перевороту в Белграде 27 марта и чем занимался на Балканах Мильштейн из Разведупра — заведения, вообще-то, перманентно не очень надёжного (достаточно напомнить, что из него вышли и предатель Пеньковский, и предатель Резун-«Суворов»).

Не знаю я и того, насколько вообще был возможен наш успех в деле просоветского переворота в Югославии. Думаю, что шансы на это были нулевыми даже в 1938 году, когда, по словам того же Судоплатова, Сталин о таком перевороте подумывал (во что я, по ряду соображений, не очень верю). Устойчивый русский ли, советский ли успех на Балканах был невозможен потому, что балканские славяне всегда смотрели на Россию как на дармовой источник «пушечного мяса», призванного проливать за них русскую кровь, и как на дойную корову. Зато на Запад они смотрели как на хозяина с кнутом и пряником. Это было свойственно даже массам, а что уж говорить об имущих слоях!

Так или иначе, какие-то попытки по части просоветского переворота можно было предпринимать в 1940 году или хотя бы до середины марта 1941 года — до официального присоединения Югославии к Тройственному пакту.

После 25 марта 1941 года Балканы должны были бы стать для СССР в политическом смысле табу. Но вот же, Сталин (ума не приложу — зачем?!) умудрился вляпаться в балканскую ситуацию самым плачевным образом. Дорого бы я заплатил за то, чтобы знать — кто его к этому подталкивал? Но, как видим, это был не Л.П. Берия.

Интригу усиливает то, что, во-первых, с 28 марта по 10 апреля 1941 года Берия не появлялся в кабинете Сталина. Во-вторых, в этот период Сталин вообще мало принимал: лишь 28 марта, 5, 8 и 9 апреля (7 апреля у Сталина с 19.35 до 20.05 был один Молотов). Конечно, Сталин мог исходить из того, что переворот в Югославии отвлекал Гитлера от СССР. Но ведь 27 марта переворот уже произошёл и был произведён руками англичан. Гитлер и так уже был вынужден (не Сталиным, а Черчиллем) предпринять вторжение в Югославию и заодно — в проанглийскую Грецию. Так зачем, спрашивается, надо было заключать пакт от 5 апреля?

Создаётся впечатление, что Сталина тогда кто-то очень серьёзно спровоцировал. Так, я не исключаю, что некие шустрые деятели (возможно, из того же Разведупра) прямо дезинформировали Сталина относительно роли советских спецслужб в организации переворота 27 марта. Сталина могли убедить, что англичане, мол, были только ширмой, а на самом деле «бал» правим в Белграде мы. И если, мол, СССР заключит пакт с Югославией, то это, во-первых, прочно включит Югославию в сферу советского влияния, а во-вторых, удержит Гитлера от оккупации Югославии.

А ведь такая оккупация была косвенно выгодна СССР уже потому, что отвлечение вермахта на операции на Балканах уменьшало вероятность удара Германии по СССР в 1941 году или, по крайней мере, отодвигало его сроки, что для нас было важно.

Советско-югославский пакт не вступил в силу, потому что к концу апреля 1941 года Югославия перестала существовать. Однако и так непрочная вера Гитлера в добрые намерения Сталина по отношению к рейху была, увы, окончательно подорвана.

И Гитлер решил ударить по России уже в 1941 году — пока обстановка Германии хоть как-то благоприятствовала.

15/IV-41

Коба снова собирал по авиации. Я уже подошел под конец, там все, Шахурин[1], Дементьев[2], Яковлев[3] И Жигарев[4] сидел. С Кобой Вячеслав, Георгий и Анастас.

---

[1] Нарком авиационной промышленности СССР.

[2] Заместитель наркома авиационной промышленности СССР.

[3] Конструктор самолётов и заместитель наркома авиационной промышленности СССР.

[4] Начальник ВВС Красной Армии.

А вчера был разговор с Тимошенко и Жуковым и Жигаревым. Наркомату поручили строить новые аэродромы, дело нужное, но как успеть. Надо работать больше чем по 200 аэродромам. Вопросов много[1].

16/IV-41

Сегодня представил Сергея[2] Кобе. Коба перешёл на грузинский, Сергей ему отвечает, я тоже слово вставил. А Вячеслав сидит как дурак, надулся и делает вид, что его не касается. Видно Коба решил подразнить. Потом говорит по русски: «Что это мы товарищи забыли про Вячеслава Михайловича. Он же по грузински не понимает. Простите товарищ Молотов, увлеклись».

Вячеслав посмотрел довольно таки зло[3].

20/IV-41

Пакт с японцами подписали и на японской границе стало спокойнее[4]. Провокации есть, но меньше. С немцами хуже. Начались нарушения румынской границы германскими самолетами. Стрелять по немцам строго запрещено. Если они летят от себя, мы заявляем протест. А если летят от румын, то кому подавать протест. Соколов запрашивает как быть. Я приказал

---

[1] 24 марта 1941 года на НКВД СССР была возложена задача строительства аэродромов для ВВС РККА. Приказом НКВД № 00328 от 27 марта 1941 г. в НКВД было образовано Главное управление аэродромного строительства (ГУАС) НКВД СССР.

[2] Гоглидзе Сергей Арсентьевич (1901—1953), один из руководителей государственной безопасности, соратник Л.П. Берии. В 30-е годы — нарком НКВД ЗСФСР и нарком НКВД ГССР. С 14 ноября 1938 по 26 февраля 1941 г. — начальник УНКВД по Ленинградской области. В начале 50-х годов был заместителем министра ГБ СССР. В 1953 году осуждён и расстрелян по «делу Берии».

[3] 16 апреля 1941 года с 23.00 до 23.25 в кабинете Сталина находились только Сталин, Молотов, Берия и Гоглидзе.

[4] 13 апреля 1941 года Председатель СНК СССР и министр иностранных дел СССР В.М. Молотов и министр иностранных дел Японии Иосуке Мацуока подписали пакт о нейтралитете между СССР и Японией сроком на пять лет.

Масленникову запросить Наркоминдел. Оттуда разъясняют, что протесты надо заявлять румынским пограничным властям. Германские самолеты не обстреливать.

А они уже открыто ведут глубокую разведку. Под Ровно посадили немецкий самолет с фотопринадлежностями, заснял нашу территорию на глубину 200 км. Доложили Кобе.

Все данные разведки ГУПВ за то, что они могут начать войну как только позволят дороги. Это где-то вторая половина мая, не раньше. По данным Всеволода и военных получается тоже так. Но у них мутно.

Коба говорит, что надо быть готовыми и не провоцировать. Сводки направляю ему постоянно[1]. Спрашивает: «Что считаешь, начнут весной?»

Я говорю, точно пока не скажу, но могут или поздно весной или летом. Они только закончили с югославами и добивают греков и англичан[2]. В Греции им еще время надо, потом привести войска в порядок и перебросить. Середина мая не раньше.

Комментарий Сергея Кремлёва.

По сей день в вопросе о том, как, кем и насколько адекватно ситуации информировался Сталин в первой половине 1941 года, имеется много невольной путаницы, а ещё больше — намеренной лжи.

Суть же здесь такова.

Всю первую половину 1941 года высшее политическое руководство, то есть Сталин и Молотов, а также высшее военное руководство, то есть нарком обороны Тимошенко и начальник Генштаба РККА Жуков, регулярно получали разведывательные сводки по линии Разведупра Генштаба (начальник РУ генерал-лейтенант Голиков), по линии НКГБ

---

[1] См. комментарий ниже.

[2] Германская операция в Греции была закончена к 29 апреля 1941 года. С 24 по 29 апреля прошла эвакуация английских войск из Греции.

(нарком Меркулов) и по линии разведки пограничных войск НКВД (нарком Берия).

Сегодня многое (хотя увы, далеко, далеко не всё!) опубликовано. Не перегружая текст, просто сошлюсь, как на типичные примеры, на два документа.

26 апреля 1941 года начальник Разведывательного управления Красной Армии генерал-лейтенант Голиков направил Сталину, Молотову, Ворошилову, Тимошенко, Берии, Жукову, Кузнецову (НК ВМФ) и Жданову спецсообщение РУ ГШ № 660448сс о распределении Вооружённых сил Германии по театрам и фронтам военных действий по состоянию на 25 апреля 1941 года.

Количество германских войск в приграничной полосе СССР Разведупр определял в 95—100 дивизий (без кавалерийских частей). Точность записки была, надо заметить, не из лучших, но прошу обратить внимание на рассылку. Список рассылки был вполне устоявшимся, и позднейшие заявления, например Жукова, о том, что Голиков якобы информировал Сталина «в обход» наркома обороны и Генштаба, просто лживы.

Надо сказать, что Разведупр и далее занижал количество германских войск, однако тенденция к усилению напряжённости им была всё же уловлена. Так, 5 мая 1941 года в спецсообщении РУ ГШ № 66-477сс Голиков отмечал, что за два месяца количество немецких дивизий в приграничной зоне против СССР увеличилось на 37 дивизий, из них число танковых дивизий возросло с 6 до 12, а всего с румынской и венгерской армией имеется 130 дивизий. Список рассылки тот же, за исключением Жданова и с прибавлением Будённого, Шапошникова и Кулика.

Второй документ иллюстрирует работу внешней разведки НКГБ СССР. 24 апреля 1941 года нарком Меркулов направил регулярную записку № 1253/М в ЦК ВКП(б), СНК СССР, НКО и НКВД СССР, то есть Сталину, Молотову, Тимошенко с Жуковым и Берии, о планах подготовки Германии к войне с СССР. В частности, там сообщалось, что «планы антисоветской акции не сняты с повестки дня», что «штаб авиации с прежней интенсивностью ведет подготовительную работу для операции против СССР, которая выражается в детальном определении объектов бомбардировки в общем плане операций...» и т.д.

Однако и здесь информация подаётся в плане предположительном и — не очень-то конкретно.

А вот Записка наркома внутренних дел СССР Л.П. Берии № 1196/Б от 21 апреля 1941 года о переброске германских войск к советской границе и нарушении воздушного пространства СССР, направленная И.В. Сталину, В.М. Молотову и наркому обороны С.К. Тимошенко:

«С 1 по 19 апреля 1941 г. пограничными отрядами НКВД СССР на советско-германской границе добыты следующие данные о прибытии германских войск в пункты, прилегающие к государственной границе в Восточной Пруссии и генерал-губернаторстве.

В пограничную полосу Клайпедской области:

Прибыли две пехотные дивизии, пехотный полк, кавэскадрон, артиллерийский дивизион, танковый батальон и рота самокатчиков.

В район Сувалки-Лыкк:

Прибыли до двух мотомехдивизий, четырех пехотных и двух кавалерийских полков, танковый и саперный батальоны.

В район Мышинец-Остроленка:

Прибыли до четырех пехотных и одного артиллерийского полков, танковый батальон и батальон мотоциклистов.

В район Остров-Мазовецкий—Малкиня-Гурна:

Прибыли один пехотный и один кавалерийский полки, до двух артиллерийских дивизионов и рота танков.

В район Бяла-Подляска:

Прибыли один пехотный полк, два саперных батальона, кавэскадрон, рота самокатчиков и артиллерийская батарея.

В район Влодаа-Отховок:

Прибыли до трех пехотных, одного кавалерийского и двух артиллерийских полков.

В район г. Холм:

Прибыли до трех пехотных, четырех артиллерийских и одного моторизованного полков, кавполк и саперный батальон. Там же сосредоточено свыше пятисот автомашин.

В район Грубешув:

Прибыли до четырех пехотных, один артиллерийский и один моторизованный полки и кавэскадрон.

В район Томашов:

Прибыли штаб соединения, до трех пехотных дивизий и **до трехсот танков**,

В район Пшеворск-Ярослав:

Прибыли до пехотной дивизии, свыше артиллерийского полка и до двух кавполков.

<...>

Сосредоточение германских войск вблизи границы происходило небольшими подразделениями, до батальона, эскадрона. Батареи. И зачастую в ночное время.

В те же районы, куда прибывали войска, доставлялось большое количество боеприпасов, горючего и искусственных противотанковых препятствий.

В апреле усилились работы по строительству укреплений.

<...>

За период с 1 по 19 апреля германские самолеты 43 раза нарушали государственную границу, совершая разведывательные полеты над нашей территорией на глубину до 200 км.

Большинство самолетов фиксировалось над районами: Рига, Кретинга, Таурроген, Ломжа, Рава-Русская, Перемышль, Ровно.

Приложение: схема.

Народный комиссар
внутренних дел СССР Берия»

Как видим, здесь всё точно, конкретно и вырисовывается вполне определённая картина явной подготовки первого удара. Так же конкретно и доказательно Берия информировал Сталина и в дальнейшем. Причём сведения разведки погранвойск НКВД в принципе не могли содержать элементов стратегической дезинформации, потому что это была «муравьиная» разведка, где общая картина складывалась из сотен отдельных частных донесений от массовых осведомителей по ту сторону кордона.

25/IV-41

Коба утвердил Сергея[1] уполномоченным по Молдавии. На этот раз без фокусов, сидели говорили Вячеслав, Всеволод, Сергей и я.

---

[1] 25 апреля 1941 года С.А. Гоглидзе был назначен уполномоченным ЦК ВКП(б)и СНК СССР в Молдавской ССР. См. также запись от 16 апреля 1941 года.

29/IV-41

Вячеслав сказал, что Коба обсуждал с Тимошенко и Жуковым положение с Боеготовностью в западных округах. Они написали записку. Ты не записку напиши, а проедь сам и напиши доклад об инспекции. Я мало езжу, так у меня есть налаженный аппарат. Чекисты давали с мест точную информацию даже при Ягоде. Я Тимошенко говорю, ты больше опирайся на свое Третье Управление[1]. Бурчит что-то. Особисты для них не свои. Дураки и муд...ки впридачу! Думают, Особый Отдел это как жандармы. Вот х...й вам.

Настоящий особист, это отдельный контроль за состоянием боевой готовности. Первый помощник командования. А то обсуждают, обсуждают, а что творится в войсках все равно ни х...я не знают. Стратеги! Коба меня с документами НКИД не знакомит. А хотелось бы. Считает, что Лаврентий х...евый дипломат.

На границе с немцами идет концентрация войск. Направляю Кобе записки, но пока не вызывает. А из Погранвойск уже прямо пишут, что может быть война[2]. Немцы ожидали нашего наступления в середине апреля[3].

---

[1] Бывший Особый отдел НКВД СССР при разделении НКВД был передан в наркомат обороны СССР и преобразован в Третье управление НКО.

[2] В донесении Украинского пограничного округа от 20 апреля 1941 года сообщалось:

«Данные частей пограничных войск НКВД УССР в период с 10 по 20 апреля со всей очевидностью подтверждают ускоренную подготовку театра войны, проводимую командованием и властями Германии как в пограничной полосе Германии, так и на территории Венгрии. Наиболее характерными фактами являются: продолжающаяся усиленная инженерно-саперная подготовка — трассировка и отрывка окопов, разведка рек, усиленное наблюдение за нашей территорией офицерским составом, ...фотографирование нашей стороны как с сопредельной территории, так и залетом разных типов самолетов с целью аэрофотос'емки...

...13 апреля на ст. Развадув было разгружено три эшелона танков, орудий и самолетов...» и т.д.

[3] В донесении Украинского пограничного округа от 20 апреля 1941 года сообщалось: «Имели место разговоры, что немцы ожидали наступления советских войск 10—15 апреля...» Скорее всего, это было связано с опасениями Берлина, что СССР заключил пакт с Югославией накану-

Подготовил приказ по Печорлагу[1]. Начальником пойдет Потемкин, пусть работает. Всем сказал, это приказ по одному строительству, но на ус намотайте все. Вы можете выполнить план только если будут хорошо работать люди. А они будут тогда хорошо работать, когда накормлены, обуты и одеты. И настроение тоже значение имеет. Значит быт тоже надо обустроить.

5/V-41

Говорил с Ждановым. Коба занят с военными и авиаторами. Андрей говорит, что Коба сомневается, что война будет. Говорит, что риск для Гитлера очень большой. Я сказал Андрею, что может оно и так, но сведения с границы очень хреновые, так просто столько войск не перемещают. Потом они деревянные мосты укрепляют железом. Зачем? Для дизинфомации? (*Так в тексте. — С.К.*) Херня! Они крепко готовятся. Жданов говорит, что военные тоже считают, что немец побоится. А твои сводки, говорит, товарищ Сталин читает и головой качает.

Херово. Надо добиться разговора.

не неизбежного удара Германии по Югославии для того, чтобы иметь формальный повод порвать с Германией и ударить по ней. Ещё более вероятно, что это был результат прямой провокации Черчилля и Рузвельта (см. запись в дневнике от 11 декабря 1941 года).

[1] Приказ НКВД № 0220 от 30 апреля 1940 г. подводил итоги обследования комиссией НКВД СССР Печорского лагеря НКВД, где к концу осени 1940 года сложилось тяжёлое положение и резко возросла смертность среди заключённых (см. запись от 25 декабря 1940 года и комментарий к ней). Стиль приказа — энергичный и в то же время конкретный, доказывал, что нарком не просто подписал, а именно подготовил этот приказ по наркомату. Берия не изображал из себя гуманиста, суть его приказа ориентировала на «безусловное выполнение строительства ж.-д. линии Печора — Воркута в установленный Правительством срок — в декабре 1941 г.». Но обеспечить выполнение этого задания Берия требовал не за счёт кнута, а за счёт высокой организации работ и быта на строительстве.

Этот же приказ предписывал арестовать и предать суду начальника Отдела общего снабжения Печорлага Гейдерейха и бывшего начальника 2-го отделения Печорлага Кондрашина «за развал работы по снабжению и бытовому устройству заключенных».

7/V-41

Был у Кобы, но дела были текущие[1], поговрить (*Так в тексте. — С.К.*) не удалось. А надо бы. Живу как карась на сковородке[2].

Справка публикатора.

День 9 мая 1941 года в официальной предвоенной истории особо не отмечен никак. А день это был, весьма вероятно, примечательный. Тогда Сталин принял лишь двоих. Кого?

Вот запись в Журнале посещений сталинского кабинета:

«т. Хрущёв	17 ч
	выход 18 час.
Т. Берия	21 ч. 45
	вых. 21 ч. 50
Последн. вышли 21 ч. 50»	

О чём говорил Сталин в этот день вначале наедине с Хрущёвым, вызвав его из Киева, а потом почти через четыре часа, — наедине с Берией? В дневнике никакой записи об этом нет. Но почему?

Более подробно я этого коснусь в комментарии к записи от 10 июня 1941 года.

15/V-41

Сегодня договорились у Кобы, что надо срочно провести очистку Прибалтики и вообще по границе[3]. Были только Вячеслав, Георгий, Жданов и Всеволод[4].

---

[1] 7 мая Л.П. Берия с 15.45 до 21.00 принимал участие в совещании у Сталина вместе с Молотовым, Л. Кагановичем, Булганиным, Вознесенским, Микояном и Шахуриным (нарком авиапромышленности).

[2] Судя по эмоциональному строю записей от 5 и 7 мая, Берию очень тревожило отсутствие острой реакции Сталина на информацию об угрозе близкой войны.

[3] См. комментарий ниже.

[4] Имеются в виду Молотов, Маленков, Меркулов и, как это ясно и так, Жданов.

Подготовить надо все аккуратно. Хорошо то, что Коба похоже понял, что уже скоро можно ожидать всего. Даже большой войны.

Комментарий Сергея Кремлёва.

16 мая 1941 года нарком ГБ СССР Меркулов представил в ЦК докладную записку НКГБ № 1687/М, при которой препровождал для рассмотрения проект Постановления ЦК ВКП(б) и СНК СССР по «зачистке» Прибалтики. Проект был представлен Сталину за подписью Берии и Меркулова. Постановление, принятое на его основе, гласило, в частности:

> «1. Разрешить НКГБ и НКВД Литовской, Латвийской и Эстонской ССР арестовать с конфискацией имущества и направить в лагеря на срок от 5 до 8 лет и после отбытия наказания в лагерях сослать на поселение в отдаленные местности Советского Союза сроком на 20 лет следующие категории лиц:
>
> а) активных членов контрреволюционных партий и участников антисоветских националистических белогвардейских организаций (*Всего было арестовано по трём республикам 5420 человек. — С.К.*);
>
> б) бывших охранников, жандармов, руководящий состав бывших полицейских и тюремщиков, а также рядовых полицейских и тюремщиков. на которых имеются компрометирующие материалы (*Всего было арестовано по трём республикам 1603 человека. — С.К.*);
>
> в) бывших крупных помещиков, фабрикантов и крупных чиновников бывшего государственного аппарата Литвы, Латвии и Эстонии (*Всего было арестовано по трём республикам 3236 человек. — С.К.*);
>
> г) бывших офицеров польской, литовской, латвийской, эстонской и белой армий, на которых имеются компрометирующие материалы (*Всего было арестовано по трём республикам 1576 человек. — С.К.*);
>
> д) уголовный элемент, продолжающий заниматься преступной деятельностью (*Всего было арестовано по трём республикам 2162 человека. — С.К.*)»...

Как видим, в пункте 1 речь шла о срочной «зачистке» явной «пятой колонны».

Пункт 2 постановления предусматривал высылку на

20 лет членов семей, проживавших совместно или находившихся на иждивении репрессируемых.

Предусматривалась и ссылка «лиц, прибывших из Германии в порядке репатриации, а также немцев, записавшихся на репатриацию в Германию и отказавшихся выехать, в отношении которых имеются материалы об их антисоветской деятельности и подозрительных связях с иноразведками (*Всего было арестовано по трём республикам 56 человек. — С.К.*)».

А вот пункт 3 я с особым удовольствием приведу полностью — уж очень он забавен в свете «демократических» «ужастиков»:

«3. Разрешить НКГБ и НКВД Литовской, Латвийской и Эстонской ССР выслать в административном порядке в северные районы Казахстана сроком на 5 лет проституток, ранее зарегистрированных в бывших органах полиции Литвы, Латвии, Эстонии и ныне продолжающих заниматься проституцией».

В скобках сообщу что весёлые девицы были высланы в количестве 760 человек, как были высланы из Прибалтики и 2162 уголовника (эти три тысячи «жертв Меркулова—Берии» «демократы», естественно, тоже плюсуют сегодня в общий «прибалтийский мартиролог»).

Постановление предписывало командировать в Прибалтику, для помощи местным органам, наркома государственной безопасности т. Меркулова и его заместителя т. Серова, а также заместителя наркома внутренних дел т. Абакумова.

Для использования при проведении операций и следствия в республики командировались 208 курсантов Высшей школы НКГБ СССР, по национальности — литовцев, латышей и эстонцев.

На границе Литвы с Белоруссией временно «на период подготовки и проведения операции» устанавливалась заградительная зона с выделением для этой цели до 400 пограничников.

Вначале предлагалось провести в кратчайшие сроки операцию только в Литве, однако реально пришлось проводить её во всех трёх республиках с 14 по 17 июня 1941 года.

Итоги её были следующими:

	Арестовано	Выселено	Всего
Литва	5664	10 187	5851
Латвия	5625	9546	15 171
Эстония	3178	5978	9156

Всего — 40 178 человек.

Включая три тысячи шлюх и бандитов.

При этом в число репрессированных входили не только литовцы, латыши и эстонцы, но и граждане других национальностей, в том числе осевшие в Прибалтике белогвардейцы и т.п. Подчеркну, что **ни один из них** не был расстрелян! Предельная мера — от 5 до 8 лет лагерей.

Перед войной проводилась также дополнительная «зачистка» западных областей Украины и Белоруссии, а также пограничной зоны Молдавии.

18/V-41

Только что от Кобы. Очень хорошо поговорили! Но это надо записать отдельно![1]

Очень возмущался бардаком с самолётом[2]. Дожили!

Комментарий Сергея Кремлёва.

10 июня 1941 года нарком обороны Тимошенко и начальник Генштаба Жуков издали приказ № 0035, начинавшийся так:

---

[1] Крайне интригующая запись. Дело в том, что в ночь с 18 на 19 мая Сталин вызывал к себе в Кремль только одного человека — Л.П. Берию, и затем весь день 19 мая приёма не было. Берия вошёл в кабинет без пятнадцати два ночи, а вышел неизвестно когда (время ухода в Журнале посещений не указано, случай не частый). Разговор Берию явно взволновал, но самым странным образом он сути этого разговора со Сталиным более в дневнике не касался. Возможное объяснения этого я даю в комментарии к записи от 10 июня 1941 года.

[2] Безусловно, имеется в виду безобразная история с беспрепятственным пропуском в Москву летевшего от западной границы внерейсового самолёта Ю-52. См. комментарий ниже.

«15 мая 1941 года германский внерейсовый самолет Ю-52 совершенно беспрепятственно был пропущен через государственную границу и совершил перелет по советской территории через Белосток, Минск, Смоленск в Москву. Никаких мер к прекращению его полета со стороны органов ПВО принято не было...

<...>

...Начальник штаба ВВС КА генерал-майор авиации Володин и заместитель начальника 1-го отдела штаба ВВС генерал-майор авиации Грендаль, зная о том, что самолет Ю-52 самовольно перелетел границу, не только не приняли мер к задержанию его, но и содействовали его полету в Москву разрешением посадки на Московском аэродроме и дачей указания службе ПВО обеспечить перелет...»

Тогда генералу Володину всего лишь объявили замечание, но 27 июня 1941 года арестовали — ведь ситуация 10 июня и 27 июня различалась, как небо и земля.

В октябре 1941 года по решению Особого совещания при НКВД СССР, получившему после начала войны право приговаривать в качестве чрезвычайной меры к высшей мере наказания, Володина, а также генерал-полковников А.Д. Локтионова и Г.М. Штерна, генерал-лейтенантов авиации Ф.К. Арженухина, И.И. Проскурова и П.В. Рычагова, дважды Героя Советского Союза Я.В. Смушкевича, дивинженера И.Ф. Сакриера, генерал-майоров М.М. Каюкова, Г.М. Савченко и бригинженера С.О. Склизкова расстреляли.

А вот упомянутый в приказе Тимошенко генерал-майор авиации Дмитрий Давыдович Грендаль спокойно работал и во время войны заместителем начальника штаба ВВС по разведке, в 1943 году стал генерал-лейтенантом авиации. Хотя вот уж кого, казалось бы, могли репрессировать за милую душу — Дмитрий Грендаль, как и его старший брат Владимир, был из дворян, да ещё и шведского происхождения.

Между прочим, В.Д. Грендаль (1884—1940), военный теоретик, генерал-полковник артиллерии (1940), тоже, естественно, по части анкеты подкачал, в царское время успев окончить Михайловскую артиллерийскую академию и дослужиться до полковника. Участник 1-й мировой войны, он в 1918 году вступил в Красную Армию, занимал важные посты в советской артиллерии, в финскую войну командовал оперативной группой войск, и умер в ноябре 1940 года от рака лёгких.

Позавчера Коба провел большое совещание с военными. Нас не приглашал, был только Вячеслав (*В.М. Молотов. — С.К.*).

Сегодня был у Кобы вместе с Всеволодом[1] . Всеволод поставил перед Кобой вопрос об аресте Сергеева[2] и Ванникова[3]. Придется арестовать и начать следствие. Есть данные, особенно по Сергееву. Георгий (*Г.М. Маленков. — С.К.*) поддерживает.

Как разлагаются люди, не пойму. Сергеев сын рабочего. Тебя подняли, выучили, работай. А ты становишься сволочью. Тут дело серьезное, его придется мотать и мотать.

А Ванникова жалко, разболтался.

Потом поговорили по общей ситуации. Коба нервничает. На него не похоже, но перед нами ему скрывать нечего. Мне и Всеволоду так и сказал, что больше вас знают только ваши подчинённые[4]. Посмотрел на Пономаренко, говорит: «А у Пантелеймона и так все на виду».

Комментарий Сергея Кремлёва.

Чтобы читатель мог сам судить о том, справедливо ли был арестован, а потом осуждён и в 1942 году расстрелян бывший нарком боеприпасов Сергеев, приведу часть Постановления Политбюро от 11 ноября 1940 года по результатам совместной проверки наркоматом Госконтроля СССР (нарком Л.З. Мехлис) и НКВД СССР аппарата наркомата

---

[1] Нарком ГБ СССР В.Н. Меркулов.

[2] Иван Павлович Сергеев (1897—1942) бывший нарком боеприпасов СССР, снятый 3 марта 1941 года и переведённый на преподавание в Военную академию Генштаба. 30 мая 1941 года арестован. См. запись от 23 октября 1940 года и примечание 1 к ней.

[3] См. запись от 23 октября 1940 года и примечание 1 к ней.

[4] 26 мая 1941 года с 23.25 в кабинете Сталина остались только Берия, Маленков, Меркулов и 1-й секретарь ЦК КП(б) Белоруссии П.К. Пономаренко.

В 23.50 Меркулов ушёл.

Остальные ушли от Сталина в 0.15 27 мая.

боеприпасов СССР. Проверка была очень тщательной и квалифицированной, её проводили 55 работников НКГК и НКВД под руководством Главного контролёра НКГК Гафарова и заместителя начальника ГЭУ НКВД Наседкина.

При чтении полного акта о результатах проверки волосы дыбом встают. Но даже краткие извлечения дают представление о том, что творилось в наркомате боеприпасов СССР менее чем за год до начала войны:

«...За 9 месяцев 1940 года НКБ недодал Красной Армии и Военно-Морскому Флоту 4,2 миллиона комплектов выстрелов сухопутной артиллерии, 3 миллиона мин, 2 миллиона авиабомб и 205 тысяч выстрелов морской артиллерии.

НКБ должен был выпустить в 1940 году вместо латунных артиллерийских гильз 5.7 миллиона железных. Не отработав технологического процесса, НКБ изготовил за 9 месяцев 1 117 тысяч железных гильз, из которых 963 тысяч пошли в брак...

...В НКБ ведется огромная переписка, загружающая аппарат... За 3 квартал т г. в НКБ ежедневно поступало с завода *(Так в тексте. — С.К.)* и строек в среднем по 1400 писем и отправлялось 880...

...За полтора года наркоматом снято с работы 26 руководителей предприятий и 18 главных инженеров. Только на заводе № 78 за это время в цехе № 4 было сменено 5 начальников, 8 заместителей начальников и 14 начальников отделений...

...При отсутствии в системе НКБ достаточного количества инженеров НКБ за 7 месяцев 1940 г., по неполным данным, уволил с завода 1226 дипломированных инженеров...» и т.д.

Читая это, не веришь, что такое могло быть. Однако было. Что же до роли и политики наркома боеприпасов Сергеева, то об этом было сказано так:

«...Тов. Сергеев плохо разбирается в людях, не умеет их распознавать. Большим доверием у него пользовался Иняшкин — заместитель наркома по кадрам (снят с работы в процессе проверки НКБ)... Иняшкин, отличавшийся бездельем, пьянством и самоснабжением, развалил работу по кадрам...

...Среди работников наркомата имеется 14 бывших офицеров царской армии, 70 выходцев из дворян. Помещиков и кулаков, 31 судившихся за различные преступления, 17 исключенных из ВКП(б), 28 имеющих родственников за границей, 69 человек, родственники которых репрессированы за антисоветскую работу и т.д.

Многим из этих лиц не место в аппарате НКБ. Между тем в 1940 г. в порядке сокращения штатов из центрального аппарата удалено 171 член ВКП(б), 166 инженерно-технических работников. Само сокращение было всецело передоверено Иняшкину и начальникам главков...»

Ситуацию в наркомате боеприпасов за 7 месяцев до войны характеризовали слова: «развал руководства», «злостный срыв заданий правительства», «преступная халатность» и «сознательное вредительство». Предупреждаю читателя, что это — не выражения из совместной записки наркома госконтроля Мехлиса и наркома внутренних дел Берии о положении в НКБ, а моя собственная оценка, сформировавшаяся после знакомства с их запиской.

Однако даже после этого наркому Сергееву ещё какое-то время политически доверяли, он был делегатом XVIII партконференции, 22 февраля 1941 года Сергеев (в последний раз) принимал участие в совещании у Сталина. Но уже арестованные его подчинённые давали такие (увы, не «выбитые» из них) показания, что стало понятно — Сергеев не просто шляпа, а перерожденец, враг.

Поэтому Иван Сергеев был расстрелян в том же 1942 году, в котором Борис Ванников получил свою первую Золотую Звезду Героя Труда.

Ванников оказался в 1940 году на посту наркома не вредителем, а просто талантливым разгильдяем, переставшим себя контролировать. Как написал Берия: разболтался, что позднее признавал при случае и сам. После серьёзной встряски Ванников продолжал прекрасно работать во время войны и после неё и умер в 1962 году генерал-полковником инженерно-технической службы и трижды (!) Героем Социалистического Труда (1942, 1949, 1954).

1/VI-41

Немцы перебрасывают к нам квалифицированных агентов с рациями дальнего действия. Разведка по районам Львова, нефтепромыслов Дрогобыча, район

Броды и Сувалки. Один агент бывший офицер русской, английской, французской и бывшей польской армии, с 1940 г. старший лейтенант немецкой армии. Доложил Кобе.

Подготовили для него очередную сводку. По всем признакам они могут ударить до конца июня[1]. В крайнем до середины июля, но вряд ли. В июле уже могут быть дожди. Значит надо пережить июнь.

Комментарий Сергея Кремлёва

Ещё с хрущёвских времён по страницам даже солидных изданий гуляет некая якобы докладная записка Л.П. Берии И.В.Сталину якобы от 21 июня 1941 года следующего содержания:

> «Я вновь настаиваю (*Это Берия якобы Сталину пишет в подобных выражениях! — С.К.*) на отзыве и наказании нашего посла в Берлине Деканозова, который по-прежнему бомбардирует меня «дезой» о якобы готовящемся нападении на СССР. Он сообщил, что это «нападение» начнется завтра. То же радировал и генерал-майор В.И. Тупиков, военный атташе в Берлине. Этот тупой генерал утверждает, что три группы армий вермахта будут наступать на Москву, Ленинград и Киев... Начальник разведуправления, где еще недавно действовала банда Берзина, генерал-лейтенант Ф.И. Голиков, жалуется на Деканозова и на своего подполковника Новобранцева, который тоже врет, будто Гитлер сосредоточил 170 дивизий против нас на нашей западной границе. Но я и мои люди, Иосиф Виссарионович, твердо помним Ваше мудрое предначертание: в 1941 году Гитлер на нас не нападет!»...

Это, конечно, топорная фальшивка, видимая даже глазом, не вооружённым точным историческим знанием. Она уже не раз проанализирована, в том числе и мной в моей книге о Берии. Но здесь достаточно привести два подлинных архивных документа, опубликованных уже в 90-е годы.

---

[1] См. комментарий ниже.

Второго июня 1941 года Берия направляет Сталину записку № 1798/Б, где говорится:

«Пограничными отрядами НКВД Белорусской, Украинской и Молдавской ССР добыты следующие сведения о военных мероприятиях немцев вблизи границы с СССР.

В районах Томашов и Лежайск сосредоточились две армейские группы. В этих районах выявлены штабы двух армий: штаб 16-й армии в местечке Улянув... и штаб армии в фольварке Усьмеж..., командующим которой является генерал Рейхенау (требует уточнения).

25 мая из Варшавы... отмечена переброска войск всех родов. Передвижение войск происходит в основном ночью.

17 мая в Тересполь прибыла группа летчиков, а на аэродром в Воскшенице (вблизи Тересполя) было доставлено сто самолетов.

<...>

Генералы германской армии производят рекогносцировки вблизи границы: 11 мая генерал Рейхенау — в районе местечка Ульгувек..., 18 мая — генерал с группой офицеров — в районе Белжец..., 23 мая генерал с группой офицеров... в районе Радымно.

Во многих пунктах вблизи границы сосредоточены понтоны, брезентовые и надувные лодки. Наибольшее количество их отмечено в направлениях на Брест и Львов.

<...>

Кроме того, получены сведения о переброске германских войск из Будапешта и Бухареста в направлении границ с СССР...

<...>

Основание: телеграфные донесения округов.

*Народный комиссар
внутренних дел СССР Берия*»

Через три дня, 5 июня, Берия направляет Сталину еще одну записку (№ 1868/Б) на ту же тему:

«Пограничными отрядами НКВД Украинской и Молдавской ССР дополнительно (наш № 1798/Б от 2 июня с.г.) добыты следующие данные:

По советско-германской границе

20 мая с.г. в Бяло-Подляска... отмечено расположение штаба пехотной дивизии, 313-го и 314-го пехотных полков, личного полка маршала Геринга и штаба танкового соединения.

В районе Янов-Подляский, 33 км северо-западнее г. Бреста, сосредоточены понтоны и части для двадцати деревянных мостов.

<...>

31 мая на ст. Санок прибыл эшелон с танками.

<...>

20 мая с аэродрома Модлин в воздух поднималось до ста самолетов.

По советско-венгерской границе

В г. Брустура... располагались два венгерских пехотных полка и в районе Хуста — германские танковые и моторизованные части.

По советско-румынской границе

<...>

В течение 21—24 мая из Бухареста к советско-румынской границе проследовали: через ст. Пашканы — 12 эшелонов германской пехоты с танками; через ст. Крайова — два эшелона с танками; на ст. Дормэнэшти прибыло три эшелона пехоты и на ст. Борщов два эшелона с тяжелыми танками и автомашинами.

На аэродроме в районе Бузеу... отмечено до 250 немецких самолетов.

<...>

В Дорохойском уезде жандармские и местные власти предложили наслению в пятидневный срок устроить возле каждого дома бомбоубежище.

Генеральный штаб Красной Армии информирован.

Основание: телеграфные донесения округов.

*Народный комиссар
внутренних дел СССР Берия»*

Как видим, вся информация Берии просто кричала — в реальном масштабе времени! — о близости войны. Причём Сталин понимал, что именно информация Берии не может не быть объективной. Поэтому именно информация Берии и развеивала надежды Сталина на то, что в 1941 году войны удастся избежать.

НКВД Берии и в оставшиеся до начала войны полмесяца направлял Сталину накапливающиеся данные по мере того, как они добывались агентурой пограничных войск НКВД. В итоге этой информации и ряда собственных зондажей Сталин за несколько дней до войны понял, что война начнётся со дня на день. Поэтому не позднее 18 июня 1941 года Сталин санкционировал необходимые приготовления.

Однако в начале июня 1941 года Сталин ещё колебался.

7/VI-41

У меня уже и материться сил нет. Тимошенко и Жуков вроде поддерживают, но без напора. Георгий (*Очевидно, Маленков. — С.К.*) тоже так же, вяло. Молотов больше отмалчивается, видно считает, пусть решает Коба. Остальные вообще не советчики.

Все данные за войну. Посольство они без шума эвакуируют. Диверсанты кого мы ловим, кто проходит. Видно, что через кордон идут уже не агенты а боевики. Это уже не на разведку, это мосты подрывать и связь рвать. Наум[1] тоже убеждён, что это война.

Коба медленно тоже склоняется к этому. Надо жать всем вместе.

10/VI-41

Был крепкий разговор. Без дураков. Коба выслушал, Георгий меня поддержал. Пригласил (*Сталин. — С.К.*) от Всеволода (*Меркулов, нарком ГБ. — С.К.*) Богдана (*Б. Кобулов, заместитель Меркулова. — С.К.*). Тот все по своей линии подтвердил. Коба сказал, ну раз так, сам езжай и посмотри.

Еду[2].

Комментарий Сергея Кремлёва.

Увы, сегодня можно лишь гадать — куда собирался ехать заместитель Председателя СНК СССР и нарком НКВД СССР Берия после разговора у Сталина 10 июня 1941 года,

---

[1] Вне сомнений, имеется в виду Наум Исаакович Эйтингон (1899—1981), один из блестящих руководителей разведывательной и диверсионно-террористической работы НКВД за рубежом. Руководил операцией по ликвидации Троцкого, воевал в Испании. В августе 1953 года был арестован, осуждён на 12 лет заключения, в 1964 году освобождён. Работал редактором в издательстве.

[2] См. комментарий ниже.

и уехал ли он, а если уехал, то что и где делал, когда и с чем в Москву вернулся?

Ни в личном дневнике Л.П. Берии, ни в официальной советской историографии об этом нет ничего!

В том числе и поэтому есть основания предполагать, что после дневниковой записи от 10 июня 1941 года в тексте дневника за последние две предвоенные недели и затем — за первые военные полтора года, то есть за вторую половину 1941 года и 1942 год, имеются значительные лакуны.

В филологии «лакуна» — это пропущенное, недостающее место в тексте. И в дневнике Л.П. Берии таких пропущенных мест — в отношении ряда ситуационно очень острых моментов предвоенной и первой военной поры — набирается, похоже, немало.

Собственно, таинственный «Павел Лаврентьевич» предупреждал меня, что в фотокопии дневника и, соответственно, в переданной мне электронной копии, есть лакуны. Он имел в виду, прежде всего, пропуски, связанные с тем, что люди, делавшие фотокопию дневника, работали отнюдь не в комфортных условиях и кое-что пропускали.

Однако сам же «Павел Лаврентьевич» высказывал предположение, что *в оригинале* дневника также имеются лакуны, и, возможно, — местами весьма обширные. Причём записи удалял из дневника не сам Берия, а кто-то позднее, в период уже архивного спецхранения.

Впрочем, и тут, по мнению «Павла Лаврентьевича», всё обстояло не так просто. То ли по недосмотру тех, кто подчищал дневник, то ли вследствие того, что архивисты отдавали на просмотр неким «цензорам» не всё (сделать это было возможно, потому что записи велись, напоминаю, на отдельных листах), какие-то «криминальные» записи относительно Хрущёва и других, сохранились.

«Павел Лаврентьевич» при этом уточнил: «Я говорю (сохранились), исходя из предположения, что какая-то подчистка дневника, полная или частичная, имела всё же место». Это уточнение, как я понял, было вполне характерно для стиля «Павла Лаврентьевича»: предельная точность в выражениях и исключение неоднозначного или неверного истолкования сказанного им.

Я, анализируя дневник, пришёл к такому же выводу, что

и «Павел Лаврентьевич». Судя по всему, какая-то подчистка дневника чьей-то рукой производилась. Однако из дневника были удалены далеко не все пикантные исторические подробности как военной, так и послевоенной поры. Чем это можно объяснить, я могу лишь гадать, особенно с учётом того факта, что записи за 1943 и последующие годы, скорее всего, полны или почти полны. Забегая далеко вперёд, отмечу, что сомнение в этом отношении вызывают только периоды с конца 1952 года до смерти Сталина и от смерти Сталина до ареста Берии.

Так или иначе, первая явная лакуна просматривается как раз за период с 10 по 20 июня 1941 года.

Почему я так считаю, объясню чуть позже, но сразу скажу, что многие предполагаемые лакуны, скорее всего, восстановить уже не удастся даже после поисков в самых тайных спецхранах. Похоже, что значительная часть дневника Л.П. Берии за 1941—1942 годы просто уничтожена в хрущёвские времена. И можно догадываться — почему!

Очень уж неприглядно в свете правды этих записей должны выглядеть и многие прославленные (что обидно — заслуженно ведь прославленные, но...) советские военачальники, и некоторые партийно-государственные руководители, и, главное — лично «дорогой Никита Сергеевич» с его публичными фальсификациями обстановки последних предвоенных и первых военных дней 1941 года.

Да и не только 1941 года, но и весны, и лета 1942 года, и — позднее, времён Сталинграда.

Вот эти неудобные места и убрали!

Но, возможно, обширные пропуски в записях имеют иное объяснение? Возможно, в те периоды, за которые регулярные записи отсутствуют, Берия просто не вёл дневник?

Что ж, в последние дни перед войной и тем более после её начала, а затем после всё более неудачного для СССР её развития, Берии и впрямь было не до дневника.

В первые полгода войны, да и позже, Берия элементарно не имел возможности толком выспаться! В условиях неразберихи и начавшейся эвакуации надо было формировать Резервный фронт с костяком из вновь создаваемых дивизий НКВД, надо было проводить эту самую эвакуацию и переводить экономику на военные рельсы, а кроме того, — руководить вновь объединённым НКВД, а кроме того, принимать участие в работе Государственного комитета обороны и Ставки ВГК, а кроме того, отслеживать работу разведки и ежедневно проворачивать в голове и в душе десятки разнородных дел.

При всём душевном желании как-то выговориться наедине с дневником, частой возможности для этого у Берии, конечно, не было. Однако наличие — пусть и немногочисленных — записей в дневнике за военную половину 1941 года и за 1942 год, а также *характер* этих записей, позволяют предполагать, что даже в это время Л.П. Берия к дневнику обращался. И, возможно, чаще, чем можно предполагать. Тем более что с 1943 года дневник становится даже более регулярным, чем до войны.

Далее читатель увидит, что в дневнике за первые полтора военных года не отражены многие широко известные решающие события и факты того времени, зато имеются явно текущие, без душевных откровений, записи, касающиеся дел и событий второстепенных.

Но если так, если находился десяток минут для записей, так сказать, «проходных», то мог ли Берия — даже в тяжёлые времена — не записывать периодически в дневник что-то такое, что имело важнейшее значение как для него, так и для страны?

Думаю, вряд ли!

Однако записей нет! Ни о, скажем, подготовке нашего наступления 1942 года в районе Харькова, ни о нарастании кризиса в районе Сталинграда, ни о многом другом! Даже летние и осенние записи 1941 года крайне немногочисленны и весьма случайны по содержанию.

Далее, по ходу событий, я ещё буду обращать внимание читателя на то, что лакуны в дневнике совпадают с очень не проясненными моментами предвоенной и военной истории.

А первое основание для сомнений даёт как раз запись от 10 июня 1941 года. И теперь об этом — подробнее...

Во-первых, как следует и из текста дневника, и из записей в Журнале посещений сталинского кабинета, в апреле, мае и начале июня 1941 года Берия почему-то начал слишком часто выпадать из числа участников совещаний у Сталина.

Почему вдруг так?

Думаю, это было связано с тем, что именно информация Берии о близкой войне оказывалась для Сталина психологически неприятной. И он, размышляя и обрабатывая информацию, в том числе и от Берии, для принятия решения, «живьём» Берию видеть не хотел. Последний раз войдя к Сталину 27 мая 1941 года, Берия не появлялся у него до 7 июня 1941 года!

Конечно, они могли видеться и наверняка виделись не только в сталинском кабинете, однако основная государственная работа на высшем уровне совершалась всё же там. Но — без Берии.

Насколько я знаю, подробный анализ последних двух предвоенных недель на основе изучения Журнала посещений сталинского кабинета никем не предпринимался. Я сейчас тоже не могу заняться им в полной мере, потому что выступаю как публикатор и комментатор дневника Л.П. Берии, а не как автор собственной книги о начале войны.

Тем не менее кое-что из тогдашней хронологии нам не учесть нельзя!

В ходе вечернего приёма 3 июня 1941 года Сталин 20 минут беседовал наедине с Хрущёвым. Затем в кабинет вошли Тимошенко, Жуков и Ватутин, и они говорили без свидетелей (Хрущёв вскоре после прихода военных ушёл).

6 июня 1941 года Сталин в конце дня опять уединился более чем на два часа (с 20.55 до 23.00) с той же троицей военных.

И вот 7 июня в 20.45 к Сталину заходят Молотов, Берия, Маленков и Богдан Кобулов (НКГБ). Через 15 минут (!) Берия, Маленков и Кобулов уходят, а Молотов остаётся. Сталин принимает Вышинского (НКИД), Седина (нарком нефтяной промышленности), Кузнецова (НК ВМФ).

А в 22.05 вновь появляются Берия и Маленков.

В 22.25 на 25 минут входят Тимошенко и Жуков и какое-то время идёт общий разговор. Потом Маленков и Берия уходят буквально на пять минут (в туалет вряд ли), а вернувшись, остаются с Молотовым в кабинете у Сталина и после ухода военных, до 23.45 — до конца.

9 июня 1941 года Сталин начинает приём с Тимошенко, Жукова и Ватутина. Ровно час, с 16.00 до 17.00 они что-то обсуждают вчетвером (Жуков и Тимошенко позднее приходят ещё раз и с 18.00 до 23.35 принимают участие в совещании у Сталина вместе с Ворошиловым, Маленковым, Куликом и Вознесенским).

Берии у Сталина нет.

Но уже 10 июня 1941 года к Сталину в 22.15 входят Молотов и Микоян, и почти сразу же — Берия и Маленков. В ходе совещания вызывают на 30 минут Кобулова, и заканчивается обсуждение в узком кругу в 23.00 (к разговору присоединяются Шахурин и Л. Каганович).

До начала войны остаётся 12 дней. Возможно, Сталин в это ещё не верит, но то, что ситуация критическая, ему ясно. И вот в этот острейший момент, с 11 июня по 20 июня 1941 года, имя Берии вдруг снова исчезает из Журнала записи посещений кремлёвского кабинета Сталина!

Почему?

Не было ли это связано с тем, что с 11 по 20 июня 1941 года Берия, по договорённости со Сталиным (возможно, совместно с наркомом ГБ Меркуловым, выезжавшим в Прибалтику), провёл личную инспекцию западной границы?

Если это так, то не исключено, что Берия не из Москвы, а прямо на месте организовывал тот разведывательный полёт вдоль границы полковника Захарова, который должен входить в школьные учебники, но о котором плохо знают даже военные историки. Я писал об этом полёте в своих книгах «Берия. Лучший менеджер XX века» и «10 мифов о 1941 годе».

Если это так, то становится ясным и то, почему Сталин, ещё 13 июня 1941 года не удовлетворив просьбу Тимошенко и Жукова о приведении войск в боевую готовность, не позднее 18 июня 1941 года такую санкцию дал! Сей факт по сей день замалчивают, однако такая санкция была — сегодня имеется много подтверждений тому!

А информация лично Берии, переданная лично Сталину, в реальном масштабе оказалась решающей для принятия Сталиным такого решения!

Могли ли хрущёвцы оставлять в дневнике Берии следы

об этом великом вкладе Берии в последние дни перед войной в будущую нашу Победу?

Нет, конечно!

Кто-то, возможно, скажет, что проще было вообще уничтожить дневник — весь! Но вот тут-то и начинаются тонкости. Полное отсутствие дневника даёт бо́льший простор для полёта фантазии, чем дневник, из которого изъята и уничтожена лишь некая его часть. А именно — та часть, которая особенно компрометирует командующего ЗАпОВО Павлова, Тимошенко, Жукова, Пономаренко и других, но прежде всего — «дорогого Никиту Сергеевича»!

Ведь зачем-то Сталин вызвал Хрущёва из Киева в горячие июньские дни для абсолютно конфиденциального разговора 16 июня 1941 года — с 17.40 до 17.55.

Из Киева, и всего — на 15 минут!

Зачем?

Не для того ли, чтобы спросить: «Никита! Лаврентий сообщает, что война начнётся со дня на день! А ты мне что 9 мая плёл?»

Ведь и 9 мая (надо же!) 1941 года Сталин вызывал Хрущёва из Киева для того, чтобы расспросить его о чём-то всего в течение 30 минут наедине — с 17.30 до 18.00.

Вызвал из Киева, всего на полчаса!

Зачем?

А потом, не сразу после ухода Хрущёва, а после каких-то длительных раздумий, в 21.45 Сталин 9 мая 1941 года всего на 5 (пять) минут вызвал Берию.

О чём они говорили?

Не о том ли, что, вот, мол, только ты, Лаврентий, всех и будоражишь! Мол, война, война. А остальные, в отличие от тебя, не дёргаются, и говорят: «Нет, товарищ Сталин, в этом году Гитлер на нас не пойдёт»... И товарищ Павлов, и товарищ Хрущёв, и товарищ Пономаренко...

Ведь о чём-то очень важном Сталин и Берия 9 мая 1941 года говорили? И говорили наедине...

А записи об этом разговоре в дневнике Берии нет!

Как нет в нём и подробной записи о конфиденциальном разговоре Сталина с Берией, состоявшемся в ночь с 18 на 19 мая 1941 года. Вернувшись к краткой записи в дневнике от 18 мая, читатель увидит, что Берия хотел описать ночной разговор подробнее, но такая запись в дневнике отсутствует (см. также примечание 1 к записи от 18 мая 1941 года). Как это объяснить? Возможно, Берия просто не стал возвращаться к разговору, а возможно, запись была позднее изъята.

То есть не исключено, что лакуны в дневнике Берии надо отсчитывать даже не с 10 июня 1941 года, а с более раннего времени — по крайней мере, с 9 мая 1941 года...

А может быть — и с ещё более раннего?

Кто знает!

Между прочим, то, что Берия с 10 июня 1941 года выезжал на личную испекцию границы, косвенно подтверждается таким, например, фактом.

12 июня 1941 года начальник погранвойск НКВД Молдавской и Украинской ССР Василий Афанасьевич Хоменко был назначен заместителем командующего Киевским Особым военным округом Кирпоноса по охране тыла (с 22 июня 1941 Хоменко стал заместителем командующего Юго-Западным фронтом Кирпоноса по охране тыла). Чем можно объяснить такое неожиданное превращение пограничного начальника в войскового начальника, если не тем, что Берия, видя близкую войну, заранее заботился о чекистском обеспечении безопасности армии?

Назначение Хоменко позволяет предполагать, что в десятых числах июня 1941 года Берия уже убедил Сталина в необходимости неких немедленных мер в виду возможной близкой войны.

Недаром ведь и сам начальник ГУПВ НКВД СССР Григорий Григорьевич Соколов к 22 июня 1941 года уже находился на западной границе и сразу же после начала войны был назначен заместителем командующего Западным фронтом Павлова по охране тыла (Соколову выпал особо тяжкий груз).

Что же до самых последних дней перед войной, то 18 июня 1941 года Сталин с 20.00 до 0.30 совещался с Молотовым (вход в 20.00, выход в 0.30), Тимошенко и Жуковым (вход в 20.25, выход в 0.30), а также Маленковым (вход в 20.45, выход в 0.30).

Скорее всего, в ходе этого совещания Сталин и отдал распоряжение о приведении войск в боевую готовность.

Преступная халатность и прямое предательство не позволили выполнить его в полной мере. Но свою положительную роль в общем итоге войны оно тоже сыграло.

Благодаря, прежде всего, бдительности и активности Берии.

20 июня 1941 года в 20.20 Берия вновь вошёл в кабинет Сталина. И, начиная с 21 июня 1941 года, он редкий день не бывал в этом кабинете — если, конечно, был в это время в Москве.

20/VI-41

Все, теперь будет как будет. Что успели, то успели, что не успели, уже не сделаешь. В своих Пограничниках я уверен[1]. Так Кобе и сказал. Если начнется, боюсь, достанется нам крепко.

А там посмотрим. Коба сказал, вроде провалиться не должны. Еще сказал: «А если провалимся, деваться некуда. Все равно эту войну надо будет выиграть».

Куда ж мы денемся. Придется.

Комментарий Сергея Кремлёва.

20 июня 1941 года Берия сделал в дневнике вновь очень краткую запись, что и понятно. И время уже поджимало, и писать-то за два дня до войны было нечего — хоть в дневнике, хоть в сводках на имя Сталина.

Как констатировал сам Берия, что можно было сделать, было сделано. А теперь оставалось изготовиться и ждать — решатся немцы на войну, или нет?

Сталин 18 июня 1941 года пытался направить в Берлин Молотова для срочных консультаций, но Гитлер отказал. Этот факт тоже должен бы знать каждый школьник, однако его замалчивали ранее академики Академии наук СССР и по сей день замалчивают «академики» «Россиянской» Академии «наук».

Тогда же, за два дня до войны, оставалось только ждать и...

---

[1] См. комментарий ниже.

И, конечно, своевременно отдать соответствующие приказы подчинённым.

Как это стало ясно уже через два дня, руководство НКО СССР и Генштаба РККА, высшее командование РККА и, прежде всего, командующий Западным Особым военным округом генерал Павлов директивы Сталина от 18 июня 1941 года не выполнили.

А вот пограничники Берии встретили войну во всеоружии в прямом смысле этого слова — с оружием в руках, в окопах! Встретили они её так, во-первых, потому, что имели на то прямой приказ о повышенной боевой готовности. А во-вторых, потому, что их к войне постоянно готовили.

20 июня 1941 года начальник пограничных войск Белорусского пограничного округа Богданов отдал следующий приказ:

> «В целях усиления охраны границы приказываю:
> 1 До 30.06.41 г. плановых занятий с личным составом не проводить.
> 2 Личный состав, находящийся на сборах на учебных заставах, немедленно вернуть на линейные заставы и впредь до особого распоряжения не вызывать...
> 4. Выходных дней личному составу до 30.06.41 г. не предоставлять.
> 5. Погранняряды в ночное время (с 23.00 до 5.00) высылать в составе трех человек каждый. Все ручпулеметы использовать в ночных нарядах, на наиболее важных направлениях...
> 7. Расчет людей для несения службы строить так, чтобы с 23.00 до 5.00 службу несли на границе все люди, за исключением возвращающихся из нарядов к 23.00 и часовых заставы.
> 8. На отдельных, наиболее уязвимых фланговых направлениях выставить на десять дней посты под командой помощника начальника заставы...
> 11 Погранняряды располагать не ближе 300 м от линии границы.
>
> *Богданов»*

Пограничный генерал Иван Александрович Богданов (1897—1942) станет героем Великой Отечественной войны. Он будет нести нелёгкую службу по охране тылов отступающих войск, станет одним из организаторов Резервного фронта и 39-й резервной армии...

Потом он будет командовать уже боевой 39-й армией Калининского фронта, участвуя в битве за Москву.

В июле 1942 года, выводя войска армии из окружения, он будет смертельно ранен, и 22 июля 1942 года скончается.

Богданов к 22 июня 1941 года был главным пограничником Белоруссии. Но ведь и главный пограничник СССР — начальник Главного управления пограничных войск НКВД генерал-лейтенант Григорий Григорьевич Соколов в ночь с 21 на 22 июня 1941 года находился не в Москве, и не в Минске в ложе театра, как командующий ЗапОВО генерал Павлов, а на участке 87-го пограничного отряда Белорусского пограничного округа.

Мог ли главный пограничник страны быть на границе без прямого приказа Берии и без санкции Сталина? Нет, конечно! Соколов прибыл в приграничную зону для чекистского участия в близкой войне!

37-летний генерал Григорий Соколов, природный пограничник, встретив войну на границе, вскоре стал начальником охраны тыла Западного фронта — тяжелейшая должность, учитывая провалы генерала Павлова и К°.

С октября 1941 года Соколов — начальник штаба 26-й армии, принявшей на себя под Тулой основной удар 2-й танковой группы Гудериана. В конце 1941 года Соколов сформировал новую резервную 26-ю армию и ушёл с ней на Волховский фронт.

Вот какими были кадры наркома Берии в исторической реальности, а не в изображении деятелей «демократического» «Мемориала».

Это они готовили своих подчинённых к войне и хорошо подготовили их к ней. А главным «мотором» реформ был сам нарком.

В подтверждение я процитирую книгу генерал-майора в отставке Сечкина «Граница и война», изданную в 1993 году, то есть уже после падения Советской власти:

«В феврале 1939 года (*то есть после прихода в НКВД Л.П. Берии. — С.К.*) было принято постановление СНК, которым из состава Главного управления пограничных и внутренних войск было выделено как самостоятельное Главное управление пограничных войск.

Создание специального органа с ясно и четко определенными задачами и окружных управлений на местах благоприятным образом сказалось на организационном укреплении пограничных войск как войск специальных, предназначенных для охраны и защиты государственной границы СССР...

В течение 1938—1939 гг. была произведена полная реорганизация частей пограничных войск; переформированы штабы частей и соединений по единой схеме управления сверху донизу, **созданы органы разведки частей и соединений пограничных войск также по единой схеме** (*Выделение здесь и ниже мое. — С.К.*); переформированы все управления комендатур по двум основным типовым штатам (сухопутному и береговому), <...> сформированы и вновь переформированы имевшиеся подразделения связи, <...> произведена моторизация транспорта частей, <...> сформировано... 7 морских школ, переформированы 7 школ служебных собак и школа связи.

<...>

Техническая реконструкция войск, **перевооружение сухопутных пограничных частей современным стрелковым оружием**, ... развитие пограничной авиации, внедрение в охрану границы инженерно-технических средств предъявляли повышенные требования к... подготовке командно-начальствующего и политического состава.

<...>

К началу 1941 г. командные и инженерно-технические кадры для пограничных войск готовились в 11 военно-учебных заведениях Наркомата внутренних дел».

Я уже говорил о пограничной реформе Берии в своих комментариях к его дневнику за 1939 год, однако скажу ещё раз, что в течение 1939—1940 годов личный состав погранвойск возрос на 50%, а в начале 1941 года «не готовившийся к войне» Берия добивается и дополнительного увеличения их численности, с доведением её на западной границе до 100 тысяч человек в пределах пяти приграничных *военных* округов: Ленинградского, Прибалтийского Особого, Западного Особого, Киевского Особого и Одесского.

Погранвойска Берии, как и сам их нарком, к войне были готовы и уже в первые недели войны сыграли не тактическую (как должны были), а без преувеличений стратегическую роль.

А вот руководство Красной Армии своих подчинённых и к войне до войны не очень-то готовило, и с началом войны их подвело.

Хватало и предателей, и вредителей. Так, с началом войны очень быстро возникла острая нехватка винтовок. И возникла только потому, что почти весь стратегический запас в 7 (семь) миллионов винтовок был складирован перед войной в западных округах.

Принять такое решение мог или кретин, или сознательный враг. Сталин о нём не знал, Берия этот факт не успел выявить. Но ведь ни у Сталина, ни у Берии не могли дойти руки до всего. Распределение запасов вооружения была прерогативой наркомата обороны, его Главных управлений и Генерального штаба Красной Армии.

Не так ли?

Ещё пример… Начальник штаба КОВО генерал-лейтенант М.А. Пуркаев докладывает 2 января 1941 года из Киева в Генеральный штаб:

> «Моб[илизационный]запас огнеприпасов в КОВО крайне незначительный. Он не обеспечивает войска округа даже на период первой операции. <...> Г[лавное] А[ртиллерийское] У[правление] не выполняет своих планов. Вместо запланированных по директиве Наркома от 20.9.1940 г. № 371649 на второе полугодие 3684 вагона — подано в округ только 1355 вагонов, причем без потребностей округа по видам боеприпасов»

и т.д.

Генералы-«писаря» из Генштаба в лучших канцелярских традициях переправляют доклад Пуркаева в ГАУ, и оттуда — в лучших, опять-таки, канцелярских традициях — в феврале 1941 года приходит отписка:

> «…Размер подачи боеприпасов округу по плану 2 полугодия [19]40 года, основанному на директиве ГШ, рассчитан был только на частичное удовлетворение потребности округа в [19]40 году.
> <...>
> План подачи выполнен на 34%»

и т.д. с успокаивающим извещением, что, мол, в течение 1941 года всё отгрузим.

Отгрузили!

А вот ещё один убийственный, но абсолютно точный факт! На 22 (двадцать второе!) июня 1941 года 6-й мехкорпус в ЗапОВО имел только четверть заправки горючего, да и не он ведь, надо полагать, один! Тем не менее весь имевшийся наличный запас горючего в ЗапОВО (командующий генерал Павлов) составлял на 22 (двадцать второе!) июня 1941 года 300 (триста!) тонн. Остальное горючее для ЗапОВО по плану Генерального штаба находилось в... Майкопе!

А вот что докладывали Сталину маршалы Тимошенко и Кулик 19 (девятнадцатого!) июня 1941 года. При инспекторской проверке стрелкового оружия в 175-м и 8-м стрелковых полках 1-й мотострелковой дивизии Московского (под носом у наркома, начальника Генштаба и начальника ГАУ) военного округа 17 и 18 июня 1941 года из общего числа 196 осмотренных магазинов к пистолетам-пулемётам ППД, было обнаружено 60 магазинов с поломанными и заржавленными пружинами. То есть 30% оружия было не боеспособно! За два дня до войны! И это ведь была выборочная проверка!

Что, держать оружие в исправности и еженедельно проверять его, чистить и смазывать Сталин и Берия должны были?

С первого дня войны многие воевали как герои. Но предатели и разгильдяи то и дело сводили на нет их героические усилия. Тем не менее фундамент победы 1945 года начал закладываться уже с первого же дня войны.

22 июня 1941 года — первый день Великой Отечественной войны 1941—1945 годов.

Справка и комментарий Сергея Кремлёва.

По тем или, иным причинам, но записей в дневнике Л.П. Берии за военную половину 1941 года имеется не очень много. Впрочем, в любом случае их много быть и не могло — очень уж большой была загрузка Берии сразу по нескольким направлениям. Однако полностью от ведения дневника он не отказался. Похоже, у него уже выработалась привычка хотя бы время от времени обращаться к этому «молчаливому собеседнику». Но постоянно вести дневник Берия не мог. Поэтому я постараюсь как-то восполнить этот пробел своими справками и комментариями.

Читатель уже знаком с термином «лакуна». Напомню, что лакуна — это пропущенное, недостающее место в тексте. Увы, что касается первых дней войны, то, с одной стороны, в описании их лакун хватает. С другой стороны, природа не терпит пустоты, и эти лакуны за десятилетия оказались всё же заполненными.

Однако, очень часто — ложью.

Самый высокий её уровень — это ложь Хрущёва о Сталине на XX съезде. Но вот пример лжи тоже на очень высоком уровне (имеется в виду статус лжеца, а не качество лжи). Я имею в виду послевоенную ложь Анастаса Микояна:

> «В субботу, 21 июня 1941 года, вечером, мы, члены Политбюро, были у Сталина в квартире. Обменивались мнениями... Сталин по-прежнему думал, что Гитлер не начнет войны...
>
> ...Мы разошлись около трех часов ночи 22 июня 1941 года, а уже через час меня разбудили: война!
>
> Сразу члены Политбюро собрались у Сталина...»

И всё это — ложь от начала до конца!

21 июня 1941 года в 18.27 Сталин, находясь в своём рабочем кабинете в Кремле, пригласил к себе Молотова и затем проводил совещание до 23.00. В его кабинете в тот вечер были Молотов, Ворошилов, Вознесенский, Маленков, Кузнецов (ВМФ), Тимошенко, Жуков, Будённый, Мехлис. В 22.20 от Сталина ушли все, кроме Молотова и Ворошилова. В 22.40 к ним присоединился Берия и в 23.00 Молотов, Ворошилов и Берия от Сталина ушли, и тот отправился немного отдохнуть перед новым тяжёлым днём.

Микояна 21 июня 1941 года у Сталина вообще не было.

Что же до «фотографии» первого рабочего военного дня Сталина, 22 июня 1941 года, то она такова:

Молотов	5.45 — 12.05
Берия	**5.45 — 9.20**
Тимошенко	5.45 — 8.30
Мехлис	5.45 — 8.30
Жуков	5.45 — 8.30
Маленков	7.30 — 9.20
Микоян	*7.55 — 9.30*
Каганович	8.00 — 9.35
Ворошилов	8.00 — 10.15
Кузнецов (ЦК)	8.15— 8.30
Димитров	8.40 — 10.40
Мануильский	8.40 — 10.40
Кузнецов	9.40 — 10.20
Микоян	*9.50 — 10.30*
Молотов	12.55 — 16.45
Ворошилов	11.40 — 12.05
Берия	**11.30 — 12.00**
Маленков	11.30 — 12.00
Ворошилов	12.30 — 16.45
Микоян	*12.30 — 14.30*
Вышинский	13.05 — 15.25
Шапошников	13.15 — 16.00
Тимошенко	14.00 — 16.00
Жуков	14.00 — 16.00
Ватутин	14.00 — 16.00
Кузнецов (ВМФ)	15.20 — 15.45
Кулик	15.30 — 16.00
Берия	**16.25 — 16.45**

Заметим, что и в последний день мира, и в первый день войны последним, кто вышел из сталинского кабинета, был Берия. Вновь он появился в нём 23 июня — ровно через сутки минута в минуту, и опять — на двадцать минут.

Второй военный рабочий день Сталина начался в 3.20. В этот день, 23 июня 1941 года, была образована Ставка Главного командования Вооруженных сил Союза ССР, и с того же 23 июня Берия вошёл в число постоянных советников Ставки.

Всего их было двенадцать: маршал Кулик, генералы Мерецков и Ватутин, начальник ВВС Жигарев, начальник ПВО Воронов, Микоян, Каганович, Вознесенский, Жданов, Маленков, Мехлис и Берия.

Но вот как описывает это Микоян:

> «...На второй день войны... решили образовать Ставку Главного командования... При Ставке создали институт постоянных советников. Ими стали: Ватутин, Вознесенский, Воронов, Жданов, Жигарев, Мехлис, Микоян, Шапошников...»

Как видим, Микоян не упомянул в числе советников Ставки политически некорректных для хрущёвцев Маленкова, Кагановича и Берию, а также — маршала Кулика.

Микоян уверяет, что первые дни войны «Сталин в подавленном состоянии находился на ближней даче в Волынском (в районе Кунцево)»... Однако в действительности Сталин, делая лишь перерыв на сон, по многу часов работал в Кремле с 22 по 28 июня 1941 года.

Лишь в ночь с 28 на 29 июня, узнав о сдаче Минска — на седьмой день войны! — Сталин испытал душевный кризис и действительно уехал на дачу.

Вот тогда Берия и взял инициативу на себя. Поразительно, но — факт! Микоян в этом важнейшем моменте первых дней войны оказался правдив! И уж если он засвидетельствовал, что вопрос о создании Государственного комитета обороны, которому надо отдать всю полноту власти в стране, поднял именно Берия, то это было, скорее всего, именно так!

Впрочем, не исключено, что эта мысль возникла сразу у Молотова и Берии (см. дневниковую запись от 9 июля 1941 года). Во всяком случае, в письме, написанном в 1953 году в камере на имя Маленкова, но обращённом ко всем членам Президиума ЦК, Берия напоминал Молотову:

> «Вы прекрасно помните, когда в начале войны было очень плохо и после нашего разговора с т-щем Сталиным у него на ближней даче, Вы вопрос поставили ребром у Вас в кабинете в Совмине, что надо спасать положение, надо немедленно организовать центр, который поведет оборону нашей родины, я Вас тогда целиком поддержал и предложил Вам немедля вызвать на сове-

щание т-ща Маленкова... После...мы все поехали к т-щу Сталину и убедили его [о] немедленной организации Комитета Обороны Страны...»

Как видим, Берия сыграл первостепенную роль в преодолении опаснейшего кризиса руководства страной, возникшего через неделю после начала войны.

30 июня 1941 года ГКО был образован в составе: И.В. Сталин (председатель), В.М. Молотов (заместитель председателя), К.Е. Ворошилов, Г.М. Маленков и Л.П. Берия.

Микоян, к слову, вначале переврав обстоятельства формирования состава ГКО, потом написал так:

> «...Вознесенский попросил дать ему руководство производством вооружения и боеприпасов, что... было принято. Руководство по производству танков было возложено на Молотова, а авиационная промышленность и вообще дела авиации — на Маленкова. За Берия была оставлена охрана порядка внутри страны и борьба с дезертирством...»

Фактически же Берия почти сразу стал курировать и производство вооружения и боеприпасов, и производство танков, и авиационную промышленность и вообще дела авиации, не пренебрегая, естественно, вопросами охраны порядка внутри страны, борьбой с дезертирством и десятками других больших и малых вопросов.

4/VII-41

Наконец вырвал минуту для «дружка». Как я прожил все это время знают только Господь Бог и Коба. И как буду жить дальше, тоже знают Господь Бог и Коба. А я не знаю. Две недели не прошло, а вроде два года. Даже больше, как жизнь прошла.

Дел сразу навалилось столько, что я даже не испугался. Фронт провален, войска бегут, Минск сдали, а у меня это как в кино. Не воспринял. Не до того было. Думал, я раньше много работал. Выходит, не знал я, что такое работа. А это когда хоть стреляй по тебе, а тебе один хрен, надо успеть сделать, а там как получится. Лишь бы сделать.

Теперь будет проще, уже привык.

Только что вернулся от Кобы. Сегодня гроб с Ильичом увезли в Тюмень[1]. Доложил Кобе, что все проверил лично. Поехал Збарский[2] и вся его команда. Збарский спрашивает: «И на сколько это?» Говорю, считайте не меньше чем год. Похоже не поверил. А я думаю, и не год даже. Меньше двух не получится[3].

Коба приказал вызвать Багирова[4], Чарквиани[5] и Арутинова[6]. Я добавил Авксентия[7]. Сегодня говорили с ними. Коба сказал, отвечаете за нормальную работу Баку не головой, и даже не партбилетом, а доброй памятью у людей. Баку должен работать как часы. Турки и персы должны сидеть на месте. Не поддаваться ни ни *(Так в тексте. — С.К.)* какие провокации и самим все делать осторожно. А главное Баку.

---

[1] В начале июля 1941 года в связи с возможными бомбардировками Москвы было принято решение об эвакуации тела В.И. Ленина из Мавзолея в безопасное место (была выбрана Тюмень). Б.И. Збарский (см. прим. 2 к данной дневниковой записи) в докладной записке на имя Берии дал соответствующие разъяснения, и 4 июля 1941 года в 19.00 спецсостав, охраняемый 5 офицерами и 15 солдатами, ушёл с Казанского вокзала в Тюмень. В вагоне-холодильнике находился гроб из чинары, стенки которого были пропитаны парафином, а пазы для герметизации заполнены вазелином.

[2] З б а р с к и й Б о р и с И л ь и ч (1885—1954), биохимик, академик АН СССР, Герой Социалистического Труда (1945), лауреат Сталинской премии (1944). Образование получил в Женевском и Петербургском университетах. Основатель Биохимического института, руководитель работ по бальзамированию и сохранению тела В.И. Ленина.

[3] Лишь 25 марта 1945 года специальный поезд из 9 вагонов отправился из Тюмени в Москву и через три дня прибыл в столицу. 16 сентября 1945 года Мавзолей В.И. Ленина был вновь открыт.

[4] Б а г и р о в М и р Д ж а ф а р А б б а с о в и ч (1896—1956), с 1933 по 7 июля 1953 года — первый секретарь ЦК КП(б) Азербайджана.

[5] Ч а р к в и а н и К а н д и д Н е с т о р о в и ч (1907—1994), первый секретарь ЦК КП(б) Грузии с 1938 по 1952 год.

[6] А р у т и н о в Г р и г о р и й А р т е м ь е в и ч (1900—1957), один из ближайших сотрудников Берии по Грузии, с 1934 года секретарь Тбилисского горкома партии, в 1937—1953 гг. первый секретарь ЦК КП(б) Армении.

[7] Р а п а в а А в к с е н т и й Н а р и к и е в и ч (1899—1955), один из ближайших сотрудников Берии по Грузии, с 19 декабря 1938 года нарком внутренних дел Грузинской ССР, с 26 февраля 1941 года нарком ГБ Грузинской ССР.

Надо кроме отдельных групп сформировать особую диверсионную часть. У Канариса есть отдельный полк, а нам надо собрать отдельную бригаду[1]. Ребята спортсмены просятся. Это надо поддержать[2].

9/VII-41

Ожидал бардака, но такого бардака не ожидал. И предатели оказались. И где оказались! Кручусь везде[3]. Хорошо, что люди подобраны, а то был бы полный пи...дец. Кто герой, а кто долбо...б, а кто предатель. Был бы рядом, застрелил бы как бешеную собаку. Собака и то лучше, что с нее возьмешь *(Так в тексте. — С.К.)*. А предатели... Георгий *(Г.К. Жуков. — С.К)* так с фронта и сообщает, похоже и на верху есть предатели. Недочистили!

Коба уже был готов к бардаку, но к такому никто не был готов. А Коба тем более. Сказал: «Верил в одних, а вытягивают другие». Ну, это он сгоряча. Много работает как надо. И дураков хватает.

Хорошо, что никто больше не сомневается, что мы победим. Коба говорит: «Будет и на нашей улице прадзник *(Так в тексте. — С.К.)*».

Будет! Не скоро он будет. Это теперь на два года, а то на три. Может и больше. Боюсь, много мы отдадим, пока на Берлин пойдем. А пойдем! Коба говорит, теперь войну кончать в Берлине будем. Будем!

---

[1] Безусловно, имеется в виду разведывательно-диверсионный полк абвера «Бранденбург-800».

[2] Идея создания особой разведывательно-диверсионной воинской части НКВД СССР, что называется, витала в воздухе. Её высказывал в своей докладной будущий герой тайной войны Дмитрий Медведев, об этом думали Павел Судоплатов, Наум Эйтингон и другие. Думал об этом, как видим, и Берия. В начале июля 1941 года на стадионе «Динамо» начался отбор в Отдельную мотострелковую бригаду особого назначения, знаменитый позднее ОМСБОН. Через учебный центр ОМСБОНа прошли тысячи будущих опытных разведчиков, партизанских командиров, подрывников, диверсантов и т.п.

[3] Все было именно так. Кроме прочего, приказом Ставки Главного командования № 00101 от 29 июня 1941 года Берия был введен в состав Военного совета Московского военного округа.

Мне главное надо дать полнокровные дивизии. Коба говорит, твои Пограничники нас спасают. Все бы так воевали. Так что давай Лаврентий, формируй дивизии НКВД из Пограничников. Нужны как воздух, больше как воздух[1].

Пока не дам, спать не буду. Первые дни нас Коба держал. Только его воля. Кругом рушится, Тимошенко ни х...я обстановки не знает, Георгий тоже, все на нервах, а Коба как был так и есть! Сталь! И все за ним тянутся.

А после Минска у него как жила порвалась. Сказал, не могу больше, проср...ли. Были только я, Вячеслав и Анастас.

Рукой махнул и ушел. Сказал, спать поеду. А вы тут без меня.

Вот когда страшно стало. Смотрю на них, они на меня. Вячеслав говорит, пойдем тоже спать. Утро вечера мудренне (*Так в тексте. — С.К.*), надо выспаться.

Днем пришел к Вячеславу, он говорит, что делать? Я говорю, надо власть свести в одни руки. Поедем к товарищу Сталину.

Приехали. Я Кобу таким никогда не видел и уже не увижу. Снова стало страшно. Руки опускаются, а работать надо.

Говорю Вячеславу: «Войну не остановишь. Надо

---

[1] 29 июня 1941 года за подписями Тимошенко, Сталина и Жукова был издан приказ Ставки Главного командования № 00100 о формировании стрелковых и механизированных дивизий из личного состава войск НКВД. Вот его полный текст:

«Приступить немедленно к формированию 15 дивизий, из них 10 стрелковых и 5 моторизованных. На формирование дивизий использовать часть кадров начальствующего и рядового состава пограничных и внутренних войск НКВД.

Недостающий личный состав покрыть из запаса.

Формирование дивизий возложить на народного комиссара внутренних дел тов. Берия Л.П.

Начальнику Генерального штаба Красной Армии обеспечить формирующиеся дивизии людскими и материальными ресурсами и вооружением по заявке НКВД».

действовать. У Кобы это пройдет. Мы устали, а он еще больше устал». Ушли.

Вячеслав говорит, нужен Государственный Совет Обороны. Я говорю, хватит, насоветовались. Надо крепче. Комитет подойдет? Он говорит, это хорошо. Потом говорит, давай зови людей, к вечеру поедем к Кобе. Пусть успокоится, а там мы ему предложим. А ты пока шуруй.

А к вечеру Коба уже в норму вошел.

Так и вылезли из ж...пы. Люди главное. И для нас и для Кобы! Коба нас собрал, Коба нас воспитал. Пришла Гроза, Он первое время нас держал. Потом дал слабину, а мы Его поддержали.

Теперь все, Он будет тянуть все. А мы рядом. Он так и сказал: «Теперь работаем до Победы!

Я так своим и говорю, товарищ Сталин сказал, отдохнем после Победы.

А кто и раньше отдохнет. До Победы дожить надо.

Части начинают прибывать, надо сколотить за два-три дня[1]. Коба сказал, готовь немедля. А в бой пока не пойдут. Надо Москву прикрыть. Но вижу по обстановке, часть придется бросить под Смоленск. Уже туда дошли! Как они прут! Ничего, все равно нае..нутся!

Работай Лаврентий!

До Победы!

---

[1] В тот же день 29 июня 1941 года Берия издал приказ по НКВД, где говорилось:

«1. Руководство формированием возложить на моего заместителя генерал-лейтенанта тов. Масленникова.

2. При тов. Масленникове создать оперативную группу в составе пяти человек.

3. К формированию дивизий приступить немедленно.

4. На формирование указанных дивизий выделить из кадров войск НКВД по 1000 чел. рядового и младшего начальствующего состава и по 500 чел. командно-начальствующего состава на каждую дивизию. На остальной состав подать заявки в Генеральный штаб Красной Армии на призыв из запаса всех категорий военнослужащих.

5. Сосредоточение кадров, выделяемых из войск НКВД, закончить к 17 июля с.г.».

Говорили с Кобой. Наркомат надо восстановить единый. Все надо брать в одни руки[1]. И готовить спецотряды для заброски в тыл. Опыт есть, люди есть, получится.

Комментарий Сергея Кремлёва.

Дивизии НКВД формировались прежде всего за счет лучшего кадрового состава погранвойск Грузинского, Армянского, Азербайжданского, Казахского, Среднеазиатского, Туркменского и Забайкальского округов. Из дальних погранокругов в места формирования, в частности — в Ярославль, в считаные дни (за 8—11 суток) из Закавказья и Средней Азии прибыли 3 тысячи командиров и 10 тысяч сержантов и рядовых.

Дополнительно в состав дивизий вливали уже обстрелянных воинов, вышедших из окружения, из личного состава частей Ленинградского, Прибалтийского, Белорусского, Украинского и Молдавского пограничных округов. Итого — более 15 тысяч боевого ядра на 15 дивизий.

Из запаса в дивизии НКВД призывались тоже надёжные кадры, по возможности из бывших пограничников.

Практически все командные должности в дивизиях НКВД занимали пограничники. Командирами взводов стали выпускники Харьковского кавалерийского пограничного училища, командирами батальонов — слушатели Высшей пограничной школы.

Сколачивание шести дивизий первой очереди прошло с опережением сроков —в зоне бывшего ЗапОВО, нынешнего Западного фронта, образовалась огромная брешь, и закрывать её пришлось кадрам Берии.

Присягу принимали в пути следования и на боевых позициях — так диктовала крайне сложная обстановка на фронте.

Все пятнадцать дивизий НКВД ушли туда, где было наиболее сложно. Десять дивизий (243, 244, 246, 247, 249, 250, 251, 252, 254 и 256-я) — на Западный фронт, пять (265, 268,

---

[1] Указом Президиума Верховного Совета СССР от 20 июля 1941 года «в связи с переходом от мирного времени на военные условия работы» НКВД и НКГБ вновь были объединены в единый наркомат внутренних дел СССР под руководством Л.П. Берии.

262, 257 и 259-я) — на Северо-Западный. И это были не просто номера частей, и даже не просто полноценные воинские соединения. В июле—августе 1941 года пограничные дивизии НКВД стали хребтом нашего отпора вермахту. В 1941 году они спасли ситуацию так же, как в 1942 году в Сталинграде её спасли переформированные в гвардейские дивизии воздушно-десантные корпуса!

13/VII-41

Жизнь можно сказать установилась. Спим мало, работаем много. Масленников[1] и Шарапов[2] организуют 29 армию. Немец заходит с севера, а это угроза Москве. Калинину само собой. Масленников должен прикрыть Москву с севера, в направлении на Старую Руссу и Бологое.

Хоменко[3] будет формировать 30 армию. Прикрытие в направлении Ржева.

Сергей[4] уехал на фронт.

Говорят, что циплят (*Так в тексте. — С.К.*) по осе-

---

[1] М а с л е н н и к о в И в а н И в а н о в и ч (1900—1954), заместитель наркома НКВД по войскам, будущий командующий Северо-Кавказским фронтом и 3-м Прибалтийским фронтом, будущий Герой Советского Союза.

[2] Ш а р а п о в В л а д и м и р М а к с и м о в и ч (1895—1972), один из руководителей органов государственной безопасности, генерал-лейтенант (1944). Участник Первой мировой и Гражданской войн, с 1921 года — в войсках ВЧК. Соратник Берии по работе в Грузии. 8 марта 1939 года переведён в Москву и назначен начальником Главного управления конвойных войск НКВД СССР. С июня 1941 года — в РККА на штабных должностях, участник ряда стратегических операций 1943—1945 гг. В июле 1941 года приказом Ставки ВК № 00293 назначен начальником штаба формирующейся 29-й армии.

[3] Х о м е н к о В а с и л и й А ф а н а с ь е в и ч (1899—1943), военный деятель и один из руководителей погранвойск НКВД, с ноября 1940 года начальник погранвойск НКВД Молдавской и Украинской ССР, с 12 июня 1941 года — заместитель командующего Киевским Особым военным округом по охране тыла, с 22 июня 1941 года заместитель командующего Юго-Западным фронтом по охране тыла, затем командовал 30, 24, 58-й и 44-й армиями. Участник Смоленского сражения. Погиб в 1943 году.

[4] Скорее всего, речь о Сергее Круглове, заместителе Берии по НКВД, который 5 июля 1941 года был назначен членом Военного совета Резервного, затем — Западного фронта.

ни считают, а у нас уже летом можно считать, кто цыпленок вареный-жареный, кто мокрая курица, а кто орел. Люди за день проявляются, а бывает и за час. Даешь ему приказ, а уже видишь, провалит. Кого сразу отставляю, кого думаю, нет, надо проверить. Бывает и оправдывает. Бывает и нет. Таких посылаю к е...аной матери. С глаз долой. Времени возится (*Так в тексте. — С.К.*) нет.

Забирает у меня Коба людей, а замена все равно находится. Как не вспомнить, крепко Коба сказал «Кадры решают все».

Тяжелая жизнь пошла, а как помолодел. Работаем быстро, а кто не может, того заставляем. Не может, все равно заставляем. А провалил, уйди. Чем человек был ближе к делу, тем крепче можно опереться. А если был ближе к бумажкам, этот как раз и прос...т.

А вообще положение пока хреновое. Ну, ладно.

16/VII-41

Как он идет! И обидно и завидно. Под угрозой Ленинград, подбирается к Киеву и подошел к Смоленску. Мои дивизии пойдут туда.

Кирпонос[1] воюет неплохо. А Павлов[2] оказался му...аком и сволочью.

Создается Резервный Фронт. Командовать будет Георгий[3], если дойдет до боя. А дойдет. Шесть армий, из них четыре берут мои орлы[4].

---

[1] Кирпонос Михаил Петрович (1882 — 20.9.1941), генерал-полковник, участник советско-финской войны, Герой Советского Союза (23.1.1940), командующий КОВО, а с 19 июня 1941 года — Юго-Западным фронтом. Погиб при выходе из окружения.

[2] Бывший командующий ЗапОВО и с 19 июня 1941 года — Западным фронтом (арестован 4 июля 1941 года в Довске, 16 октября 1941 года после следствия расстрелян).

[3] Жуков Георгий Константинович, член Ставки ВГК, командующий Резервным, затем Ленинградским, затем — Западным фронтом и т.д.

[4] 14 июля Ставка ВК издала приказ № 00334 о создании фронта резервных армий на рубеже Старая Русса, Осташков, Белый, Истомино, Ельня, Брянск для подготовки к упорной обороне. В состав фронта были

Тяжело, но победим хоть что будет. Написал Кобе представление на амнистию Туполеву и его людям, на 30 человек. Работали ударно. А в такое время людям ни к чему иметь иметь (*Так в тексте. — С.К.*) клеймо заключённых[1]. Полностью искупили и будут работать как надо, когда враг пришел.

Да, люди гибнут, а идут. Ушли первые группы к немцам в тыл. Молодые ребята. Каждого поцеловал бы, а когда?

Справка публикатора.

С 21 июля по 21 августа 1941 года Л.П. Берия не отмечен в Журнале посещений кремлёвского кабинета И.В. Сталина. 22 августа 1941 года он появился там на полтора часа и опять исчез до 6 сентября 1941 года, чтобы потом бывать у Сталина ежедневно[2].

Комментарий Сергея Кремлёва.

Тот факт, что в такой напряжённый период член ГКО Берия, как, впрочем, и члены ГКО Молотов с Маленковым, не

включены шесть армий (29, 30, 24, 28, 31 и 32-я), четырьмя из которых командовали пограничники: 30-й — начальник войск Украинского пограничного округа генерал-майор В.А. Хоменко, павший позднее смертью храбрых; 31-й — начальник войск Карело-Финского пограничного округа генерал-майор В.Н. Далматов; 24-й — начальник войск Прибалтийского пограничного округа генерал-майор К.И. Ракутин. Заместитель Берии, генерал-лейтенант Иван Масленников принял 29-ю армию.

[1] 16 июля 1941 года Берия обратился к Сталину с предложением «возбудить ходатайство перед Правительством СССР об амнистировании со снятием судимости 30 человек, заключенных Особого Технического Бюро, принимавших непосредственное участие в создании самолетов «103-У»... Речь — об А.Н. Туполеве и группе осуждённых по его делу специалистов, которые закончили разработку прототипа бомбардировщика Ту-2. К слову, хотя прототип имел цифровое обозначение, фактически он должен был называться «СТО-3», то есть «Специальный Технический Отдел» (НКВД), третье КБ.

Далее Берия предлагал зачислить Туполева и остальных в штат ОТБ уже как обычных вольнонаёмных сотрудников.

[2] См. комментарий ниже.

появлялся у Сталина, объясняется, безусловно, только его почти круглосуточной загрузкой.

В то же время это доказывает, что после преодоления краткого кризиса 20—30 июня 1941 года Сталин и его близкая «команда» занялись каждый своим. Причём — почти самостоятельно. Сталин погрузился во фронтовые дела, входя в работу Ставки Верховного Главнокомандования (на фронт уехал и пятый член ГКО маршал Ворошилов). У Молотова, Маленкова и Берии были свои «кусты» проблем, как и у остальных членов «узкого» сталинского руководства.

Это, между прочим, доказывает, что Сталин поставил дело так, что в случае необходимости его соратники были вполне способны на самостоятельное руководство и на самостоятельные решения. Последнее слово, конечно, оставалось за Сталиным.

При всём том, что и остальные коллеги Берии были заняты донельзя, на Берию сразу свалилось особенно много дел, и ему было труднее, чем кому-либо другому из близкого окружения Сталина. Берию в его многообразной деятельности не подстраховывал никто, даже Сталин. Зато Берии то и дело приходилось подстраховывать своих коллег. К тому же на Берию вновь легла вся ответственность за работу бывшего НКГБ, возвращённого в состав НКВД под руку Берии.

Издавна «многостаночник», Берия в эти дни был загружен прежде всего в своём теперь уже объединённом наркомате, но сами задачи НКВД в считаные дни разветвились от формирования войсковых соединений для отправки на фронт (задача вообще-то НКО и ГШ РККА) и обеспечения эвакуации (задача вообще-то Совета по эвакуации) до обеспечения пропагандистских акций (чем должен был бы заниматься соответствующий отдел ЦК).

Так, известно, что 13 августа 1941 года Берия докладывал Сталину, что в Парке культуры и отдыха им. Горького подготовлена выставка сбитых немецких самолётов, трофейной техники и т.п. и что выставка готова к открытию 14 августа.

Ещё ранее, 8 августа, Берия в своём спецсообщении предложил Сталину начать создание оперативных групп для заброски в немецкий тыл в разведывательных и диверсионных целях.

Сталин утвердил это предложение, и 10 августа 1941 года Берия дал указание Серову, Судоплатову, заместителю начальника ГУПВ НКВД СССР Аполлонову начать работу. Впрочем, к тому времени уже вовсю шла подготовка ОМСБОНа — Отдельной мотострелковой бригады особого назначения НКВД.

В двадцатых числах июля 1941 года Л.П. Берия, весьма вероятно, выезжал также в места формирования дивизий НКВД (например, в Ярославль) для личной инспекции. Создание этих дивизий было важнейшей задачей, потому что лишь погранвойска показали в первые дни войны абсолютную боевую устойчивость. Армейские же соединения воевали по-разному, в зависимости, прежде всего, от того, кто и как ими командовал.

Скорее всего, Берия бывал и в районе подмосковной станции Строитель, где тренировались будущие разведчики и диверсанты — бойцы ОМСБОНа.

8/VIII-41

Живу не сутками, а неделями. Так все живут. Никогда так не жил и не думал, что можно жить. Выходит можно.

Хоменко[1] и Масленников оперируют под Смоленском. Тимошенко[2] ими доволен. Георгий[3] тоже. Георгий говорит, что там геройски воюет его старый знакомый Рокосовский (*Правильно «Рокоссовский».* —

---

[1] См. запись за 13 июля 1941 года и примечания 1 и 3 к ней.

В ходе Смоленского сражения «для разгрома смоленской группировки противника» были образованы оперативные группы Масленникова, Хоменко, Калинина, Качалова и Рокоссовского. В начале августа 1941 года они (кроме группы Качалова) вели достаточно успешные военные действия.

[2] Тимошенко Семён Константинович (1895—1970), военачальник, Маршал Советского Союза (7.5.1940), с 7 мая 1940 года до 19 июля 1941 года нарком обороны СССР, с 1 июля 1941 года главнокомандующий Западным направлением.

[3] Жуков Георгий Константинович (1896—1974), военачальник, Маршал Советского Союза, с 23 июня 1941 года член Ставки ГК (ВГК), в июле 1941 года командующий Резервным фронтом.

С.К.)[1]. Спрашиваю, поляк? Говорит, да. Говорю, помню его дело. Стойко стоял, что не виновен и доказал.

Георгий говорит, он еще докажет, если не погибнет. Посмотрим.

10/VIII-41

Москву бомбят, но к городу прорывается мало. За первый налёт крепко пострадало 400 человек. Разрушений мало и с этим мы можно считать справились. Москву он не разрушит, это тебе не Лондон[2].

Что надо взять на заметку. Немец сбрасывает листовки. Коба почитал. Говорит: «Неплохо написаны, а рука видна наших сволочей. Сразу не поймешь, троцкист писал или фашист». Говорит, надо разобраться.

Не дочистили мы, это теперь понятно. Надо учесть.

Теперь другое. Немцы пишут, что на стадионе Динамо большевики собирают бригаду головорезов для выполнения секретных заданий[3]. Получается, кто-то

---

[1] Р о к о с с о в с к и й К о н с т а н т и н К о н с т а н т и н о в и ч (1896—1968), блестящий военачальник, Маршал Советского Союза, с 10 августа 1941 года командующий 16-й армией. Арестовывался по ложному доносу, в марте 1940 года освобождён и восстановлен в звании и должности.

[2] Первый воздушный налёт на Москву был произведён в ночь с 21 на 22 июля 1941 года. К этому моменту в Московской зоне ПВО, имеющей на вооружении, к слову, отечественные радары, насчитывалось 585 самолётов: новые МиГ-3, ЛаГГ-3, Як-1, а также 200 И-16 и 45 И-153. ПВО Москвы насчитывала 1044 зенитных орудия (почти все — 85-мм орудия, оснащённые современными приборами управления огнём). Лондон же прикрывало 452 орудия крупного, среднего и *малого* калибра.

[3] В действительности в ОМСБОН направлялись студенты, лучшие рабочие московских предприятий. В ОСМСБОНе собрался тогда и цвет советского спорта. Боксеры Николай Королев (он стал адъютантом знаменитого Дмитрия Медведева) и Сергей Щербаков, конькобежец Анатолий Капчинский, штангист Николай Шатов, гребец Александр Долгушин, дискоболы Леонид Митропольский и Али Исаев, велосипедист Виктор Зайпольд, гимнаст Сергей Коржуев, гимнаст Сергей Кулаков, борец Григорий Пыльнов, лыжница Любовь Кулакова, группа футболистов минского «Динамо», бегуны-стайеры братья Знаменские...

После войны в Советском Союзе проводились соревнования в память погибших выдающихся спортсменов: престижный Всесоюзный легкоатлитический мемориал имени братьев Знаменских, соревнования на призы имени А. Капчинского. Антисоветской же «Россиянии» память об этих героях, бойцах ОМСБОНа Берии, ни к чему.

у них в Москве сидит и информирует. Даже знают, что не полк или дивизия, а бригада. Значит знают и еще что-то. Надо намылить шею Павлу[1] и Орлову[2]. Пусть выяснят источник информации. Или кто-то из их рекрутов по молодости болтает, так надо немедля отсеять здесь. Там будет поздно. Или идет информация от агентуры. Тогда надо ловить, зацепка есть.

23/VIII-41

Коба материт командующих. Говорит, и наступать не смогли, и отступать не умеют. Теряют войска. Говорит, Тюленев[3] засp...нец две армии потерял, как мальчишки полки не теряют.

У меня та же хренотень. Совет по эвакуации есть, а пробки расшивают мои ребята[4]. Некомплект ищут мои ребята. Долбое...ы, два месяца воюем, а они задницы приклеили. Отдал им туда Виктора, а все равно тянуть придется мне. Он там как делегат связи. Как что не так, товарищ Берия, помогите.

---

[1] Судоплатов Павел Анатольевич, с 5 июля 1941 года руководитель Особой группы при наркоме, созданной для проведения разведки, диверсий и террористических актов в тылу противника.

[2] Орлов Михаил Фёдорович, полковник, командир ОМСБОН.

[3] Тюленев Иван Владимирович (1892—1978), генерал армии (1940), с 25 июня по 30 августа 1941 г. командующий Южным фронтом. С марта 1942 года командующий Закавказским военным округом (фронтом).

[4] 16 июля 1941 года Постановлением ГКЛ № 173 был создан Совет по эвакуации во главе с Председателем Совета национальностей ВС СССР Н.М. Шверником и зампредами СНК СССР А.Н. Косыгиным и М.Г. Первухиным в качестве заместителей председателя. Членами Совета были А.И. Микоян, НКПС Л.М. Каганович (с заменой его заместителем Б.Н. Арутюновым), председатель Госплана СССР М.З. Сабуров (с заменой его Г.П. Косяченко) и от НКВД — Виктор Абакумов.

Безусловно, Совет выполнил огромный объём работы по эвакуации промышленности, в чём велика заслуга, например, А.Н. Косыгина и М.Г. Первухина. Однако Совет не имел аппарата на местах, а его руководители не сумели сформировать в кратчайшие сроки эффективный институт своих уполномоченных. Поэтому реально функции таких уполномоченных то и дело приходилось выполнять, по совместительству с множеством других дел, аппарату НКВД наркома Л.П. Берии. Иногда нарком лично занимался розыском особо важного эвакуированного оборудования.

Отправили за фронт отряд Медведева[1]. Время нет, а проводил лично. До этого шли мелкие группы, много пропадало. А тут идет 33 человека. Думаю, Медведев справится. Крепкий мужик, контроль не выпустит. Будет оперировать на Брянщине и постарается пройти в Белоруссию.

Спрашиваю, а почему у вас такое число в отряде. Что, Пушкина вспомнили? Улыбается, говорит, так точно, товарищ Генеральный Комиссар. Число известное. Я так ребятам и сказал, у Пушкина 33 богатыря вышли из волн, а мы войдем в леса и пусть дрожат фрицы.

И название отряду хорошее подобрал, «Митя». Душевно, а весит.

Сказал им: «Идите товарищи и возвращайтесь живыми. А кто не вернется, не забудем. Всех не забудем. До Победы и после Победы»[2].

Проводил, не удержался. За эти два месяца столько г...вна насмотрелся и начитался, что захотелось увидеть чистых людей. Может на смерть идут, а как на праздник. За Родину воевать за счастье считают.

Эх, жизнь! Тут же и муд...ки, тут же и герои. А тут дела, не знаешь куда бежать, за что хвататься. Хватаюсь за все.

Справка публикатора.

С 23 августа по 6 сентября 1941 года Л.П. Берия не отмечен в Журнале посещений кремлёвского кабинета И.В. Сталина.

---

[1] Медведев Дмитрий Николаевич (1898—1954), в 1941 году — капитан ГБ (равнозначно армейскому подполковнику), затем майор ГБ, Герой Советского Союза, кавалер четырёх орденов Ленина и ордена Красного Знамени, командир партизанских спецотрядов НКВД «Митя» (1941—1942) и «Победители» (1942—1943).

[2] Отряд Дм. Медведева «Митя» перешёл линию фронта 7 сентября 1941 года. Это был первый спецотряд из числа многих, направленных в глубокий тыл немцев. До отряда Медведева туда уходили мелкие группы.

24/VIII-41

Видел Георгия[1]. Почернел, но молодцом. Сказал, что мои орлы под Смоленском воевали на пять. И Иван, и Василий[2]. А Качалов, сказал, подкачал, оказался сволочью. Я ему говорю, не видел ты Георгий сволочей. У меня их сейчас на глазах сколько, а на столе еще больше[3].

Он сразу вскинулся, говорит, точно точно, ты посмотри по своей епархии внимательно. Считаю, что у фрица есть кто-то в Москве, очень уж хорошо они обстановку знают. Бывает бьют так, что оглядываешься, может за спиной Гудериан стоит и карту читает.

Положение тяжелое, но Георгий считает, что главное, мы уже его измотали. Говорит, не до конца, но спесь сбили. То фриц пер как на параде, а теперь уже понюхал, чем русская земля матушка пахнет.

Ладно, у него (*Имеется в виду явно Г.К. Жуков, а не немцы. — С.К.*) свои дела, у меня свои.

Комментарий Сергея Кремлёва.

Обстоятельства Смоленского сражения не изучены в полной мере до сих пор, и это вряд ли случайно. Даже роль таких крупных фигур, как Тимошенко и Жуков, объективно не освещена. Тем более это верно в части роли и смысла действий командующих всеми пятью оперативными армейскими группами, образованными в ходе битвы под Смоленском.

Я не могу останавливаться на Смоленском сражении подробно и коснусь этой темы лишь в той мере, в какой это полезно для лучшего понимания дневника Л.П. Берии, да и обстановки, в которой ему приходилось работать во время войны.

---

[1] Г.К. Жуков, тогда командующий войсками Резервного фронта.

[2] Имеются в виду командующие армейскими группами, пограничные генералы НКВД И.И. Масленников и В.А. Хоменко.

[3] См. комментарий ниже.

В громкой, так сказать, истории Великой Отечественной войны осталось имя командующего лишь одной «смоленской» оперативной группой — генерал-майора Константина Константиновича Рокоссовского. Командующий армейской группой, командарм-30 генерал-лейтенант Василий Афанасьевич Хоменко, хотя и погиб позднее в бою, в глазах хрущёвцев был «замаран» тем, что входил в «команду» боевых соратников Берии. О генерал-лейтенанте Иване Ивановиче Масленникове, командарме-29 и заместителе Берии, вообще не разговор. Через год после ареста Берии Масленникову, в предвидении неизбежного ареста, пришлось застрелиться, чтобы защитить свою офицерскую честь. После этого его имя из истории войны было вычеркнуто.

Остаются два командующих группами — генерал-лейтенанты командарм-28 Качалов и командарм-25 Калинин. И вот к ним присмотреться не мешает.

В своих «Воспоминаниях и размышлениях» образца 70-х годов маршал Жуков написал так:

> «Против армейской группы В.Я. Качалова, состоящей из трех дивизий..., противник бросил группу в составе 9 дивизий...
>
> ...Группа В.Я. Качалова оказалась в тяжелом положении, не многим удалось отойти и соединиться со своими. В этих сражениях пал смертью героя командующий группой генерал В.Я. Качалов».

Что ж, вроде бы вполне достойная боевая эпитафия. Но вот незадача! Если мы обратимся к докладу командующего войсками Резервного фронта генерала армии Г.К. Жукова Верховному Главнокомандующему И.В. Сталину № 2402 от 19 августа 1941 года, то прочтём следующее:

> «...Я считаю, что противник очень хорошо знает всю систему нашей обороны, всю оперативно-стратегическую группировку наших сил и знает ближайшие наши возможности.
>
> Видимо у нас среди крупных работников, близко соприкасающихся с общей обстановкой, противник имеет своих людей. Видимо, преступную роль в этом деле играют Качалов и Понеделин. По рассказу участников боев группы Качалова, Качалов, как только появились

мелкие группы противника, сел в танк Т-34 и уехал в неизвестном направлении. Все говорит за то, что Качалов умышленно перешел на сторону немцев. В танк Т-34, в котором Качалов уехал, он запретил садиться даже своему личному адъютанту...»

Как это понимать? А вот так...

16 августа 1941 года (как видим, это было ещё до информации Жукова Сталину, то есть независимо от неё) был издан приказ Ставки ВГК № 270, прочитанный во всех ротах, эскадронах, батареях, эскадрильях, командах и штабах.

Вот его начало:

«Не только друзья признают, но и враги наши вынуждены признать, что в нашей освободительной войне с немецко-фашистскими захватчиками части Красной Армии, громадное их большинство, их командиры и комиссары ведут себя безупречно, мужественно, а порой — прямо героически...»

Далее в приказе Сталина, как примеры воинской доблести, приводились имена заместителя командующего войсками Западного фронта генерал-лейтенанта Болдина (*Бывший командующий Западным фронтом Павлов и начальник штаба фрона Климовских уже были расстреляны, а Болдин отлично воевал до конца войны. — С.К.*), комиссара 8-го мехкорпуса бригадного комиссара Попеля, командира 406-го стрелкового полка Новикова, командующего 3-й армией генерал-лейтенанта Кузнецова и члена Военного совета армии комиссара 2-го ранга Бирюкова.

Но затем в приказе говорилось о «позорных фактах сдачи в плен врагу». И первым было названо имя командующего 28-й армией генерал-лейтенанта Качалова, который «проявил трусость, ...предпочел сдаться в плен, предпочел дезертировать к врагу...».

Однако 23 декабря 1953 года Особое присутствие Верховного суда СССР признало, что обвинения против Качалова были ложными. Факт его смерти в бою был официально установлен и все обвинения сняты.

Тут читатель, знакомый с биографией Л.П. Берии, может

сказать: «Постойте, постойте! Какое совпадение! Ведь 23 декабря 1953 года — это...»

Да, 23 декабря 1953 года — это дата официального расстрела Л.П. Берии и реального расстрела его шести соратников. И почему-то именно на этот день пришлась официальная реабилитация генерала Качалова, как и...

Как и реабилитация в 1953 году второго бывшего командующего одной из пяти «смоленских» оперативных групп генерал-лейтенанта Калинина (о нём чуть позже).

Странно! Со дня смерти Качалова прошло 12 лет, из них 8 — с момента окончания войны. И вдруг только в декабре 1953 года, да ещё и в день «казни бериевщины», истина открылась? Оно, конечно, может и так.

А может и не так!

Качалов погиб 4 августа 1941 года. А 3 августа 1941 года в 20.30 Ставка ВГК директивой № 00679 за подписью Шапошникова предписывала «группу Качалова в составе 145-й и 149-й стр. дивизий, 104-й танковой дивизии и ***всех частей усиления группы*** (*Выделение моё. — С.К.*)... передать из состава войск Западного фронта в состав Резервного фронта».

При этом ещё 29 июля 1941 года Ставка директивой № 00579 за подписью Жукова предписывала командующему 28-й армией (то есть тому же Качалову) «...30.07. принять в состав армии 52 кд (*Кавалерийскую дивизию. — С.К.*)... и 21 гкд (*Горно-кавалерийскую дивизию. — С.К.*)...».

По сосредоточении в исходных районах не позднее 2 августа 1941 года указанные дивизии предписывалось «использовать для удара по тылу группировки противника, действующей против группы тов. Качалова...».

То есть к 3 августа 1941 года в распоряжении Качалова были не только три дивизии, о которых Жуков вспомнил в 1970 году, но ещё и части усиления, да плюс две свежие кавалерийские дивизии, призванные оперировать против тылов противостоящей немецкой группировки.

Конечно, легко быть стратегом, видя бой со стороны, да ещё и на отдалении в семьдесят лет. Но всё же с учётом сказанного выше, облик вконец обессиленного и поставленного окружением в безвыходное положение к 4 августа 1941 года генерала Качалова как-то не обрисовывается.

Качалов, судя по всему, действительно погиб, а не сдался в плен (к слову, уже в 1945 году факт отсутствия его пленения мог быть установлен абсолютно точно), но отнюдь не исключено, что погиб он, продвигаясь всё же к немцам. А те, сдуру, и долбанули по рвущейся к ним «тридцатьчетвёрке»... Мало ли что у неё на уме!

Владимир Яковлевич Качалов (1890—1941), родившийся в селе Городище Пензенской губернии, происходил, как я догадываюсь, не из крестьян. С 1911 по 1912 год служил в армии (явно как вольноопределяющийся). После начала Первой мировой войны окончил школу прапорщиков и воевал на Румынском фронте, дослужившись до должности командира пехотного полка. С 1918 года в РККА, в Гражданскую войну дорос до должности начальника штаба 2-й Конной армии. С апреля 1938 года — командующий войсками Северо-Кавказского, а с июня 1940 года — Архангельского военных округов. С началом войны — командующий 28-й армией Западного фронта.

Лично для меня он — фигура не прояснённая. А как для Л.П. Берии — не знаю.

Теперь же — о пятом командующем армейской группой командарме-25, ровеснике Качалова, Степане Андриановиче Калинине (1890—1975). Родившись в деревне Панкратовке Егорьевского уезда Московской губернии, он тоже, как я догадываюсь, происходил не из крестьян. В 1912 году поступил в армию, в 1917 году окончил Псковскую школу прапорщиков, в РККА — с 1918 года. Служба Калинина в Красной Армии была не менее успешной, чем у Качалова, и с 1938 года Калинин тоже командовал военным округом — Сибирским, а с началом войны стал командовать 25-й армией Западного фронта.

С августа 1941 года Калинин — помощник командующего войсками Западного фронта, с ноября 1941 года — командующий войсками Приволжского, а с марта 1944 года — Харьковского военных округов. Однако в июне 1944 года был отстранён от должности и арестован.

С чего вдруг? В Приволжском военном округе во время войны находилось 145 эвакуированных военных училищ, это была кузница армейских кадров, и Калинин вроде бы честно их готовил. И вот арест, следствие, в 1951 году лишение воинского звания и 25 лет исправительно-трудовых лагерей.

А в 1953 году — реабилитация со снятием судимости и в 1954 году — увольнение в запас. Тоже — тёмная, не проясненная судьба.

И я не исключаю, что у Качалова и Калинина был в 1941 году сговор, что открылось лишь в 1944 году.

А ведь одной из первейших задач наркома НКВД СССР и члена ГКО Л.П. Берии (у него, правда, таких «первейших» насчитывался добрый десяток) была задача выявления того, насколько соответствовало действительности очень ответственное заявление генерала армии Г.К. Жукова, сделанное им 19 августа 1941 года в докладе Верховному главнокомандующему И.В. Сталину.

Напоминаю, что Жуков заявлял тогда:

> «...Я считаю, что противник очень хорошо знает всю систему нашей обороны, всю оперативно-стратегическую группировку наших сил и знает ближайшие наши возможности.
>
> Видимо у нас среди крупных работников, близко соприкасающихся с общей обстановкой, противник имеет своих людей. Видимо, преступную роль в этом деле играют Качалов и Понеделин...»

Но Жуков имел право лишь высказать подозрения. А установить, обоснованны ли они, должен ведь был Берия!

В заключение комментария небольшая дополнительная информация. В приказе № 270 от 16 августа 1941 года и в докладе Жукова Сталину от 19 августа 1941 года упоминается также сдавшийся в плен генерал-лейтенант Понеделин, бывший командарм-12, а в приказе № 270 ещё и командир 13-го стрелкового корпуса генерал-майор Кириллов.

Оба действительно сдались в плен в новеньких генеральских кителях, но — без наград (а у Понеделина, например, были ордена Ленина и два Красного Знамени). Оба вели себя в плену мало достойно, и после войны, в 1945 году, в отличие от многих других попавших в плен советских генералов, не прошли фильтрацию на Лубянке и после длительного следствия в 1950 году были расстреляны. Хрущёвцы их реабилитировали, но они ведь многих реабилитировали, а кого не реабилитировали они, реабилитировали горбачёвцы.

А вот ещё один пример. 4 сентября 1941 года Сталин в присутствии Шапошникова в разговоре по прямому проводу с командующим Ленинградским фронтом Ворошиловым и Ждановым сказал: «Нам не внушает доверия ваш начальник штаба как в военном, так и в политическом отношении. Найдите ему сегодня же замену и направьте его в наше распоряжение...»

Это — о генерал-лейтенанте Маркиане Михайловиче Попове (1902—1969), который, неудачно командуя Северным (с 23 августа 1941 года Ленинградским) фронтом, «откатил» его до предместий Ленинграда. У Попова было две слабости: спиртное и женщины (классический набор для вербовки, между прочим), и разбирались с ним три месяца. С 18 декабря 1941 года Попов получил 61-ю армию и участвовал в наступательной фазе Московской битвы, потом командовал фронтами, однако даже с учетом проявившейся в ходе войны полководческой талантливости, выше звания генерала армии (26 августа 1943 года) не поднялся, да и того был лишён в 1944 году. Закончил войну начальником штаба 2-го Прибалтийского фронта.

А ведь возвращение в 1941 году в строй Попова — это тоже дело Берии. Как, возможно, и отзыв Попова в Москву. Но такими уж были обязанности у наркома НКВД — не проверив, не доверяй.

25/VIII-41

Окончательно убедил Кобу, что войска в Иран надо вводить немедля. Можем получить крупные диверсии в Баку. Коба отдал приказ. Завтра начинаем ввод. Граница с Ираном дополнительно прикрыта. Надо бы и с Турцией усилить, но нечем.

Коба сказал, никаких переговоров с этими заср...нцами, вперед без разговоров[1]. Если начнут стрельбу, подавлять силой оружия. Поддерживаю. Эту операцию надо провести тик в тик и быстро. Где основные базы диверсантов мы знаем, так что ликвидируем быстро, мои ребята уже на местах. Теперь фрицам х...й без масла, а не Баку.

Англичане тоже вводят войска[2].

6/IX-41

Что-то у нас не ладится. Ленинград под обстрелом, Киев под угрозой, под Смоленском хреново. Хорошо получается под Ельней, но это еще как сказать. На Украине он пока давит. Тяжелая война. Мыкыта обоср...лся по уши, теперь обещает, что умрут а Киев не сдадут. Дурак. Ты Киев не сдай, и живи. Так нагадил, так нагадил[3].

У Кобы были англичане. Крипс[4] (*Правильно «Криппс». — С.К.*). Обещают помочь. Пока помогаем

---

[1] Советские войска были введены в Северный Иран в соответствии со статьёй 6-й советско-иранского договора от 26 февраля 1921 года, объявившего отменёнными ущемляющие суверенитет Ирана его договоры с царской Россией. Однако РСФСР оставляла за собой право ввести войска на территорию Ирана, если «...со стороны третьих стран будут иметь место попытки... превращать территорию Персии в базу для военных выступлений против России». А именно это и происходило: вольно чувствующие себя в Иране немцы уже готовили акции по уничтожению бакинских нефтепромыслов, хранилищ нефти, перерабатывающих заводов, нефтепроводов и т.п.

[2] 26 августа 1941 года английские парашютные десанты заняли нефтепромыслы Южного Ирана.

[3] Хотя точный смысл этой записи о Хрущёве (речь, вне сомнений, о нём) и неясен, можно предположить, что Берия имел в виду некие уверения Хрущёва в мае 1941 года в том, что немцы воевать не собираются. Наличие этой, как и ещё нескольких убийственных для Хрущёва записей в дневнике Л.П. Берии не подрывает мою гипотезу о наличии в этом дневнике лакун. Напоминаю читателю, что, по словам «Павла Лаврентьевича», оригинал представлял собой отдельные листы, поэтому какие-то записи могли быть архивистами хрущёвским «цензорам» не представлены.

[4] К р и п п с Р и ч а р д С т а ф ф о р д (1889—1952), посол Великобритании в СССР в 1940—1942 гг.

сами себе. Хреново с винтовками. Какой-то долбо...б свез миллионы винтовок почти к границе! Может предатель, один х...й. Искать бесполезно. Надо делать винтовки.

Не пойму. Простые люди работают как герои. Мне докладывают, сутками из цехов не уходят. И есть результат. А тут сидит большая шишка и рассказывает тебе, что этого сделать нельзя. Нет, товарищ Берия, мы 5 тысяч винтовок в сутки дать не можем. Сопля ты пальцем еб...ная. Я у тебя спрашиваю, как ты это собираешься сделать, я у тебя не спрашиваю, можешь ты или не можешь. Если надо, я помогу. Но ты сделай. Нет, нельзя товарищ Берия, этот срок нереален.

Я понимаю что он нереален. А ты сделай реальным. Ты большевик, тебе доверили. Тебе все права даны, действуй. Нам не через полгода надо, а немедля.

Потом оказывается что можно. Ты людей найди, они сделают. Они тебе 10 тысяч сделают, ты их организуй, разберись. Резерв всегда есть. Толковый парень Кирпичников[1]. Вот это смена. Взял бы прямо к себе. Но умные люди и другим нужны.

10/IX-41

На фронте где как. А у нас обычный бардак, но работаем. Главное перевезти промышленность в глубину страны и наладить работу. То что строили надо быстро достроить. Где расширяем старое, а где на голом месте строим новое. Надо успеть до зимы[2].

Думаю, фронт пока не устоится. Мы воюем где хорошо, а где ни в пиз...у. А он еще не выдохся, силы много. Можайскую линию обороны мы подготовили, а мои дивизии раздергали. Если что, чем прикрыть?

---

[1] П.И. Кирпичников, один из заместителей председателя Госплана СССР.

[2] 11 сентября 1941 года было принято Постановление СНК СССР «О строительстве промышленных предприятий в условиях военного времени».

Коба решил заменить Клима Георгием[1]. Георгий показал себя хорошо, а Коба сказал, что Клим пригодится на переговорах с англичанами[2]. Говорит, он у нас по этому делу главный мастер, и Молотову нос утрет[3].

27/IX-41

Отдохнуть бы сейчас в горах. Все бы бросил и полетел, если бы можно. Нельзя. У меня сейчас самые работающие места язык, уши и задница. Лаврентий там, Лаврентий тут. Товарищ Берия надо, товарищ Берия немедля.

Сколько будет это колесо как у белки? Белка побегает побегает, устанет — отдохнет. А у меня без отдыха, крутится и крутится. Снова вижу, хорошо, что в Наркомате людей подобрал. Работают хорошо.

---

[1] 11 сентября 1941 года в 19.10 Сталин направил директиву командующему войсками Ленинградского фронта Ворошилову и командующему войсками Резервного фронта Жукову о замене Ворошилова Жуковым и назначении начальником штаба Ленинградского фронта заместителя начальника Генерального штаба генерал-лейтенанта Хозина.

[2] В Москве ожидался приезд к концу сентября 1941 года англо-американской делегации на конференцию представителей СССР, США и Великобритании, собираемой по инициативе президента США Ф.Д. Рузвельта и премьер-министра Англии У. Черчилля.

[3] Это — интересный факт! Считается, что Ворошилов был заменён Жуковым исключительно по, так сказать, «профнепригодности» Ворошилова. Однако, как видим, объяснение было несколько иным... Ворошилов действительно не подходил на роль полководца большой войны, но в Ленинграде командовал не так уж и плохо, хотя и не более того. С другой стороны, Ворошилов с его опытом переговоров, официального визита в Англию в качестве наркома обороны СССР и несомненным обаянием нужен был Сталину в Москве как член советской делегации на предстоящих переговорах. Для подготовки к переговорам требовалось время, а его до приезда англосаксов оставалось не так много (28 сентября 1941 года делегации США и Англии уже были в Москве).

30/IX-41

Вячеслав совещается с гостями[1]. Коба тоже. А у меня дипломатия простая. Дай и все. Надо — помогу. Но ты дай, в Господа Бога мать и непорочное зачатие!

Для Кобы сейчас главное от меня Самолеты. И Танки. И Минометы. Еще Винтовки и Пулеметы. Людей тоже дай. Ванников[2] молодец. Бывает с придурью, но тянет хорошо. Если подтянуть, все работают хорошо. Плохо, что война кого подтягивает, кого разбалтывает. А есть как г...вна мешок, ничем не возьмешь. Даже пулей.

Киев сдали[3]. И здесь проср...л Мыкыта. Напора у мужика много и дело вроде знал. А как Гроза пришла, проср...л. Командуй теперь из Харькова. Как бы они и Харьков не проср...али[4].

Фронт не мое дело. Но голове не прикажешь. Думаю. Пока на Москву прямого движения нет. Фриц занимает Украину и на севере жмет. А если снова пойдут на Москву? Есть данные. Ему конечно надо Украину занять и Донбасс. Но сразу он пёр на Москву. Куда он пойдет дальше? Закордонной разведке здесь веры нет. Я Кобе так и сказал, он понял. Могут подло-

---

[1] С 29 сентября по 1 октября 1941 года в Москве проходила союзная конференция США, Великобритании и СССР. Был подписан протокол о взаимных военных поставках. Делегацию США возглавлял специальный представитель президента США в ранге посла Аверелл Уильям Гарриман (1891—1985), в 1943—1946 гг. посол США в СССР. Английскую делегацию возглавлял лорд Бивербрук, министр военного снабжения. 1 октября 1941 года Сталин и Молтов дали прием в честь гостей.

[2] Ванников Борис Львович (1897—1962), в 1941 году заместитель наркома боеприпасов СССР, до этого нарком вооружений СССР. В начале июня 1941 года Ванников был снят как не справившийся с работой и арестован, но уже 25 июля 1941 года был освобождён и назначен вначале заместителем наркома боеприпасов П.Н. Горемыкина, а с 16 февраля 1942 года — наркомом.

См. также записи от 23 октября 1940 года и 26 мая 1941 года.

[3] Киев был сдан 19 сентября 1941 года.

[4] 3 октября 1941 года советские войска оставили Орёл, 6 октября — Брянск, 25 октября — Харьков. 17 октября 1941 года был создан Калининский фронт, поскольку возникла угроза удара на Москву не только с западного, но и с северо-западного направления.

вить на дезинформации. Тут надо мозгами раскинуть по обстановке. А как раскинуть. Одна дивизия стоит как вкопаная (*Так в тексте. — С.К.*), другая армия бежит. Коба матерится, говорит, х...ево пока воюем.

А если он пойдет на Москву?[1] Сможет он дойти до Москвы? Без Москвы нам нельзя, тут все. Одного оружия сколько даем.

Комментарий Сергея Кремлёва.

Операция «Тайфун», по замыслу Гитлера, должна была не только завершить кампанию 1941 года, но и окончательно разгромить Красную Армию и дать фюреру Москву. Для этого группа армий «Центр» была максимально усилена, в том числе 4-й танковой группой и авиационным корпусом из группы армий «Север», двумя танковыми и двумя моторизованными дивизиями из группы армий «Юг» и двумя танковыми соединениями из резерва Главного командования Сухопутных войск.

В целом в группе армий «Центр» было сосредоточено 64% всех немецких подвижных соединений, действовавших на советско-германском фронте, и она имела превосходство над войсками трёх советских фронтов в живой силе в 1,4 раза, в артиллерии — в 1,8; в танках — в 1,7; в самолётах — в 2 раза.

Западным фронтом командовал генерал-полковник И.С. Конев, Резервным — маршал С.М. Будённый, Брянским — генерал-лейтенант А.И. Еременко.

Задачи Ставки были противоречивыми. С одной стороны, Сталин ориентировал войска на оборону, с другой стороны, — на наступление. Собственно, это было не так уж противоречиво! Лучшая оборона, это — нападение, а успешное нападение в условиях возможного наступления противника обеспечивается только с позиций хорошо укреплённой обороны. Однако и командование, и войска по-

---

[1] Как раз в те дни, когда Берия размышлял о том, куда будет направлено острие осеннего наступления вермахта, немцы заканчивали подготовку к операции «Тайфун» — наступлению на Москву.

ниманием важности момента не прониклись. Удар немцев оказался неожиданным.

Наступление немцев началось 30 сентября в полосе Брянского фронта, а общее — со 2 октября. Началась Московская битва, в первой фазе которой немцы подошли к Москве, а во второй фазе фронт стабилизировался под Москвой. С 5 декабря по 7 января продолжалось мощное контрнаступление советских войск, и этот наступательный порыв длился до конца апреля 1942 года, после чего советско-германский фронт временно стабилизировался.

5/X-41

Положение снова дрянь. Коба вызвал из Ленинграда Георгия[1]. Георгий за эти месяцы очень вырос. Коба его ценит. Бывает хамит, но дело знает. Сейчас это главное.

Фриц меня даже удивляет. Когда он выдохнется? Большая сила была собрана. Сначала ударил крепко. И снова такой удар. Умеют воевать, сволочи.

Если это выдержим, считай мы в Берлине, вопрос когда. А выдержим? А куда мы денемся. Выдержим. И морду им набьем.

Комментарий Сергея Кремлёва.

Вызов Жукова в Москву был своевременным. Уже в первую неделю немецкого наступления на Москву на фронте вновь произошла фактически катастрофа, причём прежде всего — из-за вялости командования на уровне фронты-армии. Часть армий Западного, Резервного и Брянского фронтов в районе Вязьмы и Брянска была окружена. Путь на Москву был открыт. Сталин, как на грех, приболел.

Зная историю войны и реальные достоинства и недостатки всей плеяды советских полководцев сталинской военной школы (а такая школа за годы войны блестяще сформировалась и окрепла), можно сказать, что кроме Жукова

---

[1] 5 октября 1941 года Сталин вызвал командующего Ленинградским фронтом Г.К. Жукова в Москву, чтобы «посоветоваться о необходимых мерах».

тогда ситуацию мог бы вытянуть разве что Рокоссовский, умевший воевать без мата, зато с блеском и верой в людей. Но тогда Рокоссовский только начинал входить в поле зрения Сталина, а Жуков был уже на виду. Поэтому жёсткие действия Жукова под Москвой в октябре 1941 года в целом обеспечивают ему благодарную память потомства.

10 октября 1941 года в 17.00 была отдана директива Ставки ВГК № 002844 об объединении Западного и Резервного фронтов в Западный с назначением командующим Жукова, а бывшего командующего Западным фронтом Конева — его заместителем. Членами Военного совета фронта назначались Н.А. Булганин (тогда зампред СНК СССР), И.С. Хохлов (председатель СНК РСФСР) и заместитель наркома НКВД С.Н. Круглов.

За два дня до этого — 8 октября, Сталин принял решение о подготовке к подрыву до тысячи московских предприятий. С учётом реального развития событий к тому дню этот факт свидетельствует о том, что в начале второй недели октября 1941 года Сталин вновь пережил тяжёлый кризис, и хотя не опустил руки, но в какой-то мере духом пал.

Понять его можно. Сталин уже был уверен, что новый немецкий удар фронты выдержат, что самое тяжёлое уже позади. И вдруг оказалось, что военачальники и их войска во второй раз подвели страну.

Тем не менее наиболее верным было бы решение на немедленное превращение Москвы в крепость и ведение уличных боёв. Осенью 1942 года надежды на победу Германии окончательно сгорели в пламени Сталинграда, а Москва для немцев могла бы стать в 1941 году ещё более крепким орешком.

Да и фактическое положение вещей не было безвыходным, что ближайшие недели подтвердили: уже через два месяца после начала немецкого наступления началось наше победное контрнаступление под Москвой.

Так или иначе, кризис духа был преодолён Сталиным в два-три дня. Свою роль тут сыграла и уверенность Жукова в возможности отстоять Москву, в чём он заверил Сталина не только как большевик, но и как профессионал.

Кризис командования и войск на фронте в своей наиболее острой фазе (полная неразбериха) тоже был в считаные дни преодолён. Началось тяжёлое переламывание ситуации в нашу пользу.

Остроту момента хорошо передают две директивы Ставки ВГК Военному совету Западного фронта от 27 октября 1941 года, разделённые всего двумя (!) часами.

В 14.50 была отдана директива № 004149:

> «Ставка узнала, что вы сдали войскам противника в количестве одного пехотного полка ст. Волоколамск.
>
> Ставка считает это позором для Западного фронта.
>
> Ставка приказывает вам сегодня же разгромить противника на ст. Волоколамск с воздуха и наземными частями, мобилизовать все силы и очистить ст. Волоколамск от частей противника.
>
> Ставка ждет от вас донесений об освобождении ст. Волоколамск.
>
> *СТАЛИН*[1]
> *ВАСИЛЕВСКИЙ».*

А в 17.05 была отдана директива № 004156[2]:

> «В отмену приказа № 004149 Ставка временно снимает задачу немедленно заняться ст. Волоколамск и категорически требует прочной обороны восточного берега р. Лама с тем, чтобы удержать за собой г. Волоколамск во что бы то ни стало.
>
> *СТАЛИН*
> *ВАСИЛЕВСКИЙ»*

Волоколамск был тогда всё же сдан, однако линия фронта стабилизировалась несколько восточнее города до начала нашего декабрьского контрнаступления. А 20 декабря 1941 года Волоколамск был освобождён.

---

[1] В хрущёвские времена даже некоторые маршалы (хрущёвского же производства) имели наглость утверждать, что во времена первых неудач все документы Ставки якобы шли за подписью только Шапошникова, а Сталин-де начал ставить свою подпись лишь после того, как сплошной полосой пошли успехи.

[2] Обращаю внимание читателя на номера директив: 004149 и 004156. За два часа Ставка, несмотря на тяжелейшее положение под Москвой, подготовила, кроме этих двух директив, ещё шесть. Война ведь не ждала, а борьба шла по всему фронту от Заполярья до Крыма.

Надо сказать, что информация армейского командования о положении дел не всегда была объективной и точной. Поэтому на органы НКВД и Особые отделы НКВД легла обязанность точного информирования Сталина. Вот почему он иногда знал обстановку лучше, чем командующие фронтами и армиями. Для дела это было, конечно, полезно, но любви армейского командования к Берии это не увеличивало.

6/Х-41

Сообщили уже точно что в бою погиб Михеев[1]. Погиб точно. Я Михеева знаю, попасть живым он не допустил бы. Или просто погиб, или застрелился, или держал кого-то с жестким приказом, если что застрелить. Хороший был парень. Только мы ему дали Комиссара, работать ему и работать, но война есть война. А я на этого парня крепко рассчитывал. Виктор[2] парень толковый, но ему нужен контроль. А Михеев был парень основательный, с крепким стержнем. Жалко. Теряем людей. Вечная ему слава.

---

[1] Михеев Анатолий Николаевич (1911 — 23.9.1941), комиссар ГБ 3-го ранга (19.7.1941), сын железнодорожного сторожа в Архангельской области. В сентябре 1928 года поступил в РККА. Окончил Ленинградскую военно-инженерную школу (1931) и 4 курса Военно-инженерной академии им. В.В. Куйбышева (1939). Член ВКП(б) с 1932 года. После прихода в НКВД Берии был направлен по партийному набору в органы НКВД. С февраля 1939 года начальник Особого отдела Орловского военного округа, с сентября 1939 года — начальник Особого отдела Киевского Особого военного округа. В 1940—1941 гг. начальник 4-го отдела ГУГБ НКВД СССР (Особые отделы). С февраля 1941 года после выделения из НКВД отдельного наркомата ГБ военная контрразведка не вошла в НКГБ, а была передана в структуру наркомата обороны СССР как 3-е Управление НКО под руководством А.Н. Михеева. После объединения НКВД и НКГБ 20 июля 1941 года и возврата Особых отделов в НКВД СССР, Михеев был назначен начальником Особого отдела НКВД Юго-Западного фронта и при выходе из окружения погиб в бою (по некоторым данным — застрелился).

[2] Скорее всего, имеется в виду заместитель Берии Виктор Семёнович Абакумов (1908—1954), тогда начальник Управления особых отделов НКВД СССР, затем начальник ГУКР «Смерш» НКО СССР и министр ГБ СССР.

13/X-41

Был большой разговор. Снова доказывал Кобе, что взрывать город и уходить не дело[1]. Ни х...я мы толком не взорвем, потому что опыт уже есть, когда отходим, бардак. Свежий пример — Калинин. Хоменко[2] мне позвонил, массой бежали из города позорно[3]. И из Москвы бегут[4]. А надо крепче организовать оборону на случай уличных боев. Даже если они в Москву войдут, уже не выйдут. Мы здесь каждый люк знаем, ночью и в тыл зайти можно и обойти можно. Сели с Ширяевым[5] и танкистами. Если танки отойдут, можно их использовать как огневые точки. Можно воевать и в городе. Тем более мы их сюда не пустим. Не войдут.

Бардак такой, что никогда не было. Если посмотреть что есть руки опускаются. Надо думать, что будет. А как подумаешь, что будет, х...й поднимается. Как ни крути, а нам одно остается. Раз он дошел до Москвы, нам надо дойти до Берлина.

---

[1] 8 октября 1941 года было принято Постановление ГКО об организации пятёрки во главе с замнаркома НКВД Серовым «для проведения специальных мероприятий по предприятиям города». Имелась в виду подготовка к ликвидации 1119 предприятий Москвы, из которых 412 предприятий имели оборонное значение или частично работали на оборону.

[2] Командующий 30-й армией, генерал-майор пограничных войск НКВД.

[3] Оперативная группа управления 30-й армии во главе с командармом В.А. Хоменко, прибыв в 10.00 13 октября 1941 года в Калинин (ныне Тверь) для перебазирования управления армии, обнаружила там действительно безобразную картину не эвакуации, а беспорядочного бегства. Более тысячи человек милиции и сотрудников НКВД тоже бежали по распоряжению зам. начальника УНКВД Шифрина и начальника милиции Зайцева. Секретари обкома, включая 1-го секретаря Бойцова, председатель облисполкома и начальник УНКВД по Калининской области майор ГБ Токарев при этом оставались, правда, в Калинине, но ситуацией не владели и начали действовать лишь после решительных мер Хоменко.

[4] За полгода войны из Москвы было эвакуировано организованным порядком и бежало примерно 2 200 000 человек. При этом на 8 января 1942 года в городе проживало 2 370 000 человек.

[5] Ш и р я е в С.И. (1907—?), генерал-майор, начальник отдела укреп-районов Генерального штаба Красной Армии. 8 и 13 октября 1941 года принимал участие в совещаниях у Сталина, на которых присутствовал и Берия.

Хреново, что скажешь. Коба один момент снова растерялся. Не верил, что Москву удержим. Приказал готовить ликвидацию промышленности. Я сказал, выполним, товарищ Сталин, но это не дело. Надо отстоять.

Он говорит, я сам знаю что надо. А если не отстоим? Говорю, надо немедля Москву укреплять. Тут любой дом как укрепрайон. Посмотрел на нас с Георгием[1] (*Имеется в виду Г.М. Маленков. — С.К.*), говорит, мысль дельная. Шуруйте. Потом прибавил: «Жуков тоже заверяет что не сдадим Москву».

Теперь шуруем.

Комментарий Сергея Кремлёва.

13 октября 1941 года с 13.15 у Сталина были Молотов, Берия и Маленков (с 13.20).

С 13.30 до 13.40 они заслушивали руководителей Главного автобронетанкового управления РККА Федоренко и Мишулина (последний, командуя танковой дивизией, отличился в августовских боях и был удостоен звания Героя Советского Союза).

В 15.15 у Сталина появился начальник Генштаба Шапошников, и с 15.25 до 16.30 прошло совещание, на которое были приглашены С.И. Ширяев и начальник Главного военно-инженерного управления Красной Армии Л.З. Котляр.

Шапошников ушёл в 16.30 с Котляром и Ширяевым. Через двадцать минут ушёл и Молотов. Берия и Маленков ещё оставались у Сталина — до 17.00.

Скорее всего, тогда, в последние 10 минут, и состоялся тот разговор, который упоминается в дневниковой записи от 13 октября 1941 года.

7/XI-41

А вот вам х...й, а не Москва. Парад провели и через год проведем! И через десять! И через сто! И в Берлине Парад проведем!

---

[1] См. комментарий ниже.

Как грязь смыло. Коба — Гений! Другой подумал бы, что не время. А он сказал, надо провести. И провели![1]

И собрание провели[2]!

Только что от Кобы. Были только Вячеслав, Георгий и я[3]. Сказал, что же товарищи, не думали мы год назад, что так отметим Октябрьскую Годовщину. Но главное, что мы ее отметили и дальше отмечать будем. А этот подлец Гитлер может десятую годовщину своего рейха[4] и отметит, а уже пятнадцатой годовщины ему не видать! Потом посмотрел на нас, говорит, какой пятнадцатой? Что мы, за годик не управимся?

Может и управимся. За три точно должны!

Комментарий Сергея Кремлёва.

Густые восклицательные знаки в записи за 7-е (собственно, уже за 8-е) ноября 1941 года вполне понятны. Военный парад войск Московского гарнизона 7 ноября 1941 года на Красной площади в честь 24-й годовщины Великой Октябрьской социалистической революции дал стране больше чем надежду. Он дал уверенность в будущей Победе. А историческая суть этого Парада оказалась настолько великой, что даже ублюдочная «Россияния» пытается проводить «парады» в честь этого Парада, стыдливо «забывая» то, в честь *какого* события был проведён *тот Парад*.

С трибуны Мавзолея В.И. Ленина к войскам обратился Председатель Государственного комитета обороны и народный комиссар обороны Сталин. Это тогда было сказано им:

> «Война, которую вы ведёте, есть война освободительная, война справедливая. Пусть вдохновляет вас в этой войне мужественный образ наших великих предков —

---

[1] См. комментарий ниже.

[2] См. комментарий ниже.

[3] С 0.10 до 0.40 в ночь с 7 на 8 ноября 1941 года в кремлёвском кабинете Сталина находились, кроме его хозяина, только Молотов, Маленков и Берия.

[4] Скорее всего, Сталин имел в виду отсчёт с 1933 года, когда нацисты пришли к власти.

Александра Невского и Димитрия Донского, Кузьмы Минина и Димитрия Пожарского, Александра Суворова и Михаила Кутузова! Пусть осенит вас победоносное знамя великого Ленина!»

Накануне, 6 ноября 1941 года, на станции метро «Маяковская» (самой, пожалуй, самобытной станции Московского метрополитена) прошло торжественное заседание Московского совета депутатов трудящихся с партийными и общественными организациями Москвы по поводу 24-й годовщины Великой Октябрьской социалистической революции. Доклад делал Сталин. В его начале он сказал: «…Период мирного строительства закончился. Начался период освободительной войны с немецкими захватчиками…»

Последними же словами доклада были, пожалуй, самые знаменитые сталинские слова времён войны:

«Наше дело правое, враг будет разбит, победа будет за нами!»

10/XI-41

Х...ево х...ево, а работаем. И немца бьем, и сами учимся, и успех наметился. И люди выдвинулись. Сволочей и долбо...бов намного меньше. Война сразу проявила. Думали, где взять людей. А они вот, наши люди. Коба говорит, мы сами не заметили, как смену воспитали. Старики прос...али, а молодые тянут дай бог!

Хорошо работает Паршин[1]. Ткаченко[2] тоже молодец. Дело крепко поставили, результат есть. Коба говорит, передай спасибо, молодцы. Минометы на фрон-

---

[1] Паршин Петр Иванович (1899—1970), государственный деятель, с февраля 1939 года нарком общего машиностроения СССР. В ноябре 1941 года наркомат преобразован в наркомат миномётного вооружения. До конца государственной деятельности Л.П. Берии Паршин входил в круг тех, кто активно работал с Берией, в том числе в Атомном проекте.
Хрущёв в 1957 году отправил этого опытнейшего работника на пенсию.

[2] Ткаченко И. М. (1910—1955), начальник 7-го специального отдела НКВД по чекистскому обслуживанию производства миномётов. См. о нём также запись от 12 июня 1947 года.

те делают большую работу. Сколько не (*Так в тексте. — С.К.*) дай, все мало.

Сказал, обязательно передам. И от себя добавлю[1].

В Тбилиси хорошо делают Самолеты[2]. Я им сказал, чтобы все шло только сверх плана. Люди в мороз Самолеты делают, а у вас виноград. Так что работайте как звери, а то после Победы приеду, плохо будет.

Справка комментатора.

С 16 ноября по 30 ноября 1941 года Л.П. Берия не отмечен в Журнале посещений кремлёвского кабинета И.В. Сталина. Он появился в нём лишь ночью 1 декабря в 0.50, когда у Сталина были только Молотов, Маленков и маршал Кулик. Кулик через 40 минут ушёл, а через 20 минут к Сталину на 20 минут был вызван Мехлис. С 2.10 до 3.00 Сталин, Молотов. Маленков и Берия были одни. Поговорить им в узком кругу было о чём.

Со 2 по 24 декабря 1941 года Л.П. Берия вновь не был отмечен в Журнале посещений кремлёвского кабинета И.В. Сталина. Можно предполагать, что в этот период Берия работал сразу по нескольким направлениям. Возможно, он провёл ряд совещаний на московских оборонных предприятиях. Возможно, он периодически покидал Москву для инспекции войск, выяснения реального положения дел через Особые отделы НКВД, а также для организации действий различных подразделений ОМСБОНа в ходе начавшегося нашего наступления и т.д., а докладывал Сталину с глазу на глаз на кунцевской даче.

С 25 декабря 1941 до своего выезда в 20-х числах августа 1942 года на Кавказ в качестве члена ГКО и

---

[1] В 1941 году выпуск миномётов вырос по сравнению с 1940 годом почти в четыре с половиной раза — с 38 тысяч до 165 тысяч!

[2] С конца 1941 года по сентябрь 1943 года на серийном заводе в Тбилиси выпускались истребители ЛаГГ-3, а затем — Як-3.

представителя Ставки ВГК Л.П. Берия принимал участие во всех — за редчайшим исключением — совещаниях у И.В. Сталина в его кабинете.

25/XI-41

Коба занят фронтом. Я тоже фронтом, больше заводами. Эвакуированные заводы уже где-то начинают работать. Пока надо нажать на те, что есть. Пленный из 7 пехотной дивизии показал, что дивизией командует обер лейтенант (старший лейтенант). Приказал кровь из носа проверить. Проверили. Был факт. Сообщил Кобе, он слышу сопит довольный. Говорит, ага, и их приперло. Ничего, скоро припрет еще больше[1].

11/XII-41

Теперь в игре все фигуры[2]. Рузвельт — это война. Черчиль (*Так в тексте. — С.К.*) тоже война. К тому шло, это было ясно с августа[3]. Они боятся, что останутся одни, и хоть как-то отвлекают Гитлера от нас. Мы им нужны. Только что из Лондона пришла точная информация. В апреле Черчилль через каналы в Америке подбросил Гитлеру дезу, что Сталин хочет напасть на Германию. Знать бы это хотя бы в мае. Теперь понятно, почему сербы так лезли к нам со своим

---

[1] В это время уже заканчивалась подготовка к декабрьскому контрнаступлению советских войск под Москвой.

[2] 7 декабря 1941 года Япония напала на владения США и Британской империи в Тихом океане (Пирл-Харбор, Гонконг, Малайя, Филиппины, Гуам, Уэйк и др.). 8 декабря 1941 года Япония объявила войну США и Англии, а 11 декабря 1941 года войну США объявили Германия и Италия.

Президент США Рузвельт был прекрасно осведомлён о планах удара Японии по Пирл-Харбору, но сознательно подставил свой флот под удар, чтобы всколыхнуть общественное мнение США, склонное к изоляционизму. Поскольку Вторая мировая война, как и Первая, была задумана в интересах США, Рузвельту нужен был повод для прямого подключения США к военным действиям.

[3] В первой половине августа 1941 года Рузвельт и Черчилль встретились в Атлантическом океане. 14 августа 1941 года была подписана так называемая Атлантическая хартия, пропитанная лицемерием, однако направленная против Германии.

Пактом. Это не им надо было, а Черчилю. Он и нам тоже подбрасывал. Англичане умеют. В марте была деза, в июне стала правда. Вроде бы предупреждал, вроде нам спасибо говорить надо. Бл...ди!

Но теперь они нам что-то подбросят из оружия. С паршивой овцы. Ладно, хрен с ними, посмотрим.

Пока наступаем не очень, но дело идет[1].

14/XII-41

Коба налаживает отношения с поляками[2]. По моему от них будет толка как от козла молока, народ гнилой. Дело его. Хреново, что мне новая забота, заниматься этой армией Андерса[3]. Сегодня Павел[4] положил на стол бумагу, надо будет Кобе сказать, что вот мои ребята как работают. Эти муд...ки не успели язык почесать, а мы знаем, о чем они болтали[5]. Я всегда

---

[1] 5 декабря 1941 года началось наше контрнаступление под Москвой.

[2] 30 июля 1941 года, после начала Великой Отечественной войны, правительство СССР и лондонское эмигрантское правительство восстановили советско-польские дипломатические отношения. В ноябре в СССР объявился глава лондонского «правительства» и «главнокомандующий» «вооружёнными силами» «Польской республики» генерал Сикорский. 1 декабря его принял Калинин, а 3—4 декабря 1941 года в Москве прошли переговоры Сталина и Молотова с Сикорским и польским послом в СССР Котом.

[3] По договорённости с Сикорским в Советском Союзе началось формирование польской армии из числа польских военнопленных и других граждан Польши, находившихся на советской территории. 6 августа 1941 года командующим армией был назначен генерал Владислав Андерс. К 1 марта 1942 года в армии находилось 3090 офицеров, 16 202 подофицера и 40 708 солдат, всего — примерно 60 тысяч человек.

[4] Вне сомнений, речь о Павле Михайловиче Фитине (1907—1971), одном из руководителей советской разведки. В конце 1941 года занимал пост начальника 1-го (Разведывательного) управления НКВД СССР.

[5] С учётом даты записи, скорее всего, имеется в виду спецсообщение Фитина Сталину, Молотову и Берии от 14 декабря 1941 года, в котором приводилось полное содержание телеграмм английского посла в СССР Криппса в Лондон от 6 декабря 1941 года. Их текст был получен через лондонскую агентуру РУ НКВД. Криппс подробно излагал свои московские беседы с Сикорским, даже не подозревая, что тем самым предоставляет советскому руководству ценнейшую информацию относительно истинных настроений лондонских поляков. Приведу лишь од-

считал, что с англичанами много не добьешься (*Так в тексте. — С.К.*), а этот Крипс (*Верно «Криппс». — С.К.*) еще тот хорек. Сикорский просто сволочь. А что делать, Коба приказал всех поляков поскорее собрать и передавать Андерсу. Думает, они будут воевать. Х...й они будут воевать за русских. Они за Польшу не воевали.

Ладно, без них дела много. Что сказано, сделаем. А там пусть сам смотрит. Он еще от Идена пшик получит[1]. Я англичан знаю лучше всех. Насмотрелся.

21/XII-41

Отметили день рождения Кобы. Первый раз за все время видел его веселым. Немного охмелел. Хорошо жить, когда наступаем[2]. Устал за этот месяц как собака, хуже собаки. Мотался, мотался, а сил прибавилось.

Даже Шахурину соломки подстелил. Получается из за (*Так в тексте. — С.К.*) пустяка может дело стать. Какие-то трубочки, и свет в нее не увидишь, а без нее Самолета нет. Шахурин кинулся, товарищ Берия, выручай. Георгий тоже просит, помоги, не можем найти

ну фразу Криппса: «Генерал (*Сикорский. — С.К.*) под особо большим секретом сообщил, что на основании всего слышанного он совершенно уверен в глубоком недоверии Сталина к английскому правительству». Отмечу также, что в этой полностью конфиденциальной беседе абсолютно отсутствовали «катыньские», так сказать, мотивы.

[1] Берия как в воду смотрел. 16—17 декабря 1941 года в Москве находилась «миссия Идена», министра иностранных дел в кабинете Черчилля. Результат её оказался фактически нулевым. 21 ноября 1941 года Черчилль в своём письме заверял Сталина, что Иден уполномочен решить любой вопрос, включая посылку английских войск на юг советско-германского фронта. (Прежде всего нам была нужна авиация). Вначале англичане имели в виду всего-то 10 авиаэскадрилий, но в итоге и их не прислали, объяснив отказ тем, что 8 декабря Япония-де объявила Англии войну, что было пустой отговоркой.

[2] 29 ноября 1941 года был освобождён сданный 21 ноября Ростов-на-Дону. 5 декабря 1941 года началось успешное контрнаступление советских войск под Москвой. 12 декабря был освобождён Солнечногорск, 15 декабря — Клин, 16 декабря — Калинин, 20 декабря — Волоколамск. 24 декабря 1941 года по решению Ставки ВГК был восстановлен Брянский фронт.

оборудование, затерялось. Нашли мои ребята, мой телефон тоже был горячий, а нашли[1].

Георгий сказал, что виделся с Мыкытой[2]. Сказал, что Коба на совещания Мыкыту приглашал, а на дачу вот не пригласил. Не может простить Киев. Я Мыкыту пока не видел.

Заср...нец он.

24/XII-41

Разбираюсь с старыми завалами. В октябре прошли материалы из Лондона по работам в области атомной энергии. Разговоры идут давно, а тут вроде что-то ближе к делу. Якобы уже идут серьезные работы. Сообщают, что сила взрыва будет в огромнейшей степени больше чем обычной взрывчатки. Что значит в огромнейшей. В десять раз? В сто раз? А может в тысячу раз? Непонятно, пусть уточняют. Пока Кобе ничего докладывать не буду. Пока не до этого и надо разобраться[3]. Может брехня. Посмотрим.

Завтра у Кобы надо поставить вопрос о пленных и окруженцах. Набралось уже порядком. Как быть? Понятно, надо фильтрационные лагеря. А потом? Думаю, надо после фильтрации сразу передавать их на формирование. Пусть искупают в бою. Особым Отде-

---

[1] Вне сомнений, речь о Н.С. Хрущёве, а Георгий — это Г.М. Маленков.

[2] Разъяснение смысла этой записи я отыскал в мемуарах бывшего наркома авиационной промышленности Шахурина. Выпуск самолётов (чему Сталин уделял даже большее значение, чем выпуску танков, потому что танковое производство было менее технологически ёмким) вдруг оказался под угрозой из-за отсутствия специальной профильной трубки малого диаметра для радиаторов охлаждения самолётных двигателей, так называемой соломки. Как видим, и это «узкое место» помог ликвидировать Л.П. Берия, аппарат которого нередко привлекался к оперативным поискам затерянного при эвакуации оборудования.

[3] Это первое упоминание в дневнике Л.П. Берии о разведывательной информации по зарубежным атомным работам. Одно из первых сообщений советской разведки по этой теме легло на стол наркома ещё 10 октября 1941 года, когда танковые части вермахта рвались к Москве.

лам бывших пленных брать на заметку. Воюет как надо, снять с учета. Снова елозит, тогда надо смотреть[1].

26/XII-41

Увиделся с Мыкытой. Я ему всё высказал. Говорю, что ж ты меня перед товарищем Сталиным дураком делал в мае. «Товарищ Сталин, они не посмеют. Товарищ Сталин, Лаврентий вас провоцирует». А что вышло?

Стоит хмурый, улыбки нет. Видно, что переживает. Говорит, еще ты, Лаврентий. Товарищ Сталин и так видеть не хочет. Болтаюсь как г...вно в проруби без дела.

Жалко его стало. Говорю, ладно, кто старое вспомнит, тому глаз долой. Нам, Мыкыта вместе долго еще воевать. Не обижайся, от души сказал.

Он повеселел, говорит, я еще докажу. Ошибиться каждый может. Все ошиблись. Я говорю, все да не все. Только что теперь руками махать. Теперь работать надо до Победы[2].

---

[1] Скорее всего, здесь изложены соображения, которые легли в основу Постановления ГКО № ГОКО-1069сс от 27 декабря 1941 года. Оно предписывало создать сборно-пересыльные пункты НКО и четыре фильтрационных лагеря НКВД в «целях выявления среди бывших военнослужащих Красной Армии, находившихся в плену и в окружении противника, изменников родине, шпионов и дезертиров». Постановление возлагало на НКО обеспечение организуемых лагерей НКВД «помещением, казарменным инвентарем, постельными принадлежностями, питанием, отоплением, необходимым обмундированием и санитарной обработкой» (п. 6).

Наиболее же существенным был пункт 5: «Лиц, в отношении которых после проверки их Особыми отделами не будет установлено компрометирующих материалов, начальникам лагерей передавать соответствующим военным комиссариатам — по территориальности». Иными словами, даже в начальный период войны бывший военнопленный отнюдь не становился автоматически изгоем.

[2] Вот уж эта запись от глаз хрущёвских цензоров была точно скрыта. Сделать это было, как я догадываюсь, тем проще, что Хрущёва и хрущёвцев интересовал прежде всего период перед войной. Ведь сегодня есть основания предполагать, что основными дезинформаторами Сталина относительно намерений немцев на лето 1941 года были, в первую очередь, командующий Западным Особым военным округом генерал Павлов, а затем — Хрущёв и, возможно, 1-й секретарь ЦК КП(б) Белоруссии Пономаренко. Первый, возможно, был связан с заговором Тухачевского, а два последних просто заглядывали в рот Сталину.

Послесловие публикатора

На этом дневники Л.П. Берии за 1938—1941 годы фактически заканчиваются (последняя запись 1941 года будет обнародована несколько позже). И мне остаётся сказать лишь несколько слов...

Должен признаться, что, работая над подготовкой дневников к печати, я перевернул если не горы, то уж точно пару холмов документов, справочных изданий, энциклопедий, мемуаров, «мемуаров» и т.д. Ведь для начала надо было хотя бы минимально убедиться в аутентичности дневников, а для этого надо было сопоставить даты и ряд обстоятельств, далеко не всегда общеизвестных. Кроме того, надо было пояснить, а то и расшифровать смысл многих записей и т.д.

Несмотря на то что я неплохо представляю себе эпоху Сталина, её движущие силы и мотивы, героев той эпохи и её предателей, многое для меня открылось по-новому, а кое-что из того, что ранее виделось в туманной исторической дымке, обрело чёткий облик.

Надеюсь, это же сможет сказать и читатель после знакомства с текстом дневников Л.П. Берии и моими комментариями к ним.

Бурные предвоенные годы, неудачи и победы 1941 года прошли перед нами в их отражении в дневнике заместителя Председателя Совета народных комиссаров СССР, наркома внутренних дел СССР, члена ГКО Л.П. Берии. А впереди у него и всей страны были ещё три с половиной военных года. Этот период также отражён Л.П. Берией в дневниковых записях, и читатель вскоре сможет познакомиться с ними, потому что «Павел Лаврентьевич» передал мне дневники и за военные и послевоенные годы. Подготовка к их публикации близится к завершению.

Так что, надеюсь, уважаемого читателя ждут, как и меня в своё время, новые открытия.

Содержание

Литературно-художественное издание

СПЕЦХРАН. СЕНСАЦИОННЫЕ МЕМУАРЫ

Берия Лаврентий Павлович

«СТАЛИН СЛЕЗАМ НЕ ВЕРИТ»
Личный дневник 1937—1941

Издано в авторской редакции
Ответственный редактор *Л. Незвинская*
Художественный редактор *С. Курбатов*
Компьютерная верстка *С. Кладов*
Корректор *В. Чернявская*

ООО «Яуза-пресс»
109439, Москва, Волгоградский пр-т, д. 120, корп. 2
Тел.: (495) 745-58-23, факс: 411-68-86-2253.

Подписано в печать 30.03.2011.
Формат 84×108 $^1/_{32}$. Гарнитура «Журнальная».
Печать офсетная. Усл. печ. л. 16,8.
Доп. тираж 4100 экз. Заказ № 4688.

Отпечатано в ОАО «Можайский полиграфический комбинат».
143200, г. Можайск, ул. Мира, 93.
www.oaompk.ru, www.оаомпк.рф тел.: (495) 745-84-28, (49638) 20-685